Falso espelho

Jia Tolentino

Falso espelho

Reflexões sobre a autoilusão

tradução
Carol Bensimon

todavia

Aos meus pais

Introdução 9

1. O eu na internet 13
2. Entrando em um reality show 50
3. A otimização constante 84
4. Heroínas puras 121
5. Êxtase 161
6. A história de uma geração em sete golpes 193
7. Viemos da velha Virgínia 240
8. O culto da mulher difícil 287
9. Com temor, eu te desposo 321

Agradecimentos 357
Leituras de apoio 361

Introdução

Escrevi este livro entre a primavera de 2017 e o outono de 2018, um período no qual a identidade americana, a cultura, a tecnologia, a política e o discurso pareciam se fundir em uma intolerável supernova de conflitos em constante evolução, uma fatia de tempo em que a experiência cotidiana parecia, ao mesmo tempo, um elevador parado e uma montanha-russa de um parque de diversões, período em que muitos de nós pensávamos que as coisas não podiam ficar piores, mas é claro que depois pioraram.

Durante esse tempo, descobri que mal podia confiar no que eu estava pensando. Uma dúvida que sempre paira bem no fundo de minha cabeça se intensificou: quaisquer conclusões a que eu chegar sobre mim, minha vida ou meu ambiente têm tanto a chance de estarem certas quanto diametralmente erradas. Para mim, é difícil articular essa suspeita, em parte porque geralmente a elimino escrevendo. Quando me sinto confusa em relação a alguma coisa, escrevo sobre ela até que eu me torne a pessoa que aparece no papel: alguém que é plausivelmente confiável, claro e intuitivo.

É exatamente esse hábito — ou compulsão — que faz com que eu desconfie que estou me enganando. Se eu fosse, de fato, a pessoa calma que pareço ser no papel, por que precisaria sempre elaborar uma narrativa que me faz chegar até ela? Tenho dito a mim mesma que escrevi este livro porque fiquei confusa depois das eleições, porque a confusão está em desacordo com meu temperamento, porque escrever é minha única estratégia para fazer o conflito sumir. Essa história acaba me convencendo, mesmo que eu possa ver o negativo da imagem: escrevi este livro porque estou sempre confusa, porque nunca posso ter certeza de nada e porque me sinto atraída por qualquer mecanismo que possa me afastar dessa verdade. Escrever é a maneira que tenho de me livrar de minhas ilusões, ou de desenvolvê-las. Uma narrativa conclusiva e recorrente é, em geral, uma narrativa duvidosa: que uma pessoa "não gosta de drama", ou que os Estados Unidos precisam ser incríveis de novo, ou que os Estados Unidos já são incríveis.

Estes ensaios falam sobre as esferas da imaginação pública que moldaram minha compreensão de mim mesma, do país e desta época. Um é sobre a internet. Outro é sobre "otimização", o surgimento do *athleisure* como um estilo de vestuário fetichista do capitalismo tardio, e as aplicações constantes e sem fim da ideia de que, ao longo do tempo, os corpos femininos devem melhorar seu desempenho no mercado. Há um ensaio sobre drogas e religião, e a forma com que o êxtase conecta as duas coisas; outro sobre golpes como o éthos *millennial* definitivo; outro ainda sobre a jornada da heroína literária, de garota corajosa a adolescente deprimida e, por fim, a mulher adulta amarga possivelmente morta. Um ensaio conta sobre minha participação em um reality show na adolescência. Outro fala sobre sexo, raça e poder na Universidade da Virgínia, minha alma mater, onde uma série de histórias convincentes levou a enormes custos ocultos. Os dois últimos falam sobre a obsessão feminista por mulheres "difíceis" e a crescente insanidade que eu comecei a adquirir lá pelos vinte anos, quando tinha a sensação de que, anualmente, eu estava comparecendo a alguns milhares de casamentos. São os prismas através dos quais eu conheci a mim mesma. Neste livro, tentei desfazer os atos de refração desses prismas. Queria ver do jeito que veria em um espelho. É possível que, em vez disso, eu tenha pintado um elaborado mural.

Mas tudo bem. Os últimos anos me ensinaram a deixar de lado meu desejo por conclusões, a aceitar que nada é estático e que a negociação será perpétua e, principalmente, a esperar que as pequenas verdades continuem surgindo com o tempo. Enquanto eu estava escrevendo os ensaios, um desconhecido tuitou um trecho de um artigo que escrevi no site Jezebel em 2015, destacando uma frase que falava sobre o que as mulheres pareciam querer dos sites feministas — um "falso espelho que carrega a ilusão da perfeição, assim como a opção autoflageladora de, constantemente, encontrar defeitos". Quando pensei no título para este livro, não me lembrava de ter escrito essa frase e, quando escrevi o texto para o Jezebel, eu não tinha entendido que ela também explicava algo mais pessoal. Comecei a perceber que, durante toda a minha vida, deixei migalhas de pão pelo caminho. Não importava que eu nem sempre soubesse em direção a que estava caminhando. Valia a pena, dizia a mim mesma, apenas tentar ver com clareza, mesmo que levasse anos para que eu entendesse o que estava tentando enxergar.

I.
O eu na internet

No início, a internet parecia uma coisa boa. "Fiquei apaixonada na primeira vez em que usei a internet no escritório do meu pai, achei que era a COISA MAIS LEGAL DO MUNDO", escrevi aos dez anos em uma subpágina do Angelfire chamada "A história de como Jia ficou viciada na web". Em uma caixa de texto sobreposta a um fundo violeta horrível, continuei:

> Mas isso foi no quinto ano, e tudo que eu fazia era entrar em sites sobre Beanie Babies. Com aquela lata-velha de computador, não tínhamos internet em casa. Até a AOL parecia um sonho distante. Então, na primavera de 1999, compramos um computador top de linha, e é claro que ele veio com todas aquelas demos. Finalmente eu tinha AOL e fiquei completamente maravilhada com o fato de criar um perfil, entrar em salas de chat e trocar mensagens instantâneas!!

Então, eu escrevi, descobri as páginas pessoais. ("Fiquei encantada!") Aprendi HTML e "alguns truquezinhos de Javascript". Criei minha própria página no site de hospedagem para iniciantes Expage, escolhendo tons pastéis e depois mudando para o "tema noite estrelada". Aí fiquei sem espaço e "decidi mudar para o Angelfire. Uau". Aprendi a fazer minhas próprias imagens. "Isso aconteceu ao longo de quatro meses", escrevi, impressionada com a rápida evolução de minha cidadania na internet aos dez anos de idade. Recentemente eu voltara a visitar os sites que haviam me inspirado e percebi "como tinha sido idiota em me impressionar com *aquilo*".

Não tenho nenhuma lembrança de ter começado inadvertidamente este ensaio duas décadas atrás, ou de ter criado um site pessoal no Angelfire, o qual encontrei enquanto procurava na internet antigos vestígios de mim mesma. O que resta agora é apenas o esqueleto: a página principal, intitulada "OS MELHORES", mostra uma foto em tons sépia da Andie da série *Dawson's Creek*, assim como um link quebrado para o novo site "O CAMPO CONGELADO", que é "MELHOR!". Há uma página dedicada a um GIF piscante de uma rata chamada Susie, e uma "página com letras legais" com um banner de rolagem e as letras de "All Star" do Smash Mouth, "I Feel Like a Woman!" da Shania Twain e a versão do TLC da desrespeitosa "No Pigeons", do Sporty Thievz. Em uma página FAQ — sim, havia uma página de perguntas frequentes —, escrevi que fechara minha seção de bonecas customizadas porque "o retorno tinha sido enorme".

Parece que usei esse site do Angelfire apenas por alguns meses de 1999, logo depois de meus pais terem comprado um computador. Minha página insana de perguntas frequentes especifica que o site fora criado em junho, e uma página chamada "Diário" — que proclama "vou ser completamente sincera sobre minha vida, ainda que não vá me aprofundar em pensamentos pessoais" — mostra apenas entradas de outubro. Uma delas começa assim: "Está TÃO quente lá fora que nem posso contar o número de vezes que bolotas de carvalho caíram na minha cabeça, provavelmente de exaustão". Mais adiante, escrevi em um tom profético: "Estou ficando louca! Estou viciada na web!".

Em 1999, passar o dia todo na internet parecia diferente. Era assim para todos, não apenas para crianças de dez anos:

essa era a época do *Mensagem para você*, quando parecia que a pior coisa que podia acontecer a alguém no mundo online era se apaixonar por seu rival de trabalho. Durante os anos 1980 e 1990, as pessoas se reuniam na internet em fóruns abertos, atraídos como borboletas pelas flores e poças d'água que eram a curiosidade e as experiências das outras pessoas. Grupos de discussão autorregulados, como os da Usenet, cultivavam discussões animadas e relativamente civilizadas sobre exploração espacial, meteorologia, culinária e discos raros. Os usuários davam conselhos, respondiam a perguntas, faziam amizades e imaginavam o que essa tal de internet iria se tornar.

Como havia poucos mecanismos de pesquisa e nenhuma plataforma social centralizada, as descobertas nos primórdios da internet aconteciam sobretudo no âmbito privado, e o prazer vinha na forma de uma recompensa solitária. Um livro de 1995 chamado *You Can Surf the Net!* listava sites nos quais era possível ler resenhas de filmes ou aprender sobre artes marciais. Também aconselhava o leitor a seguir a etiqueta básica (não escreva tudo em maiúsculas; não gaste a banda larga dos outros com postagens muito longas) e o incentivava a ficar à vontade naquele novo mundo ("Não se preocupe", o autor dizia. "Você tem que ser *muito* mala pra ser insultado"). Nessa época, o GeoCities começou a oferecer hospedagem de sites pessoais para pais que queriam ter seus próprios sites sobre golfe ou crianças que criavam santuários reluzentes e piscantes em homenagem a Tolkien, Rick Martin ou unicórnios, a maioria deles ostentando livros de visitas primitivos e um contador verde e preto. O GeoCities, como toda a internet, era desajeitado, feio e só parcialmente funcional, organizado em bairros: /area51/ era para sci-fi, /westhollywood/ para vida LGBTQ, /enchantedforest/ para crianças, /petsburgh/ para animais de estimação. Se você saísse do GeoCities, poderia caminhar por outras ruas nessa cidade de curiosidades em constante expansão. Você poderia passear pelo Expage ou pelo Angelfire, como eu, e parar na via onde dançavam os pequenos hamsters de desenho animado. Havia uma estética emergente: texto piscante, animação grosseira. Se você encontrasse algo de que gostasse, se quisesse passar mais tempo em qualquer um desses bairros, podia construir sua própria casa a partir de paredes de HTML, e então começar a decorá-la.

Esse período da internet foi batizado de Web 1.0 — um nome que surgiu a partir do termo Web 2.0, cunhado pela escritora e designer de experiência do usuário Darcy DiNucci no artigo "Futuro fragmentado", de 1999. "Sabemos agora", ela escreveu,

que o que vemos na tela de um browser de maneira essencialmente estática é apenas um embrião da web que está por vir. Os primeiros vislumbres da Web 2.0 estão começando a aparecer. A web será percebida não como uma série de telas com imagens e textos, mas como um mecanismo de transporte, o éter por meio do qual a interatividade acontece.

Na Web 2.0, as estruturas serão dinâmicas, DiNucci previu; em vez de casas, os websites seriam portais, pelos quais um fluxo constante e mutável de atividades — atualizações de status, fotos — poderia ser mostrado. O que você fizesse na internet estaria entrelaçado ao que todos os outros faziam, e as coisas que os outros gostassem se tornariam as coisas que você veria. Plataformas Web 2.0, como Blogger e Myspace, possibilitaram que uma pessoa que estivesse apenas observando a cena começasse a gerar seu próprio cenário personalizado em constante mudança. À medida que mais pessoas começaram a registrar sua existência digital, um passatempo se tornou um imperativo: para existir, você precisava de um registro digital.

Em uma reportagem da *New Yorker* publicada em novembro de 2000, Rebecca Mead traça o perfil de Meg Hourihan, a blogueira Megnut. Apenas nos primeiros dezoito meses, observa Mead, o número de "weblogs" aumentara de cinquenta para vários milhares, e blogs como o de Megnut atraíam milhares de visitantes por dia. Essa nova internet era social ("um blog é formado principalmente por links para outros websites e comentários sobre esses links") e centrada na identidade do indivíduo (os leitores de Megnut sabiam que ela adoraria que houvesse tacos de peixe mais gostosos em San Francisco, e também que ela era feminista e muito apegada à mãe). A blogosfera também estava cheia de transações mútuas, que tendiam a ecoar e aumentar. "O principal público dos blogs são outros blogueiros", escreveu Mead. A etiqueta determinava que "se alguém blogar sobre seu blog, você bloga sobre o blog dele".

Com o surgimento dos blogs, vidas pessoais estavam se tornando domínio público, e os incentivos sociais — ser visto, ser curtido — se transformavam em incentivos econômicos. O mecanismo de exposição na internet começou a parecer uma base viável para uma carreira. Hourihan fundou o Blogger junto com Evan Williams, que depois foi um dos fundadores do Twitter. A JenniCam, criada em 1996 quando a universitária Jennifer Ringley começou a exibir fotos da webcam instalada em seu dormitório, atraiu mais de 4 milhões de visitantes diários em determinado momento, alguns dos quais pagaram uma inscrição para que as imagens carregassem mais rápido. A internet, ao prometer uma audiência potencialmente ilimitada, começou a parecer o habitat natural da autoexpressão. Em uma postagem, o namorado de Megnut, o blogueiro Jason Kottke, perguntou-se por que ele não escrevia suas ideias de forma privada. "De alguma forma, isso ia parecer estranho para mim", escreveu. "A web é o lugar pra você expressar suas ideias e emoções e coisas do tipo. Pôr isso em outro lugar parece absurdo."

A cada dia, mais gente concordava com ele. O clamor pela autoexpressão transformou o vilarejo da internet em uma cidade, que se expandia como uma filmagem em *time-lapse*, com conexões sociais espocando como neurônios em todas as direções. Aos dez anos, eu estava clicando em um *webring* para conferir outros sites do Angelfire repletos de GIFs de animais e testes interativos sobre o Smash Mouth. Aos doze, eu estava escrevendo quinhentas palavras por dia em um perfil público no LiveJournal. Aos quinze, estava publicando fotos minhas de minissaia no Myspace. Quando cheguei aos 25, meu trabalho consistia em escrever coisas que iriam atrair, idealmente, 100 mil estranhos a cada postagem. Agora tenho trinta anos, e grande parte de minha vida é inseparável da internet e de seus labirintos de incessantes conexões forçadas — esse febril, elétrico e inabitável inferno.

Assim como na transição entre a Web 1.0 e a Web 2.0, a internet social coalhou primeiro lentamente, e depois de uma hora para a outra. O ponto de virada, acredito, aconteceu ao redor de 2012. As pessoas estavam perdendo o entusiasmo com a internet e começaram a articular uma série de novas platitudes. O Facebook se tornara entediante, trivial e exaustivo. O Instagram parecia melhor, mas logo revelaria a função subjacente de seu arranjo confuso de felicidade, popularidade e sucesso. Quanto ao Twitter, com toda a sua promessa discursiva, era o lugar onde todo mundo postava críticas a companhias aéreas e expressava sua cólera em relação a artigos escritos apenas com a finalidade de deixar as pessoas furiosas. O sonho de um eu melhor e verdadeiro na internet estava desaparecendo. Se antes nos sentíamos livres para ser nós mesmos online, agora estávamos *acorrentados* a nossas versões virtuais, e isso nos deixava inseguros. Plataformas que haviam prometido conexão começaram a provocar uma alienação em massa. A liberdade anunciada pela internet se transformou em algo cujo maior potencial vinha de seu uso indevido.

Mesmo quando nos tornamos cada vez mais tristes e feios na internet, a miragem de nosso melhor eu virtual continuou a brilhar. A internet é um meio em que o incentivo à performance é inerente. No mundo real, você pode simplesmente andar por aí vivendo a vida enquanto as outras pessoas olham para você. Mas, na internet, você não pode só andar por aí e ser visível; para que os outros o vejam, você precisa *agir*, precisa se comunicar caso deseje manter uma presença virtual. E uma vez que as plataformas mais relevantes são construídas em torno de perfis pessoais, pode parecer — primeiro em nível mecânico, depois como um instinto codificado — que o principal objetivo dessa comunicação é fazer com que você pareça interessante. Os mecanismos de recompensa online imploram para substituir os offline, e então os ultrapassam. É por isso que todo mundo tenta parecer tão lindo e viajado no Instagram; é por isso que todo mundo se comporta de forma tão orgulhosa e triunfante no Facebook; é por isso que, no Twitter, fazer uma declaração política justa, para muitas pessoas, tornou-se um bem político em si mesmo.

Essa prática é com frequência chamada de "sinalização de virtude", um termo normalmente usado por conservadores que querem criticar a esquerda. Mas a sinalização de virtude não está relacionada a um partido específico, e muitas vezes é até apolítica. O Twitter está repleto de promessas dramáticas de lealdade à Segunda Emenda que funcionam como sinalização de virtude entre pessoas de direita; também podemos considerar sinalização de virtude quando, depois do suicídio de uma celebridade, as pessoas postam números de telefone de centros de valorização da vida. Poucos de nós são totalmente imunes a essa prática, pois ela se mistura com um desejo real por integridade política. Postar a foto de um protesto contra a separação de famílias na fronteira do México com os Estados Unidos, como eu fiz enquanto estava escrevendo isto, é uma ação microscopicamente significativa, uma expressão de princípios verdadeiros e também, de forma inevitável, algum tipo de tentativa de mostrar que sou uma boa pessoa.

Levada ao extremo, a sinalização de virtude fez com que algumas pessoas da esquerda tivessem um comportamento bastante desequilibrado. Um caso clássico ocorreu em junho de 2016, depois que um menino de dois anos morreu em um resort da Disney, arrastado por um jacaré em uma lagoa na qual era proibido entrar. Uma mulher, que tinha acumulado 10 mil seguidores no Twitter com seus posts sobre justiça social, viu nisso uma oportunidade e tuitou, de forma magnífica: "Ando tão de saco cheio dos privilégios dos homens brancos que realmente não estou triste que uma criança de dois anos tenha sido comida por um jacaré porque seu pai ignorou as placas". (Ela foi então bombardeada por pessoas que decidiram demonstrar sua superioridade moral pela via do humor, como também estou fazendo aqui.) Um tuíte parecido circulou no início de 2018 depois de uma história bonitinha ter viralizado: uma grande ave marinha branca chamada Nigel morreu ao lado de um pássaro falso a quem Nigel havia se dedicado por anos. Uma escritora indignada tuitou: "Nem mesmo pássaros de concreto lhe devem afeto, Nigel", e então escreveu um longo post no Facebook argumentando que as investidas de Nigel para cima do falso pássaro exemplificavam a... *cultura do estupro*. "Estou disposta a escrever a perspectiva feminista da morte não trágica de Nigel, o ganso-patola, se alguém quiser me pagar por isso", acrescentou, abaixo do tuíte original, que recebera mais de mil curtidas. Esses momentos desvairados e sua irritante proximidade com a monetização online são estudos de caso que demonstram como nosso mundo — mediado digitalmente e consumido pelo capitalismo de forma integral — simplifica as discussões sobre moralidade, mas dificulta muito a verdadeira vida moral. Você não usaria uma notícia sobre um bebê morto para, na verdade, falar de privilégios brancos se não pertencesse a uma sociedade na qual o discurso sobre justiça chama muito mais a atenção do público do que os próprios fatos que exigem justiça.

Na direita, a performance online da identidade política é ainda mais feroz. Em 2017, o grupo jovem conservador Turning Point USA, que tem uma presença massiva nas redes sociais, organizou um protesto na Universidade Estadual de Kent no qual um estudante usando uma fralda demonstrava que "espaços seguros eram coisa de bebê". (A ação viralizou, como era de esperar, mas não da maneira como o Turning Point gostaria: o protesto foi uniformemente bombardeado — um usuário do Twitter pôs o logotipo do site pornô Brazzers sobre uma foto do garoto de fralda, e mais tarde o coordenador responsável pelo campus de Kent renunciou.) Também houve consequências muito maiores, a partir de 2014, em uma campanha que se tornou um modelo para a ação política da direita na internet, quando um grupo de jovens misóginos se uniu em um evento que ficou conhecido como Gamergate.

O fato em questão envolveu uma designer de jogos que estaria tendo relações sexuais com um jornalista em troca de uma cobertura favorável. Ela — assim como várias resenhistas de jogos e escritoras feministas — recebeu uma série de ameaças de estupro, de morte e outras formas de assédio, tudo isso escondido sob a bandeira da liberdade de expressão e da "ética no jornalismo de jogos". Quase todos os *gamergaters* — cerca de 10 mil pessoas, segundo o site Deadspin — negaram o assédio, repetindo sem parar comentários carregados de má-fé ou enganando a si mesmos com o argumento de que o

Gamergate estava centrado em ideias nobres. Até o grupo de mídia Gawker, dono do Deadspin, acabou se tornando um alvo, em parte por conta de seu desprezo agressivo pelos *gamergaters*: a companhia perdeu alguns milhões em receita depois que seus anunciantes foram arrastados para o turbilhão.

Em 2016, um fiasco semelhante virou notícia nacional e ficou conhecido como Pizzagate: alguns fanáticos habitantes da internet supostamente encontraram mensagens codificadas sobre exploração sexual infantil na publicidade de uma pizzaria associada à campanha de Hillary Clinton. Essa teoria foi disseminada na internet por toda a extrema direita, levando a ataques constantes à pizzaria Comet Ping Pong, em Washington, e a todas as pessoas associadas ao restaurante — tudo em nome do combate à pedofilia —, o que culminou no dia em que um homem entrou no lugar atirando com uma arma de fogo. (Mais tarde, esse mesmo grupo sairia em defesa de Roy Moore, o candidato republicano ao Senado acusado de assédio sexual por adolescentes.) A patrulha da esquerda não podia sequer sonhar com essa capacidade de transformar senso de justiça em munição. Até mesmo o movimento militante antifascista conhecido como Antifa é rotineiramente repudiado pelos liberais de centro, apesar do fato de que esse movimento tem suas raízes em uma tradição europeia muito antiga de resistência ao nazismo, não em uma nova constelação paranoica e radical de fóruns e canais de YouTube. A visão de mundo dos *gamergaters* e *pizzagaters* foi atualizada, e em grande parte perdoada, nas eleições de 2016, um evento que sugeria fortemente que as piores coisas da internet estavam agora *moldando*, e não mais refletindo, as piores coisas da vida offline.

A mídia sempre moldou tanto a política quanto a cultura. A era Bush é indissociável dos fracassos da TV a cabo; o abuso de poder do executivo nos anos Obama foi obscurecido pela ênfase que a internet dá à personalidade e à performance; a ascensão de Trump é inseparável da existência de redes sociais que, para continuarem ganhando dinheiro, precisam irritar seus usuários. Nos últimos tempos, tenho me perguntado como tudo ficou tão *intimamente* terrível, e por que continuamos participando disso. Por que uma quantidade imensa de pessoas começou a gastar a maior parte de seu escasso tempo livre em um ambiente tão claramente tortuoso? Como a internet ficou tão ruim, tão capaz de nos confinar, tão inevitavelmente pessoal, tão politicamente determinante — e por que todas essas perguntas estão no fundo indagando a mesma coisa?

Admito que não tenho certeza de que esses questionamentos sirvam para alguma coisa. A internet nos lembra todos os dias que não é nada gratificante tomar consciência de problemas que não temos nenhuma esperança de resolver. E, o mais importante de tudo, a internet é o que é. Ela já se tornou o órgão central da vida contemporânea. Ela já modificou as conexões cerebrais de seus usuários, fazendo com que voltemos a um estado primitivo de hiperconsciência e distração enquanto nos sobrecarrega com muito mais informações sensoriais do que jamais seria possível em tempos primitivos. Ela já construiu um ecossistema que explora nossa atenção e monetiza o eu. Mesmo que você evite a internet completamente — meu namorado faz isso: por bastante tempo, achou que #tbt significava *"truth be told"* [verdade seja dita] —, ainda estará vivendo em um mundo criado pela internet, um mundo no qual o indivíduo se tornou o último recurso natural do capitalismo, um mundo cujas regras são estabelecidas por plataformas centralizadas que deliberadamente se estabeleceram como incontroláveis e imunes a leis.

A internet é também em grande parte indissociável dos prazeres de nossa vida: nossos amigos, nossa família, nossas comunidades, nossa busca pela felicidade e, às vezes, se tivermos sorte, nossos empregos. Em parte por um desejo de preservar o que vale a pena em meio à deterioração que nos cerca, tenho pensado em cinco problemas que se cruzam: em primeiro lugar, em como a internet é construída para distorcer nosso senso de identidade; segundo, como ela nos encoraja a supervalorizar nossas opiniões; terceiro, como ela maximiza nosso senso de oposição; quarto, como ela degrada nossa compreensão de solidariedade; e, finalmente, como ela destrói a noção de escala.

Em 1959, o sociólogo Erving Goffman desenvolveu uma teoria identitária que girava em torno da encenação. Em qualquer interação entre seres humanos, escreveu Goffman em *A representação do eu na vida cotidiana*, uma pessoa deve executar uma espécie de performance, criar uma impressão para um público. A performance pode ser calculada, como no caso de um homem que vai a uma entrevista de emprego com todas as respostas ensaiadas; pode também ser inconsciente, como no caso de um homem que foi a tantas entrevistas que já se comporta como o esperado; e, por fim, pode ser automática, como no caso de um homem que passa a impressão correta sobretudo porque é um branco de classe média alta com um MBA. Quanto ao ator, ele pode ser totalmente absorvido por sua própria performance — pode de fato acreditar que seu maior defeito é o "perfeccionismo" —, ou pode ter consciência de que seu ato é uma farsa. De qualquer maneira, ele está representando. Mesmo que *tente* parar de representar, ele continua tendo um público, e suas ações continuam causando um efeito. "O mundo inteiro não é, evidentemente, um palco, mas é difícil especificar os pontos cruciais que fazem com que ele não seja assim", escreveu Goffman.

Comunicar uma identidade requer algum grau de autoilusão. Um ator, para ser convincente, deve ocultar "os fatos vergonhosos que ele teve de aprender sobre a performance; em

24

termos cotidianos, haverá coisas que ele sabe, ou soube, que não será capaz de dizer a si mesmo". O candidato ao emprego, por exemplo, evita pensar que sua maior falha, na verdade, envolve o fato de beber durante o expediente. Uma amiga que está jantando com você, no papel de terapeuta que escuta todos os seus dramas românticos mais triviais, precisa fingir para si mesma que não preferiria estar em casa naquele momento, deitada na cama na companhia de um livro de Barbara Pym. O público não tem de estar fisicamente presente para que um ator se engaje nesse tipo de ocultação seletiva: uma mulher, sozinha em casa durante o fim de semana, pode limpar os rodapés e assistir a documentários de natureza, mesmo que sua vontade fosse bagunçar a casa inteira, comprar uma bucha de cocaína e fazer uma orgia com usuários do Craigslist. É bastante comum que as pessoas façam caretas na frente de espelhos nos banheiros, tentando convencer a si mesmas de que são atraentes. A "crença de que um público invisível está presente", escreve Goffman, pode ter um efeito significativo.

No mundo offline, há formas de alívio relacionadas a esse processo. Os públicos estão sempre mudando — a performance em uma entrevista de emprego é diferente da realizada mais tarde no aniversário de um amigo em um restaurante, que, por sua vez, também se diferencia daquela que ocorrerá depois, em casa, diante de seu companheiro. Em casa, você pode ter a sensação de que não está representando de maneira nenhuma; de acordo com a estrutura dramatúrgica de Goffman, pode sentir que está nos bastidores. Goffman observou que precisamos de um público para testemunhar nossas performances, assim como de uma área nos bastidores onde podemos relaxar, muitas vezes na companhia de "colegas" que antes estavam representando ao nosso lado. Pense em colegas de trabalho em um bar depois de uma importante apresentação, ou em recém--casados em um quarto de hotel depois da festa de casamento:

eles ainda podem estar representando, mas estão se *sentindo* leves, desarmados e sozinhos. Idealmente, o público externo acreditou na performance. Os convidados do casamento acham que acabaram de ver um casal de noivos feliz e impecável, e os possíveis clientes acreditam ter conhecido um grupo de gênios que os tornará ricos. "Mas essa imputação — esse eu — é o produto de uma cena que acaba, e não a causa dela", afirma Goffman. O eu não é uma coisa fixa e orgânica, mas um efeito dramático que emerge de uma performance. As pessoas podem acreditar nesse efeito ou não.

No mundo online — partindo do princípio de que você compre essa teoria —, o sistema naufraga completamente. A apresentação do eu cotidiano na internet ainda corresponde à metáfora dramatúrgica de Goffman. Há palcos, há público. Mas a internet adiciona uma série de outras estruturas metafóricas que são um pesadelo: o espelho, o eco, o panóptico. À medida que avançamos na internet, nossos dados pessoais são rastreados, registrados e revendidos por uma série de corporações — um regime de vigilância tecnológica involuntária que, subconscientemente, diminui nossa resistência à prática *voluntária* de autovigilância nas redes sociais. Se pensamos em comprar algo, o produto passa a nos seguir por toda parte. Podemos restringir nossas visitas, e provavelmente fazemos isso, apenas a sites que reforçam ainda mais nosso senso de identidade, cada um, portanto, lendo coisas escritas para pessoas exatamente como nós. Tudo o que vemos nas redes sociais é fruto de nossas escolhas conscientes e preferências guiadas por algoritmos, e todas as notícias, cultura e interações interpessoais são filtradas tendo nosso perfil como base. A loucura cotidiana perpetuada pela internet é a loucura dessa arquitetura que instala a identidade pessoal no centro do universo. É como se estivéssemos em um posto de observação olhando para o mundo inteiro com um binóculo que faz tudo se parecer com nosso próprio reflexo. Por meio das redes sociais, muitas pessoas passaram a ver qualquer nova informação como uma espécie de comentário direto sobre *quem elas são*.

Esse sistema persiste porque é lucrativo. Como afirma Tim Wu em *The Attention Merchants*, o comércio tem permeado lentamente a existência dos seres humanos, entrando nas cidades do século XIX por meio de placas e cartazes, e então dentro de nossas casas, no século XX, pelo rádio e pela televisão. Agora, no século XXI, no que parece ser uma espécie de estágio final, o comércio se infiltrou em nossa identidade e nossos relacionamentos. Geramos bilhões de dólares para as plataformas de mídias sociais graças ao nosso desejo — e também por uma obrigação econômica e cultural cada vez maior — de replicar para a internet quem conhecemos, quem achamos que somos e quem queremos ser.

A individualidade cede ao peso dessa importância comercial. Nos espaços físicos, há um público limitado e um período de tempo também limitado para cada representação. Online, seu público pode hipoteticamente continuar crescendo para sempre, e a performance nunca precisa terminar. (Em resumo, você pode estar em uma entrevista de emprego infinita.) Na vida real, o sucesso ou fracasso de cada performance geralmente tem uma consequência concreta: você é convidado para um jantar, ou perde a amizade, ou consegue o emprego. Na internet, a performance fica presa ao reino nebuloso dos sentimentos, através de um fluxo ininterrupto de coraçõezinhos e curtidas e visualizações, aglomerados em números junto ao seu nome. O pior de tudo é que não há, essencialmente, nenhum bastidor na internet. Enquanto o público offline deixa o recinto e se renova, o público online nunca precisa ir embora. A versão de seu eu que posta memes e selfies para seus colegas das aulas de pré-cálculo pode acabar xingando o governo Trump depois de um tiroteio em uma escola, como aconteceu com os adolescentes de Parkland, alguns dos quais ficaram tão famosos que nunca mais conseguirão remover de si mesmos o verniz da representação. O eu que trocou piadas com supremacistas brancos no Twitter é o mesmo eu que pode ser contratado e depois demitido pelo *New York Times*, como aconteceu com Quinn Norton em 2018. (Ou, no caso de Sarah Jeong, o eu que fez piadas *sobre* pessoas brancas pode acabar atacado pelos *gamergaters* depois de ser contratado pelo *New York Times* alguns meses depois.) As pessoas que mantêm um perfil público na internet estão construindo um eu que pode ser visto simultaneamente por sua mãe, seu chefe, potenciais futuros chefes, sobrinhos de onze anos, antigos e novos parceiros sexuais, parentes que detestam suas visões políticas, assim como por qualquer um que se interesse em procurá-lo por qualquer motivo imaginável. A identidade, segundo Goffman, é constituída por uma série de reivindicações e promessas. Na internet, uma pessoa altamente funcional é alguém que pode prometer tudo, e o tempo inteiro, para um público que cresce de forma infinita.

Incidentes como o Gamergate são uma consequência parcial das condições de hipervisibilidade. A prática crescente da trollagem — e seu éthos de desrespeito e anonimato — tem sido tão forte em parte porque a construção de uma identidade consistente e sua aprovação pelos outros se tornou um imperativo da internet. A misoginia incorporada à trollagem, em especial, reflete a maneira como as mulheres — que, como escreveu John Berger, sempre foram obrigadas a manter uma consciência externa de sua própria identidade — geralmente navegam nessas condições online de forma muito lucrativa. É a autocalibração que, conforme aprendi como menina e mulher, me ajudou a capitalizar o fato de "ter que" estar online. Minha única experiência no mundo foi essa em que o apelo pessoal é primordial e a autoexposição é incentivada; esse paradigma legitimamente infeliz, incorporado primeiro pelas mulheres e agora generalizado para toda a internet, é justamente o que os trolls detestam e repudiam. Eles desestabilizam uma internet construída sobre os conceitos de transparência e simpatia. Eles nos levam de volta ao caótico e ao desconhecido. É claro, existem muitas maneiras de criticar a hipervisibilidade que são melhores do que a trollagem. Como disse Werner Herzog à revista GQ em 2011, a propósito da psicanálise: "Precisamos de nossos cantos obscuros e do inexplicável. Vamos nos tornar inabitáveis, como um apartamento se torna inabitável, se você iluminar todos os cantos escuros e debaixo da mesa e onde quer que seja. Você não pode morar mais em uma casa como essa".

A primeira vez que fui paga para publicar alguma coisa foi em 2013, o fim da era dos blogs. Tentar ganhar a vida como escritora, com a internet como precondição permanente para meu sustento, me deu alguma motivação profissional para permanecer ativa nas redes sociais, fazendo um registro contínuo e atualizado de meu trabalho, personalidade, rosto, inclinações políticas e fotos de cachorro que qualquer um pode ver. Ao fazer isso, muitas vezes senti o mesmo tipo de desconforto que tomava conta de mim quando fui uma líder de torcida e aprendi a fingir felicidade de maneira convincente durante os jogos de futebol. A sensação era de estar agindo como se tudo fosse divertido e normal e digno de valer a pena, na esperança de que as coisas, magicamente, passassem de fato a ser assim. Tentar escrever na internet, mais especificamente, é operar dentro de um conjunto de suposições que já são duvidosas quando limitadas a escritores, e que então se tornam ainda mais questionáveis quando esses imperativos categóricos passam a valer para toda a internet: a suposição de que a fala tem um impacto e de que é algo como uma ação; e a suposição de que é aceitável e transformador, e até mesmo *ideal*, escrever constantemente sobre o que se pensa.

Eu me beneficiei do foco doentio que a internet tem pela opinião. Tal foco está enraizado na maneira que a internet minimiza a necessidade de ação física: para viver uma vida aceitável, e provavelmente valorizada, no século XXI, você não precisa fazer muita coisa além de se sentar diante de uma tela. A internet pode parecer uma linha direta surpreendente com a realidade — clique se você quiser alguma coisa e aquilo vai aparecer na sua porta duas horas depois; uma série de tuítes sobre uma tragédia viraliza e logo há uma paralisação nacional nas escolas —, mas ela também pode *tirar* nossa energia da ação propriamente dita, deixando a esfera do mundo real para as pessoas que já a controlam, e nos mantendo ocupados com sucessivas tentativas de explicar nossa vida da melhor forma possível. No período que antecedeu as eleições de 2016, e cada vez mais depois disso, comecei a sentir que não havia nada que eu pudesse fazer a respeito de 95% das coisas com as quais eu me importava, além de formar uma opinião sobre elas. E as condições que me permitiam seguir a vida com uma leve histeria cotidiana no meio de um suprimento ilimitado de informações terríveis estavam relacionadas às condições que, ao mesmo tempo, consolidavam o poder, sugando a riqueza para cima, para muito além de meu alcance.

Não quero parecer uma ingênua fatalista e agir como se *nada* pudesse ser feito a respeito de *nada*. Todos os dias, as pessoas melhoram o mundo praticando ações reais. (Eu não. Estou ocupada demais sentada diante da internet!) Mas o tempo dessas pessoas também foi desvalorizado e roubado pela forma de capitalismo insaciável que controla a internet e que, ao mesmo tempo, é controlado por ela. Hoje em dia, há muito pouco tempo para qualquer coisa que não seja a sobrevivência econômica. A internet se moveu perfeitamente para os interstícios dessa situação, redistribuindo nosso ínfimo tempo livre em microparcelas insatisfatórias espalhadas ao longo do dia. Na falta de tempo para nos envolvermos física e politicamente com nossa comunidade do jeito que muitos de nós gostaríamos, a internet oferece um substituto barato: ela nos proporciona breves momentos de prazer e conexão, ligados à oportunidade de falarmos e ouvirmos constantemente. Nessas circunstâncias, a opinião deixa de ser o primeiro passo em direção a algo e começa a parecer um fim em si mesma. Comecei a pensar sobre isso quando trabalhava como editora no site Jezebel, em 2014. Eu passava grande parte do dia lendo manchetes de sites voltados a mulheres, a maioria dos quais, na época, já adotara uma tendência feminista. Nesse universo, o discurso era quase sempre considerado como uma espécie de ação intensamente satisfatória, de maneira que você tinha títulos do tipo "Miley Cyrus arrasa ao falar sobre fluidez de gênero no Snapchat" ou "O discurso de Amy Schumer sobre confiança corporal na cerimônia de premiação da *Women's Magazine* vai fazer você chorar". Formar uma opinião também era considerado uma forma de ação: postagens de blogs ofereciam às pessoas orientações a respeito de como elas deveriam se sentir diante de polêmicas online ou cenas específicas na TV. Até a própria identidade parecia assumir essa conduta. Simplesmente existir como feminista já era realizar um trabalho importante. Essas ideias se intensificaram e se tornaram mais complexas na era Trump, na qual, de um lado, há pessoas como eu expressando online suas angústias — o que, na maioria das vezes, não produz efeito nenhum — e, de outro, há o fato incontestável de que a internet nunca produziu tantas mudanças de forma tão rápida. Na turbulência provocada pelas revelações que envolveram Harvey Weinstein, os depoimentos das mulheres influenciaram a opinião pública e levaram diretamente à mudança. Pessoas de poder foram obrigadas a lidar com seus valores. Assediadores e abusadores foram chutados do emprego. Mas, mesmo nessa narrativa, a importância da ação foi sutilmente apagada. As pessoas escreveram com grande reverência sobre o fato de as mulheres estarem abrindo a boca, como se o discurso em si mesmo pudesse trazer liberdade a elas, como se tal coisa também não dependesse de ações políticas, redistribuição de riqueza e engajamento por parte dos homens.

Goffman aponta para a diferença entre fazer algo e *expressar* o fato de fazer algo, a diferença entre sentir algo e transmitir um sentimento. "A representação de uma atividade irá variar, em algum nível, a partir da própria atividade, e portanto inevitavelmente a distorcerá", escreve Goffman. (Pense, por exemplo, na experiência de curtir um pôr do sol em oposição a comunicar a um público que você está curtindo um pôr do sol.) A internet foi projetada para esse tipo de distorção. Ela funciona de maneira a nos encorajar a criar certas impressões, em vez de permitir que essas impressões surjam "como um subproduto incidental de [nossa] atividade". É por isso que, com a internet, é tão fácil parar de tentar ser decente, razoável ou politicamente engajado, e apenas tentar *parecer* assim.

À medida que o valor do discurso aumenta ainda mais na economia da atenção online, esse problema só piora. Não sei o que fazer com o fato de que eu mesma sigo me beneficiando com isso. Minha carreira é possível, em grande parte, devido à maneira como a internet implode opiniões, ações e identidades. Eu, como uma escritora cujo trabalho é sobretudo crítico e muitas vezes escrito em primeira pessoa, tenho um interesse inerente em justificar a duvidosa prática de passar o dia todo tentando descobrir o que você pensa. Como leitora, é claro, sou grata às pessoas que me ajudam a entender coisas, e fico feliz que elas — assim como eu — possam ser pagas por isso. Também me deixa feliz que a internet tenha dado um público a escritores que poderiam ter sido excluídos da indústria ou mantidos à margem. Sou uma dessas pessoas. Mas você nunca vai me ver dizendo que pessoas pagas para ter uma opinião na era da internet são, em geral, uma força que vem para o bem.

Em abril de 2017, o *New York Times* contratou a escritora *millennial* Bari Weiss como editora da seção de opinião e também colunista. Weiss havia se formado em Columbia e trabalhara como editora no *Tablet* e no *Wall Street Journal*. Ela tinha inclinações conservadoras com traços sionistas. Em Columbia, fora uma das fundadoras de um grupo chamado Columbians for Academic Freedom [Alunos de Columbia pela liberdade acadêmica], que tentou pressionar a universidade para que punisse um professor pró-Palestina o qual, segundo uma entrevista que ela concedeu à NPR em 2005, a fizera se sentir "intimidada".

No *Times*, Weiss logo começou a escrever colunas que adotavam o ponto de vista retórico e político de uma autodefesa nervosa, disfarçada com o verniz da indiferença ponderada. "A vitimização, em sua maneira de ver o mundo através da interseccionalidade, é semelhante à canonização; o poder e o privilégio são profanos", ela escreveu, um fraseado elegante em um texto que alertava o público a respeito do antissemitismo fora de controle evidenciado, aparentemente, por um grupo inexpressivo de ativistas que baniram bandeiras com a estrela de Davi na Marcha das Sapatonas em Chicago [Chicago Dyke March]. Weiss escreveu uma coluna criticando algumas postagens das organizadoras da Marcha das Mulheres nas redes sociais, nas quais elas expressavam apoio a Assata Shakur e Louis Farrakhan. Isso, ela escreveu, era uma evidência preocupante de que os progressistas, tanto quanto os conservadores, eram incapazes de controlar seu ódio interno. (Argumentos que mencionam ambos os lados são sempre atraentes para pessoas que querem parecer do contra e intelectualmente superiores. Esse caso em particular exigia ignorar o fato de que os liberais continuavam obcecados por "civilidade", enquanto o presidente republicano, em todas as oportunidades que tinha, apoiava ativamente a violência. Mais tarde, quando o *Tablet* publicou uma matéria investigativa sobre as organizadoras da Marcha das Mulheres, que mantinham laços desconcertantes com o grupo Nação do Islã, elas foram criticadas pelos liberais, aos quais realmente não falta um instinto de autopoliciamento. Em grande parte porque a esquerda leva o ódio a sério, a Marcha das Mulheres acabou se dividindo em dois grupos.) Com frequência, as colunas de Weiss apresentavam previsões ressentidas de como seu pensamento ousado e independente deixaria seus adversários malucos e faria com que a atacassem. "Eu inevitavelmente serei chamada de racista", proclamou em uma coluna intitulada "Viva a apropriação cultural". "Serei acusada de estar ao lado da extrema direita ou punida por ser islamofóbica", escreveu em outra coluna. Bem, claro que vai.

Embora argumentasse frequentemente que as pessoas deveriam se sentir mais relaxadas com aqueles que as ofenderam ou discordaram delas, Weiss parecia incapaz de seguir seus próprios conselhos. Durante a Olimpíada de Inverno de 2018, ela viu a patinadora Mirai Nagasu executar de forma bem-sucedida um salto Axel triplo — a primeira patinadora americana a conseguir tal feito em uma Olimpíada — e tuitou, em uma tentativa muito engraçada de elogio, "Imigrantes: eles resolvem todos os trabalhos". Como Nagasu na verdade nasceu na Califórnia, Weiss foi imediatamente criticada. Isso é o que acontece no mundo online quando você faz algo ofensivo: quando trabalhei no Jezebel, as pessoas me xingavam no Twitter cerca de cinco vezes ao ano por causa de coisas que eu havia escrito ou editado, e esporadicamente outros veículos publicavam artigos sobre nossos erros. Costumava ser esmagador e desagradável, mas sempre útil. Weiss, por outro lado, tuitou que as pessoas que classificavam seu tuíte racista de racista eram um "sinal do fim da civilização".

Algumas semanas depois, ela escreveu uma coluna cujo título era "Somos todos fascistas agora", argumentando que os liberais furiosos estavam criando um "achatamento moral da Terra". Às vezes parece que a principal estratégia de Weiss é lançar um argumento ruim o suficiente a ponto de atrair críticas, e então escolher a dedo o pior dessa crítica a fim de gerar uma base para outro argumento ruim. Sua visão de mundo depende do espectro de uma horda numerosa, inferior e cheia de raiva.

Obviamente, há muitas hordas raivosas na internet. Jon Ronson escreveu sobre isso em 2015, no livro *Humilhado: Como a era da internet mudou o julgamento público*. "Nós nos tornamos profundamente atentos às transgressões", escreveu, apresentando o estado do Twitter por volta de 2012.

Depois de um tempo, não estávamos atentos apenas às transgressões, mas também aos erros de ortografia. Começamos a ser consumidos pela fúria que sentíamos em relação ao que víamos de errado nos outros. [...] Na verdade, parecia estranho e vazio quando *não havia* ninguém para despertar nossa fúria. Os dias entre um ataque virtual e outro pareciam dias em que ficávamos cutucando as unhas ou boiando na água.

A Web 2.0 tinha coalhado. Sua organização estava mudando. Os primórdios da internet foram construídos ao redor de afinidades, e os bons espaços que ainda restam são ainda produtos de afinidade e abertura. Mas, quando a internet começou a se organizar ao redor da *oposição*, muito do que antes era surpreendente, gratificante e curioso se tornou entediante, tóxico e sombrio.

Essa mudança demonstra os princípios básicos da sociofísica. Ter um inimigo comum é uma maneira rápida de fazer um amigo — aprendemos isso desde o ensino fundamental —, e, politicamente, é muito mais fácil organizar as pessoas contra algo do que uni-las em uma visão afirmativa. Pensando na economia da atenção, o conflito sempre atrai um número maior de pessoas. A Gawker Media prosperou com a tática do antagonismo: seu site principal fez inimigos por todos os lados; o Deadspin fazia oposição à ESPN, enquanto o Jezebel tinha como alvo as revistas femininas. Houve uma breve onda de conteúdo na internet que era doce, ensolarada e lucrativa — a seção OMG do BuzzFeed, a ascensão de sites como o Upworthy —, mas tudo desapareceu por volta de 2014. Hoje, no Facebook, as páginas políticas com mais visualizações são bem-sucedidas devido à sua postura de oposição constante, agressiva e muitas vezes desequilibrada. Sites amados e cheios de afeto como The Awl, The Toast e Grantland foram todos encerrados. E cada um desses encerramentos nos lembra que é difícil manter uma identidade na internet que seja aberta, generativa e baseada em afinidades.

A ideia de oposição, tão difundida na internet, pode ser boa, útil e revolucionária. Devido à inclinação da internet pela descontextualização e pelo descolamento, uma pessoa em uma rede social pode parecer tão importante quanto a pessoa ou a coisa a quem ela está se opondo. Podemos ter a sensação de que os oponentes estão lutando em igualdade de forças (mesmo que temporiamente). O Gawker cobriu as acusações contra Louis C. K. e Bill Cosby anos antes de a grande mídia levar a sério casos de má conduta sexual. A Primavera Árabe, o Black Lives Matter e o movimento contrário ao oleoduto Dakota Access, todos fazendo um uso estratégico das redes sociais, foram capazes de desafiar e derrubar hierarquias de longa data. Os adolescentes de Parkland conseguiram se posicionar como rivais de todo o Partido Republicano.

Mas a sensação de que há uma batalha igualitária é apenas superficial. Tudo o que acontece na internet quica e refrata. Enquanto, por meio do discurso aberto da internet, as ideologias que se inclinam por uma maior igualdade e liberdade ganham poder, as estruturas de poder já existentes se solidificam justamente por causa da oposição violenta (e sobretudo online) a essas conquistas. Em seu livro lançado em 2017, *Kill All Normies* — um projeto para contabilizar "as batalhas online que, de outra forma, poderiam ser esquecidas, e no entanto moldaram de maneira profunda nossas ideias e nossa cultura" —, a escritora Angela Nagle argumenta que a extrema direita se uniu em resposta ao aumento do poder cultural da esquerda. O Gamergate, segundo Nagle, juntou uma "vanguarda estranha de fãs de games, adoradores de animes que usam pseudônimos e postam suásticas, conservadores irônicos que assistem a *South Park*, brincalhões antifeministas, assediadores de tendências nerds e trolls fazedores de memes", formando assim um fronte unido contra "a convicção e autobajulação moral do que parecia uma conformidade liberal e intelectual cansada". O furo evidente desse argumento é o fato de que aquilo que Nagle identifica como o centro dessa conformidade liberal — ativismo estudantil, Tumblrs obscuros sobre saúde mental e sexualidades misteriosas — são coisas muitas vezes ridicularizadas pelos próprios liberais. E essas coisas, de qualquer maneira, nunca foram tão poderosas quanto aqueles que as detestam gostam de pensar que são. Na verdade, a visão de mundo dos *gamergaters* não estava ameaçada; eles só precisavam *acreditar* que estava, ou fingir que havia qualquer ameaça, e então esperar que um escritor supostamente esquerdista acabasse falando deles. Por fim, eles atacariam e lembrariam a todos o que eram capazes de fazer.

Muitos *gamergaters* tiveram sua expressiva iniciação no 4chan, um fórum online que adotou como um de seus lemas a frase "Não há garotas na internet". "Essa regra não significa o que você acha que significa", escreveu um usuário do 4chan, que se identificava, como a maioria deles, como Anônimo.

Na vida real, as pessoas gostam de você porque você é uma garota. Elas querem te comer, então te dão atenção e fingem que o que você diz é interessante, ou que você é esperta ou inteligente. Na internet, não temos chance de te comer. Quer dizer que a vantagem de ser uma "garota" deixa de existir. Você não ganha um bônus na conversa só porque eu gostaria de enfiar meu pau em você.

Ele explicou que as mulheres poderiam ter sua injusta vantagem social de volta se postassem fotos de seus peitos no fórum. "Isso é, e deveria ser, degradante pra vocês."

Aqui estava o princípio da oposição em ação. Ao identificarem os efeitos da objetificação sistêmica das mulheres como uma espécie de bruxaria supremacista centrada na vagina, os homens reunidos no 4chan ganharam uma identidade e um inimigo comum muito útil. Muitos desses homens, provavelmente, *experimentaram* as consequências da "conformidade liberal e intelectual" que é o feminismo popular: quando o mercado sexual se tornou mais igualitário, de repente eles se viram incapazes de obter sexo sem esforço. Mas, em vez de trabalharem outras formas de autoatualização, ou tentarem se tornar genuinamente desejáveis — da mesma maneira como as mulheres foram moldadas há muito tempo a um custo altíssimo —, eles criaram uma identidade de grupo centrada na virulência antimulher, declarando então às mulheres que ocasionalmente tropeçam no 4chan que "a única coisa interessante sobre você é seu corpo nu. tl;dr [muito longo; não li]: Peitos ou SAIA DAQUI AGORA".

Da mesma maneira que esses trolls precisavam creditar às mulheres um poder enorme que elas não tinham, as mulheres, na internet, faziam o mesmo ao falarem sobre os trolls. Quando trabalhei no Jezebel, era fácil acabar caindo sem querer em uma dessas situações. Vamos supor que um bando de trolls me mandasse e-mails ameaçadores, o que não era uma experiência exatamente comum — eu tinha "sorte" —, mas não tão rara a ponto de me surpreender. A economia da atenção online me impeliria a escrever uma coluna sobre esses trolls, usando citações de seus e-mails e dizendo como a experiência de ter sido ameaçada constituía a condição definitiva de ser uma mulher no mundo. (Seria aceitável que eu fizesse isso, *ainda que* eu nunca tenha sido hackeada ou sofrido um *swatting** ou ataques por parte de *gamergaters*, assim como nunca precisei sair de minha casa e ir para um lugar seguro, como muitas mulheres tiveram de fazer.) Minha coluna sobre trollagem, obviamente, atrairia um grande fluxo de trollagens. Então, tendo provado meu argumento, talvez eu fosse para a TV discorrer sobre a situação, o que atrairia mais trollagens, e daí eu poderia começar a definir a mim mesma em referência às trollagens para sempre, classificando essas pessoas como inevitáveis e monstruosas, e elas dariam o troco conforme o interesse de seu próprio avanço ideológico, de maneira que toda essa situação poderia continuar até que todos nós morrêssemos.

Uma versão dessa escalada mútua se aplica a qualquer sistema de crença, o que me traz de volta a Bari Weiss e a todos os outros escritores que se apresentaram como corajosas pessoas do contra, forjando argumentos baseados em protestos aleatórios e tuítes raivosos, e fazendo portanto com que fossem profundamente dependentes das pessoas que os odeiam, que são as pessoas que eles odeiam. É ridículo, mas aqui estou eu escrevendo este ensaio, fazendo portanto a mesma coisa. Hoje em dia, é quase impossível separar engajamento e amplificação. (Até mesmo a recusa em se engajar pode ter como resultado a amplificação: no episódio do Pizzagate, as pessoas

---

* Fazer uma ligação para a polícia ou outros serviços de emergência, dando um aviso falso de um incidente grave. [N.T.]

supostamente satanistas e pedófilas transformaram seus perfis nas redes sociais em contas privadas, o que os *pizzagaters* consideraram uma prova de que estavam certos.) Trolls, escritores ruins e o presidente sabem melhor do que ninguém: quando você diz que alguém é horrível, acaba promovendo o trabalho dele.

A filósofa política Sally Scholz divide a solidariedade em três categorias. Primeiro, a solidariedade social, fundamentada em uma experiência comum; segundo, a solidariedade cívica, fundamentada na obrigação moral junto à comunidade; por último, a solidariedade política, baseada em um comprometimento compartilhado com uma causa. Essas formas de solidariedade muitas vezes se sobrepõem, mas são diferentes uma da outra. Em outras palavras, o que é político não precisa ser pessoal, ao menos não no sentido de necessitar de uma experiência direta. Você não precisa que um passarinho cague na sua cabeça para saber qual é a sensação disso. Para lutar pelo fim de uma injustiça, você não tem de ter sofrido diretamente alguma injustiça.

Mas a internet põe o "eu" em tudo. A internet faz parecer que demonstrar apoio a alguém significa realmente compartilhar aquela experiência, assim como faz com que a solidariedade pareça uma questão identitária, não política ou moral, cujo melhor momento para vir à tona é o ponto em que ambos os lados se encontram mais vulneráveis. Sob esses termos, em vez de expressar minha solidariedade moral óbvia à luta dos negros americanos sob um estado policial ou a peregrinação de mulheres gordas que precisam percorrer o planeta atrás de roupas estilosas e feitas com cuidado, a internet me encoraja a expressar solidariedade através da minha própria identidade. É *claro* que eu apoio a luta dos negros porque *eu* mesma, como mulher de origem asiática, fui *pessoalmente* afetada pela supremacia branca. (Na verdade, como mulher asiática, parte de um grupo muitas vezes considerado como adjacente ao dos brancos, fui muitas vezes beneficiada pelo preconceito que os americanos têm contra pessoas negras.) É *claro* que eu compreendo que é difícil comprar roupas se você é uma mulher ignorada pela indústria da moda porque *eu* mesma *também* fui marginalizada por essa indústria. Essa estrutura, que põe o eu no centro da expressão de apoio aos outros, é bastante problemática.

Em muitas situações, as pessoas se sentem mais confortáveis diante de uma ideia de agressão do que de uma ideia de liberdade, mesmo quando essas pessoas *não* estão sendo vítimas de maneira sistemática. Por exemplo, os ativistas pelos direitos dos homens desenvolveram um senso de solidariedade em torno da alegação absurda de que os homens são cidadãos de segunda classe. Nacionalistas brancos uniram as pessoas brancas ao redor da ideia de que os brancos estão ameaçados — sobretudo os homens —, isso em um momento em que, segundo a revista *Fortune*, 91% dos CEOs são homens brancos. Isso também em um momento em que 90% dos eleitos para cargos públicos são brancos, assim como a maioria das pessoas importantes do ramo editorial, audiovisual, da música e dos esportes.

Por outro lado, a mesma dinâmica também se aplica a situações nas quais as reivindicações são legítimas e historicamente arraigadas. Os maiores momentos de solidariedade feminista dos últimos anos não surgiram de uma visão afirmativa, mas sim de uma articulação de versões extremas cujo mínimo denominador comum era o desprezo masculino. Esses momentos mudaram o mundo: #YesAllWomen, em 2014, foi a resposta ao massacre em Isla Vista, no qual Elliot Rodger matou seis pessoas e feriu catorze na tentativa de se vingar das mulheres que o haviam rejeitado. As mulheres reagiram a essa história através de um reconhecimento nauseante: quase sempre os assassinatos em massa estão ligados à violência contra a mulher, e, para as mulheres, isso é algo que se aproxima da experiência de tentar acalmar um homem devido ao medo real de que ele a machuque. Alguns homens, por sua vez, responderam de forma desnecessária lembrando que "nem todos os homens" são assim. (Uma vez fui atingida por um desses "nem todos os homens" logo depois que um estranho gritou algo obsceno para mim; o cara com quem eu estava percebeu minha irritação e prestativamente me lembrou de que nem todos os homens são idiotas.) As mulheres começaram a postar no Twitter e no Facebook usando a hashtag #YesAllWomen a fim de mostrar algo importante, ainda que óbvio: nem todos os homens deixam as mulheres com medo, mas sim, todas as mulheres já sentiram medo de um homem. Depois das revelações envolvendo Harvey Weinstein, em 2017, as comportas do #MeToo se abriram, revelando inúmeras histórias sobre mulheres subjugadas pelas mãos de homens poderosos. Ao resistirem à rejeição e às formas-padrão de descrença — não é possível que tenha sido *tão* ruim; parece suspeito logo *ela* contar *essa* história —, essas mulheres apoiaram umas às outras por meio de discursos simultâneos com a hashtag #MeToo, provando assim que o abuso de poder masculino era inevitável e estava por toda parte.

Nesses casos, vários tipos de solidariedade pareceram naturalmente se fundir. Foram as experiências individuais das mulheres como vítimas que produziram nossa ampla oposição moral e política a essas experiências. Ao mesmo tempo, havia algo na hashtag em si — seu design, e as ideias que ela afirmava e solidificava — que acabava por apagar a diversidade das experiências das mulheres, assim como fazia parecer que o ponto crucial do feminismo era a própria articulação da vulnerabilidade. Uma hashtag é criada especialmente para tirar uma declaração de contexto e posicioná-la como parte de um enorme e único pensamento, e uma mulher que usa uma dessas hashtags se torna visível em um momento previsível de agressão masculina, como o dia em que seu chefe a agarrou, ou a noite em que um estranho a seguiu até sua casa. O resto de sua vida, que é geralmente muito menos previsível, permanece na invisibilidade. Mesmo quando as mulheres tentaram usar #YesAllWomen e #MeToo para recuperar o controle da narrativa, essas hashtags, pelo menos parcialmente, concretizaram a coisa que elas estavam tentando erradicar: a sensação de que a história das mulheres pode ser lida como uma história de perda de controle. Eles fizeram a solidariedade feminista e a vulnerabilidade compartilhada parecerem inseparáveis, como se fôssemos incapazes de criar uma rede de solidariedade em torno de qualquer outra coisa. O que temos em comum é essencial, obviamente, mas as diferenças entre as histórias das mulheres — os fatores que fazem algumas sobreviverem e outras serem empurradas para baixo — é que iluminam os vetores que vão levar a um mundo melhor. E uma vez que não há em um tuíte espaço ou obrigatoriedade de se adicionar uma ressalva sobre experiência pessoal, e uma vez que as hashtags sutilmente igualam depoimentos desconexos de uma maneira que não pode ser controlada por quem os produz, ficou fácil para os críticos do #MeToo afirmarem que as mulheres devem mesmo achar que ter um encontro frustrante é o mesmo que ser violentamente estuprada.

É incrível pensar que coisas como o design de uma hashtag — esses experimentos de arquitetura digital com uma função muito clara — moldaram de forma crucial nosso discurso político. Nosso mundo seria diferente se a maioria dos usuários do 4chan não se identificasse como "Anônimo", ou se todas as redes sociais não fossem centradas nos perfis dos usuários, ou se os algoritmos do YouTube não mostrassem vídeos cada vez mais extremos para chamar a atenção dos espectadores, ou se hashtags e retuítes simplesmente não existissem. É por causa da hashtag, do retuíte e do perfil que a solidariedade na internet se entrelaça de forma inseparável com a visibilidade, a identidade e a autopromoção. É revelador que os gestos de solidariedade mais amplamente divulgados sejam pura representação, como repostagens que viralizam e fotos de perfil com filtros relacionados a causas específicas. Enquanto isso, os mecanismos *reais* pelos quais a solidariedade política acontece, como greves e boicotes, ainda existem à margem. Os extremos da solidariedade performativa são visivelmente embaraçosos: uma personalidade cristã das redes sociais encorajando outros conservadores para que dissessem aos atendentes do Starbucks que seu nome era "Merry Christmas"; ou então Nev Schulman, do programa de TV *Catfish*, tirando uma selfie no elevador com a mão sobre o coração e escrevendo a frase: "Um homem de verdade mostra sua força por meio da paciência e da honra. Este elevador é um ambiente livre de abusos". (Na faculdade, Schulman deu um soco em uma garota.) A celebração tão expressiva nas redes sociais em relação a mulheres negras — pessoas brancas tuitando "as negras salvarão a América" depois das eleições, ou Mark Ruffalo escrevendo que estava rezando e que então Deus respondeu a ele na forma de uma mulher negra — sugere muitas vezes uma necessidade bizarra por parte dos brancos de participarem ativamente em uma ideologia de igualdade que, de forma ostensiva, está pedindo para que eles fiquem na deles. Em certo ponto de *A representação do eu*, Goffman diz que a maneira como o público molda o papel do ator pode se tornar mais elaborada do que a própria performance. É assim muitas vezes com as demonstrações de solidariedade online: a forma de escutar é tão extrema e performativa que, em muitos casos, acaba se tornando o próprio espetáculo.

A última distorção produzida pelas redes sociais, e possivelmente a mais destrutiva em termos psicológicos, é a distorção de escala. Não se trata de um acidente, mas sim um aspecto essencial do design: as redes sociais foram construídas em torno da ideia de que algo é importante na medida em que é importante para você. Em uma comunicação interna a respeito do *feed* de notícias do Facebook, Mark Zuckerberg observou — parece mentira, mas não é — que "Um esquilo que morreu na frente da sua casa pode ser mais interessante pra você agora do que pessoas morrendo na África". A ideia era que as redes sociais nos dariam uma espécie de botão de sintonia fina para ajustar o que víamos. O resultado disso foi uma situação sobre a qual nós — primeiro como indivíduos, depois inevitavelmente como um coletivo — não tínhamos, no fundo, controle nenhum. A ideia do Facebook de mostrar às pessoas apenas aquilo que elas estavam interessadas em ver resultou, em uma década, no almejado fim da realidade cívica compartilhada. E essa decisão, combinada com o fato de que é financeiramente recompensador para as plataformas estimular constantes respostas emocionais em seus usuários, cristalizou o que agora se tornou norma no consumo de mídia: hoje em dia consumimos sobretudo notícias em conformidade com nosso alinhamento ideológico, alinhamento este que foi ajustado com precisão para que nos sentíssemos, ao mesmo tempo, loucos e os senhores da razão.

No livro *The Attention Merchants*, Tim Wu observa que as tecnologias projetadas para aumentar o controle sobre nossa atenção geralmente têm o efeito oposto. Wu usa como exemplo o controle remoto, o qual fez com que a mudança de canais se tornasse "praticamente não volitiva", levando os espectadores a um "estado mental parecido com o de um recém-nascido ou de um réptil". Na internet, tal dinâmica foi automatizada e espalhada na forma de *feeds* de redes sociais — infinitamente

45

variados, mas, por alguma razão, monótonos —, essas mangueiras viciantes de informação que nós miramos na direção de nosso cérebro durante a maior parte do dia. Como muitos críticos observaram, quando estamos diante de nossa *timeline*, exibimos o clássico comportamento de ratos de laboratório em busca de recompensas, do tipo observado quando se coloca um desses roedores na frente de um *dispenser* de comida imprevisível. Os ratos param de empurrar a alavanca caso o *dispenser* forneça comida regularmente, ou caso nunca a forneça. Mas, se as recompensas oferecidas pela alavanca forem raras e irregulares, os ratos nunca vão parar de apertá-la. Em outras palavras, é *essencial* que as redes sociais sejam, na maior parte do tempo, insatisfatórias. É isso que nos mantém passando, passando, pressionando nossa alavanca repetidas vezes, na esperança de sentirmos algo fugaz, algum ímpeto momentâneo de reconhecimento, bajulação ou raiva.

Como muitos de nós, tornei-me bastante consciente de como meu cérebro se degrada quando eu o imobilizo a fim de que ele receba todo o fluxo que desce pela corredeira da internet, esses canais ilimitados, todos constantemente carregando novas informações: nascimentos, mortes, ostentação, bombardeios, piadas, anúncios de emprego, publicidade, avisos, reclamações, confissões e desastres políticos, que atacam nossos neurônios desgastados com enormes ondas de informação que nos levam a nocaute e são instantaneamente substituídas. É uma maneira horrível de se viver, e que está nos desgastando rapidamente. No final de 2016, escrevi um post para a *New Yorker* sobre os gritos de "o pior ano de todos" que inundavam a internet. Houvera ataques terroristas por todo o mundo, e o massacre da boate Pulse em Orlando. David Bowie, Prince e Muhammad Ali tinham morrido. Mais negros foram executados pela polícia, que não conseguia controlar seu medo e ódio racista: Alton Sterling fora morto em um estacionamento em Baton Rouge, onde vendia CDs; em uma rotineira blitz de trânsito, Philando Castile fora assassinado enquanto tentava conseguir sua permissão de porte de arma. Cinco policiais foram mortos em Dallas em um protesto contra violência policial. Donald Trump fora eleito presidente dos Estados Unidos. O Polo Norte estava 2,2 graus mais quente do que o normal. A Venezuela entrava em colapso. Famílias morriam de fome no Iêmen. Em Aleppo, uma menina de sete anos chamada Bana Alabed estava tuitando sobre seu medo da morte iminente. E, diante desse cenário, estávamos todos *nós*, com nossa estúpida individualidade, nossas estúpidas frustrações, nossas malas extraviadas e trens atrasados. Para mim, parecia que essa supersaturação castigante persistiria, a despeito de quais fossem as notícias. Escrevi que não havia limite para a quantidade de tragédias que uma pessoa podia absorver pela internet, assim como não havia meio de calibrar as informações de maneira correta; nenhum guia sobre como expandir nosso coração para acomodar ao mesmo tempo as diferentes escalas de experiências humanas, nenhuma maneira de aprendermos a separar o banal do profundo. A internet estava aumentando drasticamente nossa capacidade de saber sobre as coisas, enquanto nossa capacidade de *mudar* as coisas continuava a mesma, ou possivelmente diminuía bem diante de nós. Comecei a achar que a internet apenas induziria esse ciclo de desgosto e endurecimento, um hiperengajamento que faria cada vez menos sentido.

Mas, quanto pior fica a internet, mais parecemos sedentos por ela. Quanto pior, mais ela ganha o poder de moldar nossos instintos e desejos. Para me proteger disso, estabeleci limites arbitrários: não uso o *stories* do Instagram, desabilitei as notificações e tenho aplicativos que bloqueiam o Twitter e o Instagram depois do limite de 45 minutos diários. Ainda assim, ocasionalmente, vou desativar meus bloqueadores de redes sociais e me sentarei ali como um rato empurrando a alavanca, como uma mulher batendo com um martelo na própria testa sem parar, me masturbando durante o pesadelo até que eu finalmente sinta o cheiro de gasolina de um bom meme. A internet ainda é tão jovem que é fácil manter alguma esperança inconsciente de que tudo ainda possa resultar em algo. Lembramos que, em determinado momento, tudo isso se parecia com borboletas, flores e poças d'água, e nos sentamos pacientemente em nosso inferno purulento esperando que a internet mude e volte a ser o que era e nos surpreenda de novo. Mas isso não vai acontecer. A internet é regida por incentivos que fazem com que seja impossível sermos pessoas inteiras ao interagirmos com ela. No futuro, seremos inevitavelmente menores. Restará cada vez menos de nós, não apenas como indivíduos, mas também como membros de uma comunidade, um coletivo de pessoas que juntas enfrentam uma série de catástrofes. A distração é uma "questão de vida ou morte", escreveu Jenny Odell em *How to Do Nothing*. "Um corpo social que não consegue se concentrar ou se comunicar é como uma pessoa que não consegue pensar e agir."

É claro que há séculos as pessoas estão sendo chatas com isso. Sócrates temia que o ato de escrever "enchesse a alma dos alunos com a capacidade de esquecer". O cientista do século XVI Conrad Gessner temia que o advento da prensa criasse um ambiente "sempre ativo". No século XVIII, os homens reclamavam que os jornais eram intelectual e moralmente isolantes, e que a popularização do romance faria com que fosse difícil para as pessoas — sobretudo para as mulheres — diferenciar a ficção dos fatos. Achávamos que o rádio ia distrair as crianças e, depois, que a televisão corroeria a cuidadosa atenção exigida pelo rádio. Em 1985, Neil Postman observou que o desejo americano por entretenimento constante havia se tornado tóxico, e que a televisão levara a uma "grande descida à trivialidade". A diferença é que, hoje, não há mais para onde ir. Não há mais terras para o capitalismo cultivar, a não ser o eu. Tudo está sendo canibalizado, e não somente bens ou trabalho, mas também personalidade, relacionamentos e atenção. O próximo passo é a completa identificação com o mercado online, a fusão física e espiritual com a internet, um pesadelo que já está batendo na porta.

O que poderia acabar com o pior da internet? Quem sabe o colapso social e econômico, ou talvez uma série de casos antitruste acompanhados por um pacote de rígida legislação regulatória, o que de alguma forma desmantelaria o principal modelo de lucro da internet. Nesse ponto, está claro que o colapso deve acontecer antes. Exceto por isso, não temos nada além de nossas pequenas tentativas de reter nossa humanidade. Devemos agir segundo um modelo de individualidade real, que aceita a culpabilidade, a inconsistência e a insignificância. Teríamos de pensar com muito cuidado sobre o que estamos recebendo da internet, e sobre o quanto estamos dando em troca. Teríamos de nos importar menos com nossas identidades, ser profundamente céticos em relação a nossas opiniões insuportáveis, prestar atenção nos momentos em que a oposição nos beneficia, ter vergonha quando não podemos expressar solidariedade sem nos colocarmos em primeiro lugar. A alternativa é impronunciável. Mas você sabe disso — ela já está aí.

2.
Entrando em um reality show

Até recentemente, um de meus segredos mais bem guardados, inclusive de mim mesma, é que passei três semanas em um reality show em Porto Rico quando tinha dezesseis anos. O programa se chamava *Girls vs. Boys: Puerto Rico*, e o conceito era exatamente o que você está imaginando. No total, havia oito participantes: quatro meninos, quatro meninas. Foi filmado em Vieques, uma ilha de 6,5 quilômetros de largura, acidentada, verde e montanhosa, com cavalos selvagens correndo pelas margens brancas da praia. Passando por desafios periódicos, cada equipe ia acumulando pontos até o grande prêmio de 50 mil dólares. Entre uma prova e outra, ficávamos em uma casa azul-clara com cordões de luzinhas brilhantes, e fabricávamos qualquer drama que pudéssemos fabricar.

Minha escola me deixou perder três semanas do ensino médio para fazer isso, o que me surpreende até hoje. Aquela escola era um lugar cheio de regras — o manual proibia camisetas regatas e homossexualidade — e, embora eu fosse uma boa aluna, meu histórico de comportamento era duvidoso. Eu era detestada, e com razão, por muitos adultos. No entanto, os coordenadores me deixaram ficar na escola mesmo quando meus pais não tinham dinheiro para pagar a mensalidade. E eu já estava quase me formando, porque havia pulado um ano quando minha família se mudou de Toronto para Houston. Além disso, segundo boatos, a pequena instituição cristã já enviara um ex-aluno para participar do *Bachelorette*. Talvez houvesse alguma coisa naquele

50

ambiente religioso adolescente — a maneira como todos estavam sempre flertando, se exibindo e tentando enganar os outros — que nos preparava muito bem para os reality shows.

De qualquer forma, eu disse aos coordenadores que esperava "ser uma luz para Jesus, mas na televisão", e fui autorizada a participar do programa. Em dezembro de 2004, enfiei um monte de camisetas estampadas na mala e também minissaias jeans do tamanho de um lenço, e fui para Porto Rico. Em janeiro, voltei radiante e encantada comigo mesma, com sal nos cabelos e um bronzeado que lembrava madeira envernizada. Os dez episódios de *Girls vs. Boys* começaram a ser exibidos depois que me formei no ensino médio em um canal chamado Noggin, conhecido pelas reprises de *Daria* e pelo drama adolescente canadense *Degrassi*. Convidei uns amigos para assistirem ao primeiro episódio e fiquei satisfeita, mas também extremamente perturbada por estar vendo meu rosto em uma tela. Quando comecei a faculdade, morava em um dormitório, e não comprei uma TV. Achei que era uma boa oportunidade para me livrar de meu eu televisionado, como uma cobra que troca de pele. Às vezes, aos vinte e poucos anos, em bares ou viagens de carro, mostrava meu nome no IMDb como um detalhe bizarro a meu respeito, mas não estava interessada em investigar *Girls vs. Boys* mais a fundo. Foram necessários treze anos, e uma ideia de ensaio, para eu terminar de assistir ao programa.

Teste de elenco: ACE, um skatista negro de New Jersey, faz manobras em uma praça; JIA, uma menina de pele morena do Texas, diz estar cansada de ser líder de torcida; CORY, um garoto branco do Kentucky, admite que nunca beijou alguém; KELLEY, uma loira de Phoenix que se parece com Britney Spears, faz abdominais em um tapete de ioga; DE-MIAN, um garoto de Las Vegas com um leve sotaque mexicano, luta com o irmãozinho; KRYSTAL, uma garota negra com um rosto felino, declara saber que parece arrogante; RYDER, um californiano ruivo com alargadores de orelha, diz saber que ele lembra o Johnny Depp; PARIS, uma loirinha do Oregon, diz que sempre vai ser maluca, e que ela gosta disso.

Seis adolescentes estão sobre o asfalto ofuscante em um dia de céu azul. O primeiro desafio é uma corrida até a casa, que os garotos vencem. JIA e CORY chegam depois, nervosos e entre risinhos. Todo mundo joga Verdade ou Consequência (é tudo consequência, e toda consequência envolve agarrar alguém). De manhã, os participantes se reúnem diante de uma mesa comprida para um desafio de quem come mais rápido: maionese primeiro, depois baratas, depois pimentas, depois bolo. As meninas ganham. Nessa noite, KELLEY dá em CORY o primeiro beijo da vida dele. Todo mundo desconfia de PARIS, que tem um rosto angelical e nunca para de falar. Na terceira prova, basquete aquático, as garotas perdem.

Minha jornada no mundo dos reality shows começa em uma tarde de setembro de 2004, num passeio com meus pais no shopping. Eu estava digerindo uma enorme porção de fettuccine Alfredo do California Pizza Kitchen e esperando meu irmão sair do treino de hóquei. A quinze metros de distância, perto de um estande que anunciava um teste de elenco, um cara abordava adolescentes e perguntava se eles gostariam de participar da seleção para um programa. "Tinha uma prancha de surf de papelão", minha mãe me relembrou recentemente. "E você estava usando uma regata branca e uma saia estampada havaiana, então era como se estivesse vestida para o tema." Em um impulso, ela sugeriu que eu fosse até o estande.

Você falou, tipo: *"Não!* Credo, *mãe,* nem *pensar!".* Ficou tão brava que a gente começou a insistir só pela piada. Aí seu pai tirou vinte dólares da carteira e disse: "Te dou isso aqui se você fizer o teste", e você basicamente arrancou a nota da mão dele, foi até lá, gravou, e depois foi fazer compras ou algo assim.

Algumas semanas depois, recebi um telefonema de um produtor, que explicou o conceito do programa ("meninas *vs.* meninos em Porto Rico") e me pediu para participar de um segundo teste. Mostrei minha personalidade com um coquetel potente de danças coreografadas extremamente estúpidas e a promessa de que "as garotas *não* vão ganhar — quero dizer, elas *vão* ganhar — se eu estiver no time". Quando fui selecionada, minha mãe pareceu subitamente hesitante. Ela não esperava que nenhuma daquelas fitas resultasse nisso. Mas, naquele ano, ela e meu pai andavam ausentes e distraídos. Em vez de procurar a causa daquela desatenção, na época preferi tirar vantagem disso a fim de anular meu toque de recolher e descolar com jeitinho vinte dólares aqui e ali para comprar roupas na Forever 21. Disse para minha mãe que ela *precisava* me deixar ir, uma vez que a ideia do teste fora dela.

No fim, ela concordou. Então de repente era dezembro e eu estava sentada no aeroporto de Houston, comendo tacos de carnitas enquanto ouvia Brand New em meu discman, transbordando de ansiedade como um copo de plástico cheio demais. Fiquei tanto tempo aproveitando o delicioso limbo pré-aventura que acabei perdendo meu voo, o que imediatamente arruinou nosso cronograma de filmagem. Não conseguiria chegar a tempo da primeira prova, então um menino teria de ficar para trás para equilibrar as coisas.

Passei as 24 horas seguintes desmaiada de pura vergonha. Quando cheguei a Vieques, estava desesperada para compensar minha estupidez, então me ofereci para ser a primeira em nosso primeiro desafio com o time completo. "Eu como qualquer coisa! Não tô nem aí!", gritei.

Formamos uma fila diante de quatro pratos cobertos. A buzina tocou e eu descobri meu prato: um monte de maionese apimentada.

Durante toda a minha vida, recusei-me a comer pratos com maionese. Não sou uma consumidora de salada de frango ou salada de ovo ou salada de batata. Raspo de meus sanduíches até os traços mais discretos de aioli. Maionese, para mim, é a pior coisa que pode existir. Mas é claro que eu imediatamente mergulhei o rosto nessa montanha espessa e amarelada, devorando-a de forma frenética e derramando-a por todos os lados — é muito difícil comer maionese tão rápido —, de maneira que, ao final, parecia que o Pillsbury Doughboy tinha ejaculado por todo o meu rosto. Como as garotas ganharam a competição, não me arrependi de nada disso até depois da prova, quando os produtores nos levaram para um mergulho e eu não conseguia me concentrar no brilhante recife arco-íris ao nosso redor porque ficava incendiando o interior de meu snorkel com arrotos de maionese.

Ou pelo menos é isso que eu sempre digo que aconteceu. O incidente da maionese é a única coisa de que me lembro claramente daquele programa, porque é a única coisa sobre a qual já falei: a história de meu eu adolescente aceitando maionese em troca de dinheiro era um jeito divertido e certeiro de chocar as pessoas. Mas, ao assistir ao programa, me dei conta de que estava contando aquilo do jeito errado. Antes da prova, eu me *ofereci* para comer a maionese. Meu prato nunca esteve realmente coberto. A maionese não foi uma surpresa. A verdade é que eu escolhi a maionese deliberadamente; mas a história que eu contava era que a maionese era algo que *tinha acontecido comigo*.

Parece bem provável que eu tenha cometido esse erro de maneira mais geral. Durante a maior parte de minha vida, acreditei, sem realmente articular isso, que coisas estranhas simplesmente caíam em meu colo e, sobretudo porque não consigo pensar muito bem a menos que esteja escrevendo, que sou uma espécie de inocente com o cérebro vazio tropeçando repetidas vezes no desconhecido absurdo. Quando falo sobre *Girls vs. Boys*, sempre digo que fui parar no programa sem querer, que foi algo completamente aleatório, que fiz o teste porque era uma idiota matando tempo no shopping.

Gosto mais dessa versão da história do que da outra, tão correta quanto essa, que diz que sempre me senti especial, e que portanto agia de acordo com isso. É verdade que fui parar por acaso em um reality show. Também é verdade que me inscrevi com entusiasmo, me sentindo quase destinada a fazer aquilo. Precisava dos vinte dólares de meu pai não como motivação, mas para encobrir a motivação verdadeira. Não foi meu *egotismo* que me levou ao estande da seleção de elenco, eu poderia dizer a mim mesma, mas sim a promessa de uma nova blusa frente única explosiva para combinar com minha minissaia Abercrombie da hora e meus Reefs matadores. Mais tarde, em meu diário, anunciei com entusiasmo, mas sem nenhuma surpresa, que havia sido selecionada. Agora parece óbvio para mim, como deveria ter sido desde o início, que uma garota de dezesseis anos não acaba correndo de biquíni e rabo de cavalo na televisão a menos que ela queira desesperadamente ser vista.

Um pôr do sol elétrico, uma praia de areia branca. Os adolescentes atiram uns nos outros com canhões que disparam camisetas. As meninas perdem. PARIS se declara para DEMIAN, mas ele quer ficar com JIA, que diz ter como regra não ficar com ninguém durante toda a temporada. DEMIAN acha que pode convencer JIA. O drama se acumula em torno de RYDER, um bom atleta, mas propenso a ataques histriônicos. Os adolescentes participam de uma corrida de obstáculos. As meninas perdem.

KELLEY está tentando distrair da competição um CORY apaixonado. PARIS cai de uma trave olímpica. ACE quer ficar com KELLEY. "Tem esse triângulo aí entre mim, CORY e ACE", diz KELLEY, sorrindo para a câmera. "E a coisa tá ficando bem quente."

Girls vs. Boys: Puerto Rico foi a quarta temporada desse reality show, exibido pela primeira vez em 2003. A primeira temporada foi filmada na Flórida, a segunda no Havaí e a terceira em Montana. Uma fanpage abandonada lista os participantes de todas as quatro temporadas, com links para páginas do Myspace que há muito tempo levam a uma tela de "erro 404". Fotos das equipes de cada temporada parecem anúncios da PacSun depois de uma clara intenção de estampar diversidade. Os nomes formam uma constelação de nomes adolescentes dos anos 2000: Justin, Mikey, Jessica, Lauren, Christina, Jake.

Aquele era o auge dos reality shows, uma época relativamente inocente, antes de o longo e sombrio rastro da indústria se revelar. Esses programas ainda não haviam criado um tipo de pessoa totalmente novo, um amálgama de silicone e produtos farmacêuticos animado pelas câmeras; ainda não tínhamos visto de que maneira personalidades perturbadas poderiam decair em reality shows, sua vida zumbi avaliada pelo patrocínio de chás laxantes no Instagram e aparições pagas em clubes regionais de terceira linha. No início dos anos 2000, o gênero ainda era uma novidade, assim como a ideia subjacente que conduziria a cultura e a tecnologia do século XXI: a ideia de que pessoas comuns se reajustariam sem dificuldade a qualquer coisa que houvesse nelas com potencial para ser vendido. Quando assinei meu contrato, não havia YouTube. Não havia fotos em celulares ou vídeos em redes sociais. O programa *The Real World* estava exibindo as temporadas de San Diego e Paris. *Real World/Road Rules Challenge* estava no ar, com sua primeira temporada de "Batalha dos Sexos" — cujo conceito era semelhante ao de *Girls vs. Boys* — sendo exibida em 2003. *Survivor* ainda era uma novidade, e *Laguna Beach* estava prestes a dominar a MTV.

Girls vs. Boys: Puerto Rico era uma produção de baixo orçamento. Havia quatro câmeras no total, e nossos dois produtores executivos ficavam o tempo todo no local das filmagens. No ano passado, mandei um e-mail para a produtora Jessica Morgan Richter. Marcamos de tomar uma taça de vinho em um bar italiano escuro no centro de Manhattan. Jess estava exatamente do jeito que eu me lembrava: sorriso irônico, nariz pronunciado e olhos azuis levemente tristes, uma mulher que poderia interpretar em um filme a irmã problemática de Sarah Jessica Parker. Todos nós adorávamos Jess, que foi muito mais generosa conosco do que precisava ser. Durante as filmagens, quando Paris chorava, Jess emprestava seu iPod para animá-la. Na primavera de 2005, ela me convidou, e também Kelley e Krystal, para visitá-la em Nova York, e então nos levou aos lugares divertidos que pessoas de dezesseis anos podiam frequentar: uma versão ao vivo de *Rocky Horror Picture Show*, um caraoquê em Chinatown.

Em 2006, Jess deixou a produtora responsável por *Girls vs. Boys* e foi para o canal A&E, no qual ficou sete anos, trabalhando como produtora executiva de *Acumuladores Compulsivos* e *Flipping Boston*. Agora ela é vice-presidente de desenvolvimento na Departure Films, ainda focada no gênero reality show. ("A gente faz *muitos* programas de reforma", Jess diz, me contando sobre *All Star Flip*, um especial que ela recentemente produziu com Gabrielle Union e Dwyane Wade.) *Girls vs. Boys* foi o primeiro programa no qual Jess trabalhou. Ela foi contratada na temporada anterior à nossa, em Montana. Enquanto empilhávamos nossos casacos em um banco do bar, ela observou que, naquele tempo, ela estava com a mesma idade que eu tinha agora.

Jess montou sozinha todo o elenco do programa, começando a busca em agosto. "Tínhamos gente espalhada por *todo lado*", disse. "Eu enviava faxes para todas as escolas de ensino médio em cidades grandes que tinham um bom desempenho nos esportes. Visitei todas as equipes de natação em três estados." Era relativamente difícil escolher o elenco para um programa assim, ela explicou. Eles precisavam de diversidade geográfica, diversidade étnica e uma mistura de personalidades fortes e reconhecíveis distribuídas em duas equipes de quatro pessoas separadas por gênero. Também precisavam que todo mundo tivesse ao menos alguma habilidade atlética, assim como pais que assinassem o calhamaço de formulários de autorização, pais estes que, como observou Jess, eram mais raros do que se podia imaginar. Ela e Stephen, nosso outro produtor, tinham ganhado toda a nossa simpatia, e podiam ter feito o que quisessem com as gravações. "Eu não deixaria meu filho participar!", ela disse. "Você também não deixaria!" (Mais tarde, encontrei a assinatura elegante de minha mãe em um termo que isentava os produtores, a Noggin, a MTV Networks e a Viacom International, de "qualquer responsabilidade", e que "abria mão e renunciava para sempre do direito de processar as partes envolvidas por qualquer dano ou morte causada por negligência ou outros atos".)

Jess olhou seu relógio — às seis, precisava dispensar a babá no Harlem —, e então pediu uma pizza marguerita para dividirmos. Começou a explicar que, para montar um elenco de um reality show, é preciso encontrar pessoas que pareçam à vontade na televisão, "pessoas que rompam a barreira da tela, que mantenham os olhos a certa altura, que sejam capazes de olhar para além da câmera". Ela havia telefonado para todos nós e perguntado: como você reagiria se tivesse um problema com alguém? E por acaso tínhamos namorado ou namorada? "Dá pra concluir muita coisa sobre alguém de dezesseis anos a partir da resposta a essa pergunta, o quanto eles parecem abertos, o quanto parecem inseguros", disse. "Há uma insegurança que faz parte da adolescência, mas, se você se sentir desconfortável, isso não fica bem diante das câmeras. Em reality shows, você precisa de pessoas com zero insegurança. Ou então alguém tão inseguro a ponto de enlouquecer todo mundo."

A fórmula para um programa de equipes era bem básica, Jess admitiu. Mesmo programas com adultos costumavam utilizar arquétipos do ensino médio. Você geralmente tem o atleta, a rainha do baile, o cara estranho, o nerd, a "garota louquinha que é um pouco criançona". Perguntei se eu podia tentar adivinhar quem de nós era quem. Kelley era a garota legal, chutei. "Paris era a amalucada. Cory era o menino inocente do interior. Demian era o palhaço. Ryder devia ser o atleta. Krystal era a cadela arrogante."

"Aham, do tipo supermodelo", disse Jess.

"E o Ace?", perguntei. "Krystal disse que vocês o escalaram pra que houvesse um casal de negros." (Krystal — que tinha um senso de humor cortante e não era de forma alguma uma cadela — descreveu para mim seu papel como sendo "o clássico papel da garota negra num reality show".)

"A gente precisava de diversidade com certeza", disse Jess. "E você?"

"Eu era a nerd?", perguntei. (Também fui escolhida por causa da diversidade, tenho certeza.)

"Não", ela disse. "Embora eu lembre que numa noite você começou a fazer *lição de casa*. Stephen e eu ficamos, tipo, este é o pior programa do mundo, temos que fazê-la parar."

"Então eu era... a pessoa razoável?"

"Não!", ela disse. "A gente torcia pra que você *não fosse* razoável! Quando te apresentamos pra emissora, foi como uma sabe-tudo, a oradora da turma de personalidade forte." Ela acrescentou que também tinha me escolhido porque eu parecia uma esportista — para minha fita teste, eu havia executado alguns movimentos de ginástica olímpica, mascarando perfeitamente o fato de que tenho tão pouca coordenação visomotora que mal consigo agarrar uma bola.

Na varanda, KELLEY, KRYSTAL e JIA falam sobre como KEL-LEY irá jogar ACE e CORY um contra o outro, causando assim uma divisão entre os meninos. Os meninos tentam usar PARIS, cuja paixão por RYDER a torna bastante manipulável, para prejudicar a equipe das meninas. PARIS está fazendo muito drama, chorando e falando sem parar. RYDER perde a cabeça no meio da competição. "Eu não mereço todo esse sentimento negativo", RYDER grita, sem camisa e fazendo pedrinhas pularem no mar. "Isso é ridículo!"

Os adolescentes se preparam para sair para dançar. DEMIAN ainda está tentando ficar com JIA. Com uma camiseta na cabeça, ACE faz uma imitação irreparável de JIA dando um fora em DEMIAN. Depois de uma montagem na qual vemos todos dançando e se esfregando respeitosamente em um bar na beira da praia, os adolescentes voltam para a casa, onde os apresentadores os esperam. Todos devem votar pela expulsão de alguém da ilha. Uma pessoa de cada equipe será enviada para casa.

Levei meses para tomar coragem de realmente assistir a *Girls vs. Boys*, o que pareceu uma reação pouco usual: o programa em si é uma prova de que não costumo hesitar em relação a quase nada. Mas percebi que eu não conseguiria enfrentar a situação de ter que viver o programa mais uma vez. Em uma noite nevada do inverno de 2018, depois de alguns drinques num bar no Brooklyn, convidei minha amiga Puja para assistir comigo à primeira metade da temporada. Alguns dias depois, fiz minha amiga Kate ir até minha casa para assistir ao resto.

Era estranho ver tantas horas de gravação de minha versão adolescente. Era mais estranho perceber que todos nós agíamos de um jeito tão natural, como se fazer confissões e ser caçado por todo o lugar pelo cinegrafista fosse a coisa mais normal do mundo. Porém o mais estranho de tudo era ver como eu tinha mudado pouco. Quando comecei a telefonar para o resto do elenco, essa sensação de deformação do tempo se intensificou. Todo mundo tinha agora por volta de trinta anos, uma idade em que a maioria das pessoas sente que há *alguma* distância entre sua adolescência e o presente. Mas todos nós, como Jess mencionou, havíamos sido estranhamente confiantes durante nossa adolescência. A autoconsciência de cada um de nós parecia bastante concreta. Perguntei a eles se achavam que tinham mudado muito desde o programa. Todos me disseram que haviam amadurecido, é claro, mas, exceto por isso, eles se sentiam praticamente iguais.

Kelley, agora casada, morava em Newport Beach e trabalhava em desenvolvimento de negócios para uma empresa do ramo imobiliário. Krystal morava em Los Angeles e estava trabalhando como atriz e modelo enquanto criava sua filha de um ano e oito meses, com quem ela havia aparecido em outro reality show, *Rattled*, do canal TLC. Cory, o menino inocente do interior que beijou Kelley diante das câmeras — o primeiro beijo de sua vida —, vivia em Orlando com o namorado e trabalhava para a Disney. Demian, o palhaço que crescera em Las Vegas, ainda morava na cidade, trabalhando como promoter em uma boate. Ace estava em Washington. Ryder não respondeu às minhas mensagens, e eu desisti de procurar Paris depois de olhar seu Facebook, onde ela estava graciosamente documentando um mês de terapia ambulatorial para bipolaridade tipo II.

Perguntei a todos que papéis eles achavam que estávamos representando no programa. A metade das seleções parecia óbvia para todo mundo. Cory, Kelley, Paris e Krystal representavam arquétipos fixos: o cara inocente, a garota extremamente americana, a maluca, a cadela irritante. A outra metade — Demian, Ryder, Ace e eu — não parecia tão clara. Demian achava que fora escolhido como o filho da puta; Kelley sugeriu que

Demian era o engraçadão; Krystal, que ele era o "Don Juan chapado, tipo *Jersey Shore*". Ryder parecia ser mil coisas diferentes, assim como eu; ele era o jovem artista pretensioso, o atleta promíscuo, o *punk rocker* extravagante. Embora eu tenha certeza de que eles teriam respondido de maneira diferente se outra pessoa tivesse perguntado, meus colegas de elenco disseram que eu era a inteligente, ou a meiga, ou a "pessoa divertida do Sul", ou a puritana.

Até mesmo fazer essas perguntas significa validar uma espécie de fantasia adolescente clássica. Os reality shows encenam as inúmeras ilusões pessoais dos emocionalmente imaturos: o sonho de que você está sendo observado de perto, avaliado e categorizado; o sonho de que sua própria vida daria um filme, e de que você merece sua própria montagem cuidadosa com trilha sonora enquanto está andando pela rua. No programa, esse foi de fato o mundo que os adultos construíram ao nosso redor. Fomos categorizados como se fôssemos personagens. Nossos dramas sociais foram ajustados a baladas acústicas genéricas e canções pop punk. Nossa identidade recebeu uma clara importância narrativa. Tudo isso é uma fantasia narcisista transformada em realidade. "Nesse ramo, acreditamos em uma coisa", me disse Jess, a produtora, ainda no bar em Manhattan. "Todo mundo assina. A maioria das pessoas quer ser famosa. Todo mundo acha que pode ser um Kardashian melhor do que os próprios Kardashian. Você vê agora, com esses aplicativos. Todo mundo gosta de ter um público. Todo mundo acha que merece uma plateia."

Durante o ensino médio, eu desejava o tipo de atenção fascinada que as câmeras do *Girls vs. Boys* me proporcionariam. Em meu diário, eu constantemente superestimava as impressões que estava causando nas outras pessoas. Eu me monitorava, perguntando-me como meus amigos e colegas me percebiam, e então tentava controlar aquilo que eles viam.

Esta é, escrevi, uma tentativa de ser mais honesta: quero agir de maneira a refletir o jeito como me sinto; quero viver do jeito que "realmente sou". Mas também me preocupa que eu esteja mais interessada em consistência narrativa do que em qualquer outra coisa. Me preocupa que todo esse monitoramento, como escrevi em 2004, tenha me deixado consciente do que "Jia" faria nessa situação, e que assim eu corra o risco de me tornar uma "personagem para mim mesma".

Essa ansiedade é algo que eu claramente ia carregar comigo. Mas, de uma maneira estranha, *Girls vs. Boys* dissolveu parte dela. No programa, como eu vivia sob vigilância constante, não era possível me afastar de mim mesma o suficiente para assim pensar na impressão que estava deixando nos outros. Uma vez que tudo era montado como uma performance, parecia impossível fazer uma performance de maneira consciente. Em 2005, quando voltei para o Texas, todas as conjecturas desapareceram de meu diário. Parei de me perguntar como as pessoas da escola me viam. E não tinha nenhuma opinião sobre como eu ia parecer no programa. Saber que eu estava sendo vista me livrou do desejo de ver a mim mesma, e de me autoanalisar como se eu fosse uma personagem. Quando assisti ao primeiro episódio, pensei: *Que chato, que constrangedor, essa sou eu.*

Depois de alguns anos, começaria a pensar que a impressão que eu deixava nos outros era algo que, assim como a previsão do tempo, eu não podia controlar de forma alguma. Olhando em retrospecto, vejo que passei a controlar inconscientemente, em vez de conscientemente. O processo de calibrar meu eu externo se tornou tão instintivo e tão automático a ponto de eu não percebê-lo mais. O reality show me libertou da autoconsciência e, ao mesmo tempo, me prendeu a ela, tornando-a indissociável de todo o resto.

Foi uma preparação útil, embora duvidosa, para uma vida mergulhada na internet. Assistindo ao programa, senti a mesma coisa que sinto quando estou no trem em Nova York olhando o *feed* do Twitter, pensando, por um lado: *Onde estamos nós por trás de toda essa autoimportância arbitrária?* E por outro: *Será que não somos exatamente o que parecemos ser?*

Uma manhã ensolarada, adolescentes sonolentos. Durante o café da manhã, JIA tenta dizer a PARIS que sente muito pelo que está por vir. Na praia, PARIS e RYDER são eliminados. "Não acho que seja pessoal, mas isso não significa que não seja uma merda", diz PARIS.

Os seis competidores restantes giram uma roleta e arremessam bolas uns nos outros. As meninas perdem. ACE e JIA entram em uma caserna abandonada carregando cadeados e câmeras de visão noturna. As meninas perdem de novo. Na manhã seguinte, os apresentadores estão na sala. Mais uma reviravolta.

Todo episódio de *Girls vs. Boys* é estruturado da mesma forma. Participamos de uma prova, depois voltamos para casa e falamos sobre quem odiamos e por quem somos apaixonados, e então repetimos tudo de novo. A previsibilidade dos reality shows se acumula até a hipnose. O sol nasce em um *time-lapse* com listras douradas; a câmera adentra o mosquiteiro branco sobre nossos beliches, e nós bocejamos e declaramos que hoje vamos ganhar. De bermuda ou biquíni, ficamos alinhados na praia. Um sino toca. Corremos pela areia montando um quebra-cabeça com peças gigantes; os apresentadores anotam no quadro os pontos acumulados. O sol se põe de novo em *time-lapse*, de rosa fluorescente ao crepúsculo profundo e, de noite, com nosso bronzeado cada vez mais intenso e nossos cabelos cada vez mais ondulados, nós nos queixamos uns dos outros, discutimos e de vez em quando nos beijamos.

Assistindo ao programa, fiquei impressionada ao perceber o quanto eu tinha esquecido. Havia provas inteiras das quais eu não tinha nenhuma lembrança. Vendemos artesanato local em um hotel da rede Wyndham (?), disputamos corridas em caiaques furados (?), ficamos de joelhos com as mãos amarradas nas costas e comemos tigelas de comida enlatada para cachorro (?). Em um episódio, peguei um violão e improvisei uma longa balada sobre o drama romântico que estava em andamento na casa. Preocupava-me o fato de eu não lembrar de nada do que acontecera por trás das câmeras. Eu não fazia ideia, por exemplo, do que comíamos todos os dias.

"Acho que comemos muitas pizzas congeladas", Demian me contou. "E fomos almoçar várias vezes naquele lugar." Ao telefone, Krystal me disse que ainda comprava a mesma marca de pizzas. Eu a ouvi caminhar até o congelador. "Aham, Celeste. Pronta em minutos no micro-ondas." Kelley lembrou do lugar onde almoçávamos: "Chamava Bananas. O lugar onde a gente ia dançar chamava Chez Shack, e tinha um monte de frangos assados girando nos espetos". Krystal também lembrou do Chez Shack, com sua luz difusa e música ao vivo. "Aff!", ela disse. "A gente achava que estava no *Noites de Havana*." Depois dessas conversas, vislumbrei vestígios de cenas: um prato de melamina, eu pedindo sempre o mesmo sanduíche, um pátio cheio de areia sob um imenso céu escuro. Mas isso foi tudo. Eu esqueço tudo que não preciso transformar em uma história e, em Porto Rico, entender o que estava acontecendo todos os dias era o trabalho de outra pessoa.

Os reality shows são notórios por construírem histórias a partir do nada. A franquia *The Bachelor* é conhecida por fazer "*frankenbiting*": manipular o áudio e inserir falsos contextos a fim de mostrar os participantes dizendo coisas que eles nunca disseram. (Em 2014, uma participante do *Bachelor in Paradise* foi editada de maneira a parecer que estava abrindo seu coração para um guaxinim.) Jess me contou que, em nosso programa, depois de três meses de edição, eles tiraram muitos trechos da ordem cronológica para que as histórias funcionassem. Eu percebi algumas das costuras, e os outros participantes me lembraram de algumas coisas que haviam mudado. (O programa ignora o fato de que, no momento em que cada equipe tinha de votar pela eliminação de um dos membros, Paris, que não queria ser maldosa, e Cory, que se sentia excessivamente pressionado pelos outros meninos, acabaram votando em si mesmos.) Mas o programa, ainda assim, parecia um único e bizarro documento completo. Lá estamos, para sempre, em nossas vozes juvenis e nossos corpos incrivelmente resistentes, fazendo confidências para a câmera e mergulhando no oceano assim que ouvimos o sino. Em Vieques, eu estava aprendendo sem perceber que, no século XXI, seria muitas vezes impossível enxergar a diferença entre uma experiência, o pretexto para uma experiência e o registro dessa experiência.

Em um campo de futebol num dia de vento, os adolescentes encontram seus novos companheiros de equipe: RYDER no time das meninas, PARIS no dos meninos. A prova é um "futebol de mesa humano". Com RYDER no time, as meninas ganham. Depois da partida, PARIS senta-se no campo e chora. ACE e DEMIAN a odeiam. "Vamos ter que carregar a Paris como um saco de batatas", diz DEMIAN. Naquela noite, PARIS diz a CORY que KELLEY o está usando para criar confusão na equipe dos meninos. KELLEY confronta PARIS, e DEMIAN age como o protetor. As pessoas começam a discutir aos gritos.

KELLEY tenta ficar com CORY. DEMIAN diz a CORY que KELLEY traiu todos os namorados dela. As garotas tentam ser legais com PARIS. "Todo mundo está tentando agir como se fosse melhor do que os outros", diz PARIS, sozinha na entrada da garagem, fungando. "Mas talvez nenhum de nós preste." As equipes andam de caiaque em um manguezal. As meninas ganham. JIA e KRYSTAL fazem uma confissão: os meninos estão putos, explicam, porque KELLEY não quer ficar com ACE e JIA não quer ficar com DEMIAN.

Durante toda a temporada, o fato de eu não querer ficar com ninguém é um ponto importante da trama. Sou enfática a respeito disso desde a primeira noite, quando todos jogam Verdade ou Consequência e acabam beijando todo mundo. No episódio de reencontro em Las Vegas — há um episódio de reencontro, com todos sentados em um palco brilhante assistindo a trechos do programa —, Demian diz que minha regra era estúpida. Do alto de minha arrogância insuportável, digo que *sinto muito* por ter *valores morais*, mencionando uma ficha em que escrevi uma lista de regras inflexíveis.

Será que eu estava inventando? Não tenho nenhuma lembrança de uma ficha com uma lista de regras. Ou talvez eu esteja inventando agora, considerando essa ficha como algo incongruente com a narrativa atual de minha vida. Quando eu tinha dezesseis anos, estava realmente presa a limites sexuais arbitrários: eu era virgem e queria continuar virgem até o casamento, uma meta que seria descartada cerca de um ano mais tarde. Mas não consigo dizer se, no programa, eu estava mais preocupada em parecer uma pessoa virtuosa ou em ser realmente uma pessoa virtuosa; tendo me deslocado de um panóptico religioso para um panóptico literal, talvez eu não fosse sequer capaz de perceber a diferença entre essas duas ideias. Não consigo dizer se eu tinha vontade de ficar com estranhos — algo que eu realmente não tinha feito até aquele ponto —, ou se tinha apenas vontade de ficar com estranhos *na televisão*. No mês anterior à minha partida para Porto Rico, assisti a um episódio de *Girls vs. Boys: Montana* e escrevi em meu diário:

Fiquei um pouco perturbada. Todo mundo dando em cima um do outro, e as garotas passam o tempo inteiro com quase nada de roupa, usando tops em uma prova que envolve o pastoreio de um rebanho de gado. Nem pensar. Vou levar um monte de camisetas. É estranho imaginar que eu possa fazer o papel de certinha, a que não vai ceder a avanços, uma vez que esse não é o papel que eu faço na vida real. Mas realmente não quero assistir ao programa seis meses depois e me dar conta de que eu parecia uma vagabunda.

Sob esse verniz de consciência moral conservadora, há uma clara noção de medo e superioridade. Eu achava que era melhor do que a versão de adolescência feminina que parecia onipresente no início dos anos 2000: as representações do sexo de mau gosto e da sentimentalidade opressiva que estavam nas comédias pastelão campeãs de bilheteria e também nas comédias românticas, e a humilhante necessidade que as garotas tinham, durante o ensino médio, de falar sobre caras o tempo todo. Eu tinha um desejo temperamental de não parecer desesperada, que se uniu ao desejo de fundo religioso de não ser uma puta, ou de não parecer uma puta, porque, no caso dos reality shows, essas duas coisas são praticamente iguais. É possível também que Demian, com aquele jeito largado, simplesmente não se encaixasse em minha ideia limitada e esnobe de pessoa atraente: naquela época, eu me sentia atraída por caras arrumadinhos que eram grosseiros comigo e acreditava, eu acho, que era indelicado correr atrás de alguém abertamente. Mas, durante todo o programa, eu gostava de Demian, e me sentia atraída por seu humor elaborado e absurdo. Em nossa última noite na casa, depois que a competição final terminou, nós acabamos ficando, por trás das câmeras, embora Jess tenha flagrado um beijo de despedida no dia seguinte. Uma tensão que parecia que nunca fosse ser resolvida se dissolveu num instante, para nunca mais ser sentida da mesma maneira. Quando liguei para Demian durante a escrita deste ensaio, eu estava em San Francisco trabalhando em uma matéria e, em certo momento, nenhum de nós conseguiu falar por vários minutos de tanto que estávamos rindo. Mais tarde naquele dia, enquanto entrevistava algumas pessoas, percebi que meu rosto estava dolorido.

A questão da virtude sexual surgiu para Cory de maneira muito mais intensa. Ele tinha se apresentado no teste de elenco como um cara que adorava Britney Spears e que nunca tinha beijado ninguém, e então, no primeiro episódio, ganhou um beijo de Kelley, a Britney do programa. Cory e Kelley tiveram a história romântica da temporada em parte por decisão mútua: eles queriam garantir seu tempo no ar. Mas Cory me disse ao telefone que sabia que era gay muito antes de as filmagens começarem. Kelley foi apenas a primeira menina que ele beijou.

Em retrospecto, parece bastante claro. Ele não aparentava estar fisicamente interessado em Kelley, a gostosa do programa, e, em uma prova na qual tínhamos de adivinhar os donos de objetos aleatórios, percebi que um punhado de velhos ingressos de cinema pertenciam a Cory por causa de *Josie e as gatinhas*. Mas Cory nunca desmontou sua fachada. Ele viera de uma pequena cidade do Kentucky, e precisava continuar no armário. Já havia tentado contar para os pais que era gay, mas eles tinham se recusado a ouvir, e seu pai pediu que ele não fizesse seu pior pesadelo virar realidade. (Jess me contou que não tinha certeza se, em 2005, a emissora os deixaria abordar a homossexualidade no programa.) Antes de ele partir para Porto Rico, o pai o avisou para "não agir como o Salsicha" — o Salsicha de *Scooby-Doo* era a pessoa mais gay em quem o pai de Cory podia pensar. Agora Cory mora há oito anos com seu namorado, ele me contou, parecendo como sempre gentil, otimista e prático. Seus pais são cordiais, mas distantes, educados com seu parceiro, mas sem reconhecer a natureza daquele relacionamento.

Os adolescentes fazem souvenirs e tentam vendê-los no resort Wyndham, vestidos com as camisas havaianas que compõem o uniforme do hotel. DEMIAN fala espanhol. Os meninos ganham. De volta à casa, os jovens usam a máquina de gelo para produzir bolas de gelo raspado e jogá-las uns nos outros. Há uma queda de luz, e todos nadam na piscina no escuro. Depois da cena em que PARIS sobe em ACE e DEMIAN, JIA diz para a câmera que PARIS está tentando se entrosar com a equipe dos meninos usando seus peitos. No dia seguinte, os adolescentes duelam dentro de caiaques. As meninas perdem.

As meninas convocam todos para uma prova bônus. RYDER e PARIS disputam quem come a maior quantidade de salsichas sangrentas e vomitam. KELLEY está frustrada com CORY, que nunca toma a iniciativa. "Ele não é como os outros garotos que eu conheço", diz KELLEY.

Uma das razões para eu nunca ter visto o programa além do primeiro episódio é que nunca precisei fazer isso. O programa foi exibido um pouco antes de as coisas começarem a aparecer na internet, e era muito raro que trechos de programas surgissem no YouTube. O canal N saiu do ar em 2009, levando junto seu site, que incluía trechos bônus de *Girls vs. Boys* e fóruns de fãs. Eu tinha entrado no Facebook em 2005, entre as filmagens e a exibição, e parecia muito claro — já tínhamos o LiveJournal, o Xanga e o Myspace — para onde as coisas se encaminhavam. A lógica dos reality shows estava contaminando tudo. Todo mundo documentava sua vida para que ela fosse vista. Eu tinha a sensação de que, através do *Girls vs. Boys*, eu poderia me permitir um tipo raro e assimétrico de liberdade. Com esse programa, posso ter feito algo direcionado ao consumo de um público sem que eu tivesse de consumi-lo. Posso ter criado uma imagem de mim mesma que eu nunca precisaria ver.

Depois que a temporada terminou, os produtores nos enviaram o programa em fitas VHS. Na faculdade, dei as fitas para minha melhor amiga, atendendo ao seu pedido. Ela assistiu a toda a temporada de uma só vez. Enquanto eu estava no Corpo da Paz, meu namorado também assistiu ao programa inteiro. (Ele achou que minha versão reality show era "exatamente como você é agora, só que mais irritante"). Ele escondeu as fitas na casa dos pais para que eu não pudesse encontrá-las e descartá-las, como ameacei fazer muitas vezes. Quando sua mãe, sem querer, doou as fitas para a caridade, fiquei exultante.

E então, na primavera de 2017, de repente me vi em uma casa alugada no norte do estado de Nova York durante um fim de semana inteiro. Tinha enfiado maconha e calças de moletom na mala e pegado o trem sozinha. Estava escuro e era tarde. Eu estava sentada em uma mesa pequena perto da janela, anotando algumas ideias sobre — ou assim eu escrevi, com a típica empolgação de alguém chapado — a exigência e a impossibilidade de uma pessoa conhecer a si mesma sob as condições artificiais da vida contemporânea. Havia acendido a lareira, e olhava para ela, pensativa. "Ah", disse em voz alta, de repente me lembrando de que eu participara de um reality show. "Ah, não."

Entrei no Facebook e mandei mensagens para Kelley e Krystal. Por alguma estranha coincidência, Krystal ia ao Costco naquela semana transformar as fitas VHS em DVDs, e ela poderia fazer uma cópia para mim. Ela tinha visto o programa quando ele foi exibido, assim como Kelley e Cory. Mais tarde, conversando com Demian e Ace, fiquei aliviada ao descobrir que ambos haviam assistido a apenas dois episódios.

"Por que você não continuou?", perguntei a Ace.

"Não sei", ele respondeu. "Quer dizer, a gente já tinha vivido aquilo, entende?"

Os adolescentes fazem uma caça ao tesouro: correm ao redor de uma praça, tiram fotos de pessoas se beijando e plantam bananeiras. As meninas ganham. De volta à casa, DEMIAN pega um balde d'água para se livrar de um cocô gigante no vaso. Os meninos convocam todos para uma prova bônus: os adolescentes comem tigelas de comida enlatada de cachorro com as mãos amarradas nas costas. As meninas ganham de novo.

De noite, os adolescentes vendam os olhos uns dos outros e se beijam em rodadas. Improvisam um tobogã em uma descida do gramado com pedaços de plástico e óleo vegetal. Mostram os músculos para a câmera como se fossem lutadores e começam a brigar, perseguindo uns aos outros com sprays de chantili.

Na costa sul de Vieques, há uma baía, quase totalmente cercada por terra, onde os manguezais são densos e labirínticos e o ar é totalmente parado. O lugar se chama baía Mosquito, não por causa dos insetos e sim por *El Mosquito*, a embarcação de Roberto Cofresí, um dos últimos piratas de verdade do Caribe, uma lenda cruel que, antes de morrer, alegou ter enterrado um tesouro de milhares de peças. Depois que uma carta publicada em um jornal identificou erroneamente um pirata morto como sendo Cofresí, rumores sobre seus poderes míticos começaram a proliferar: ele conseguia fazer seu barco desaparecer; ele tinha nascido com os *capilares de Maria*, um arranjo mágico de vasos sanguíneos que o tornava imortal. Uma crença popular que ainda persiste diz que ele aparece envolvido em chamas a cada sete anos durante sete dias.

Há apenas cinco baías bioluminescentes no mundo, e a baía Mosquito é a mais brilhante delas. Cada litro de suas águas contém centenas de milhares de *Pyrodinium bahamense*, os microscópicos dinoflagelados que produzem uma luz azul-esverdeada de outro mundo quando agitados. Em uma noite sem luar, um barco movendo-se sobre essas águas deixa uma trilha de iridescência. Ali, os dinoflagelados têm o porto seguro e privado de que precisam: a decomposição dos manguezais fornece uma recompensa alimentar para os organismos delicados, e a passagem para o oceano é rasa e estreita, mantendo a perturbação das ondas afastada. Então os dinoflagelados brilham; não para eles mesmos, não de forma isolada, mas sempre que ocorre uma intrusão externa. O problema é que essas intrusões perturbam o delicado equilíbrio da baía. Em 2014, a baía Mosquito ficou escura durante o ano todo, provavelmente devido à atividade turística, que lança um excesso de produtos químicos provenientes de filtros solares e xampus. Hoje, os turistas ainda podem fazer passeios de barco, desde que abram mão dos repelentes de inseto. Mas entrar na água se tornou proibido desde 2007 — dois anos depois de nadarmos durante o programa.

Pegamos o barco numa noite escura e com uma quietude que pesava como chumbo. Atrás da massa de nuvens, as estrelas leitosas emergiam e desapareciam. Estávamos todos nervosos, calados, agitados: tínhamos vindo de famílias que, acho eu, queriam nos proporcionar aventuras assim, mas que provavelmente não tinham condições de pagar por elas. Daí, talvez, a permissão para participarmos do programa. Quando o barco parou no meio da baía, nós tremíamos de empolgação. Entramos na água e começamos a soltar faíscas, como se as estrelas tivessem caído na água e agora estivessem agarradas a nós. No meio da escuridão absoluta, estávamos envoltos em mágica, brilhando como medusas, luzindo como o vídeo de "Toxic". Nadávamos em círculos, ofegávamos e ríamos no meio de um brilho azul-claro infinito. Tocávamos nos ombros um do outro e víamos nossos dedos estalarem com a luz. Depois de um longo tempo, voltamos para o barco, ainda pingando bioluminescência. Água brilhante escorria de meu cabelo. Meu corpo se sentia tão repleto de sorte que eu estava sufocando. Eu me sentia presa em um redemoinho de acidentes metafísicos. Não havia câmeras e, de qualquer forma, elas nem teriam conseguido captar aquilo. Eu disse a mim mesma: "Não esqueça, não esqueça".

Os adolescentes precisam mergulhar no mar em busca de objetos, nadar de volta até a praia e então adivinhar a quem o objeto pertence. JIA examina uma carteira cheia de ingressos de cinema: "*Josie e as gatinhas*? Isso é do CORY", ela diz. As meninas ganham. KELLEY finalmente consegue levar CORY para um canto escuro para ficar com ele. Depois de uma cena em que DEMIAN faz cócegas em JIA no beliche, JIA diz para a câmera que DEMIAN ainda está tentando chegar nela.

A próxima prova acontece em uma escola de ensino médio. Os adolescentes customizam roupas de banho e sobem no palco quase nus em um espetáculo para mil adolescentes porto-riquenhos, que devem escolher a equipe vencedora. Essa filmagem é indescritível. Os meninos ganham. As meninas convocam para uma prova bônus. KELLEY joga com DEMIAN uma partida de torre Jenga gigante e vence. As garotas estavam perdendo durante toda a competição, mas agora estão quase empatando. Os garotos estão se provocando. Aos gritos, PARIS pede que ACE relaxe, e ele faz o mesmo.

Exceto pelo episódio em que tive de comer maionese, e o episódio em que todos nós pusemos roupas de banho e dançamos no palco de uma escola de ensino médio, a parte mais dolorosa do programa para mim foi o recorrente tema "todos unidos contra Paris". Nós a ignorávamos, falávamos diante das câmeras coisas absurdas sobre a garota e mentíamos na cara dela. Aquilo tudo me lembrava que eu não tinha sido especialmente legal durante o ensino médio. Eu formara uma panelinha com minhas amigas da escola do mesmo jeito que fiz com Kelley e Krystal. Algumas vezes, fui horrivelmente má porque achava isso divertido, ou grosseira em nome da "sinceridade", ou apenas insensível de modo geral, como fui durante todo o programa em relação a Paris. Em um episódio, interrompo um de seus monólogos gritando: "Paris, você tá falando merda". Quando ela foi eliminada, fiquei parcialmente consciente de que todos iam perceber que eu era o elo mais fraco. Para que ninguém (inclusive eu mesma) desse atenção a essa possibilidade, fiz uma reconstrução meticulosa dos momentos mais irritantes de Paris: subindo em cima de Demian e pedindo aos ganidos que ele dissesse que eu era bonita, exatamente como ela tinha feito com Cory — no programa, os produtores mostraram as cenas com a tela dividida —, depois choramingando que eu só queria que todo mundo fosse legal, e assim por diante.

Tanto a escola quanto os reality shows são alimentados pela crueldade social. Enquanto escrevia este texto, encontrei uma música sobre todos os membros do programa que escrevi com Demian dentro da van a caminho de uma prova. "A porra do Demian é do México, e a única palavra em inglês que aprendeu é 'foder'", escrevi, "então vai se foder, Demian." Ele escreveu como resposta: "A porra da Jia, leitora puritana irritante e encrenqueira. Ela tem um jeito que dá nos caras uma coceira". Nós não éramos exatamente gentis uns com os outros. Mas éramos terríveis com Paris. "A porra da Paris", Demian escreveu, "com sua mente incapaz, sempre com tesão e sempre querendo levar por trás." Eu lembro de abafar minhas risadas. Que constrangedor, pensei, tentar chamar a atenção de forma tão óbvia. Por que ela não percebeu que você deve fingir que não se importa?

Quando finalmente escrevi para Paris, que cresceu em Salem, no Oregon, e mora em Portland agora, pedi desculpas. Ela respondeu imediatamente. "Sou uma pessoa tão chata agora", disse quando falamos ao telefone alguns dias depois. "Eu trabalho no Whole Foods. Vou fazer dois anos de empresa." Mas, em poucos minutos, me lembrei porque Paris era a *catnip* dos reality shows: ela ainda era uma pessoa sem pudores, uma tagarela, pronta para lhe contar qualquer coisa. "No ensino médio, *claro* que eu tive problemas pra me adaptar, então acabei me automedicando, seguindo todo o roteiro 'vamos ser alcoólatras, vamos usar muita droga'", ela me contou.

Salem é assim. Até os adolescentes ricos. Mesmo se você não for lixo branco, como eu era, todo mundo é um pouquinho lixo branco lá. Eu me mudei pra Portland em parte por estar cansada de esbarrar em pessoas que achavam que me conheciam. Pessoas que eu não sabia quem eram e que diziam: "Ah, você é a Paris, ouvi falar bastante de você", quando na verdade não me conheciam de jeito nenhum.

Paris me disse que percebeu que seria excluída do programa logo depois da primeira prova, aquela em que eu não estava porque perdi o voo. "A gente precisava vasculhar o lixo, e tinha uma fralda com cocô. Eu tenho uma superfobia fecal", disse.

Então eu dei pra trás, surtei, e a Kelley e a Krystal ficaram bravas comigo. Eu sabia que não tinha entrado com o pé direito. Mas sou uma pessoa estranha. Durante a maior parte da minha vida, as pessoas implicaram comigo. Eu sei que dizem que eu falo demais, que falo alto e digo as coisas erradas. E na verdade sou introvertida, então uma das minhas estratégias pra lidar com isso é te apresentar minha versão mais estranha. Assim você pode decidir na hora se gosta ou não de mim. Eu era uma criança teatral, e meus pais sempre me encorajaram a lidar com meus sentimentos. Acho que, de certo modo, meus colegas do ensino médio tinham inveja de mim por eu me sentir tão livre pra ser eu mesma. Porque você não deveria fazer isso. Você deveria se preocupar com o fato de as pessoas estarem te olhando e te julgando.

Paris me contou que tinha visto o programa algumas vezes, a pedido de seus amigos curiosos. "Várias coisas são bem fortes", ela disse.

Várias coisas não são engraçadas. Mas houve bons momentos também. Lembro da noite em que a gente esvaziou a máquina de gelo e fizemos uma guerra de bolas de neve. Parecia que todo mundo estava bem um com o outro. Também acho que provavelmente alguns jovens estranhos me viram na TV e pensaram: *Uou, não sou a única pessoa que se sente assim*, e acho que isso é incrível.

Um mês depois, Paris foi a Nova York visitar o irmão, e nos encontramos para um almoço em Long Island City num dia nublado. Ela estava com um delineado gatinho roxo e vestia um cardigã verde com estampa de leopardo. Falava usando bordões de um jeito natural: "Não sou boa numa briga de soco", disse, me explicando que ela havia se tornado mais durona aos vinte anos, "mas posso te destruir emocionalmente em exatos trinta segundos". Depois da nossa conversa ao telefone, ela tinha assistido de novo ao programa com as garotas que moravam com ela, enquanto, para passar o tempo, jogavam algo envolvendo bebidas. "A primeira regra era: beba sempre que a Paris chorar", disse, degustando uma margarita de manga. "E beba também toda vez que alguém falar uma merda sobre a Paris. E beba sempre que as meninas perderem. Ficamos bem bêbadas no final." Ela me disse que, depois de assistir ao programa essa última vez, tinha se sentido melhor em relação a ele. Podia ver que seu bom humor e sua tenacidade estavam visíveis o tempo todo.

Perguntei-lhe se achava que aquela era mesmo ela. "Sim", Paris disse. "Mas exagerada. Fomos transformados em desenhos animados de nós mesmos. Tipo, se alguém fizer seu papel na televisão, esses são os pedaços que serão usados."

É o último episódio. "Vim aqui pra me divertir e ganhar dinheiro. Principalmente ganhar dinheiro", diz DEMIAN. KELLEY diz: "Não posso deixar um menino me vencer. Não seria uma coisa normal pra mim". As garotas se dão as mãos e rezam.

A última prova é uma corrida de revezamento: a primeira pessoa nada até uma boia; a segunda pessoa nada de volta para a praia; a terceira pessoa ginga em um ninho de cordas e não pode tocar nelas; a terceira e a quarta pessoas precisam trocar de lugar sobre uma trave de ginástica; a quarta pessoa traz do mar um pedaço de uma bandeira; a equipe monta a bandeira. RYDER dispara na água na direção de JIA, que nada de volta até KRYSTAL. As garotas entram muito antes no ninho de cordas. Mas KRYSTAL não consegue andar entre as cordas, e então ela e KELLEY falham na trave. ACE e CORY terminam a corrida. Os meninos ganham. As meninas se atiram na praia, desoladas.

Naquela noite, os participantes começam a brigar. RYDER culpa KRYSTAL pela derrota. ACE chama PARIS de "loira burra". JIA diz para a câmera que ACE não merece que coisas boas aconteçam a ele. KELLEY diz que ela talvez dê um soco na cara de alguém. Na manhã seguinte, o dia está limpo e dourado, e os adolescentes estão calmos, descendo as escadas da casa com suas malas. JIA diz para a câmera que vai embora sabendo que ela e DEMIAN foram "um pouco mais do que amigos". Quando ela está entrando no táxi,

DEMIAN dá um longo beijo nela. A última tomada mostra PARIS dando adeus para a casa vazia.

No final das filmagens, estávamos sempre em um campo de batalha. Todos queriam o dinheiro com urgência e todos tinham certeza de que ganhariam, uma vez que certa dose de instabilidade familiar e certa dose de excesso de confiança selvagem foram alguns dos fatores que nos colocaram no programa. Quando as garotas perderam a prova final, aquilo pareceu brutal e capaz de dissolver nossas entranhas, como se o universo tivesse abruptamente se bifurcado na direção errada. Eu não ia embora de mãos abanando, pois estávamos recebendo por nosso tempo, como muitos competidores de reality show: ganhava 750 dólares por semana, o que é um bom dinheiro quando você tem dezesseis anos. Ainda assim, na praia, sentindo vertigem ao ver desaparecer de minha conta bancária o imaginário pote de ouro que eu nem sabia que tinha colocado lá, eu me senti destruída.

Eu havia embarcado para Porto Rico durante um período em que meus pais se envolveram em um emaranhado de problemas pessoais e financeiros, cuja extensão total me foi revelada um pouco antes de eu partir. Acho que esta foi a maior razão para me deixarem ir: eles devem ter entendido, como argumentei, que eu precisava de um tempo. Nós sempre subíamos ou caíamos de posição dentro da classe média, mas meus pais tinham decidido me proteger ao me elegerem como prioridade. Eles me mantiveram em uma escola particular, às vezes com bolsa de estudo, pagavam pelas aulas de ginástica e me levavam ao sebo sempre que eu pedia. Mas isso era diferente — tínhamos inclusive perdido nossa casa. Eu sabia que precisaria ser financeiramente independente assim que terminasse o ensino médio e que, a partir desse ponto, caberia a mim encontrar com meus próprios recursos a estabilidade de classe média que eles haviam conquistado com tantos esforços, e que então de repente tinham perdido.

Essa, claro, era uma de minhas motivações para vencer o *Girls vs. Boys*. Eu havia sido aceita em Yale pouco antes, e achei que minha parte do prêmio poderia me ajudar a lidar com coisas como empréstimos estudantis, seguro-saúde e minha mudança para New Haven. Aquilo seria meu esteio enquanto eu deslizava pela estrada do mundo. De volta ao Texas, me senti perdida e peguei uma carta de recomendação de meu orientador, escrita no último minuto, para tentar ganhar uma bolsa integral na Universidade da Virgínia. Quando fiz a entrevista, ainda estava sob o efeito de Porto Rico: malvestida, empolgada comigo mesma, tagarelando sobre caiaques e maionese. Depois de mais uma etapa, me ofereceram a bolsa integral e eu aceitei.

Quando falei com Jess, a produtora, ela contou que minha mãe tinha telefonado alguns meses depois da exibição do programa e pedido que ela me convencesse a ir para Yale. *Como*, minha mãe tinha dito, *ela pode recusar uma coisa prestigiosa dessas?* Nossa situação familiar pairava sobre aquilo, assim como, acho eu, a formação de meus pais. Os dois haviam frequentado escolas particulares de elite em Manila, e mantinham uma fé no poder transformador das instituições, uma fé que compartilhei até que, de uma hora para a outra, ela se desvaneceu. Perder o reality show marcou algum tipo de transição: comecei a sentir que o futuro era intrinsecamente imprevisível, que minha necessidade de dinheiro era mais profunda do que eu imaginava, e que havia coisas piores do que tomar decisões baseadas no que parecia ser mais divertido.

Os competidores se reúnem em um palco colorido em Las Vegas para assistir a trechos do programa. Todo mundo parece um pouco diferente: ACE está com o cabelo rosa, PARIS usa um corte pontudo, KRYSTAL tirou o aparelho.

DEMIAN diz a JIA que sua regra de não ficar com ninguém era estúpida. "Sinto muito por ter *valores morais*", JIA responde. CORY fica indignado ao descobrir que KELLEY o enganou. "Eu sou uma pessoa sincera!", ele diz. "E eu sou uma ótima mentirosa", ela responde, dando seu largo sorriso de Britney.

KRYSTAL assiste a DEMIAN dizendo que gostaria de ficar com ela, mas não de lhe falar. Será que ela está brava? "Achei hilário", KRYSTAL diz. PARIS assiste a JIA dizendo que PARIS está usando os peitos para chamar atenção. "Eu *estava* usando meus peitos pra chamar atenção", PARIS diz, radiante. JIA, que engordou um pouco, assiste a uma cena dela mesma na primeira noite, na qual diz que nunca vai ficar com DEMIAN, e então a próxima cena é dos dois ficando no último dia.

Os competidores precisam responder se fariam aquilo de novo. "Num piscar de olhos", KRYSTAL diz. "Porto Rico foi a melhor experiência da minha vida. Acho que vai ser difícil superar isso", diz KELLEY. Os créditos rolam sobre a imagem dos participantes na Las Vegas Strip despedindo-se com acenos.

Dos oito competidores, Ace e eu éramos os únicos que não tinham ido a Porto Rico com a intenção de alinhavar uma carreira diante das câmeras. Tínhamos ficado sabendo do programa sem querer; Ace foi chamado depois de participar de um grupo focal da Bayer. Todo mundo havia visto o anúncio da seleção de elenco e mandado uma fita. Paris, na verdade, fora escalada para o *Girls vs. Boys: Havaí*, mas a emissora a considerou jovem demais para o programa. "Eu queria muito ser atriz naquela época", ela disse. "Queria ser famosa. Queria mostrar pras pessoas que eram cruéis comigo, tipo, *eu sou* a Paris e *eu sou* importante agora."

Quando estávamos gravando o programa, Kelley era a mais bem-sucedida de nós. Ela era campeã de bicicross, tinha estrelado seu próprio anúncio "Got Milk?" e feito algumas filmagens promocionais para outro projeto da Noggin. "Pra ser sincera", Kelley disse ao telefone, "passei uma infância tão pobre com minha mãe solteira e meus dois irmãos que, quando tudo isso começou a acontecer, eu pensei: o.k., essa é minha saída." Depois do programa, Kelley fez alguns trabalhos como modelo, mas a agência não queria que ela pusesse o *Girls vs. Boys* no currículo, e era difícil convencer as pessoas de que, saída de um reality show, ela era capaz de atuar. Quando ela se mudou para Los Angeles depois da faculdade, descobriu que o segredo do sucesso criativo aos vinte anos era, em muitos casos, já ser rico. Ela entrou no setor imobiliário. "É um jogo de confiança e muito blá-blá-blá", ela me disse. "Eu me dei muito bem nisso. É exatamente a mesma coisa."

Krystal, que fez pontas nas séries *Duas garotas em apuros* e *Parks and Recreation*, acabou sendo a pessoa que seguiu no ramo. Ela me disse que queria estar na frente das câmeras desde que tinha dois anos de idade. Depois que nosso programa foi ao ar, ela e Ryder foram a um shopping em San Francisco no fim de semana usando seus moletons do *Boys vs. Girls*. Haveria um encontro das estrelas da série *Degrassi* com os fãs, e nosso programa era exibido logo antes de *Degrassi*. Eles esperavam ser assediados pelo público da Noggin, e foram. (A única vez que me reconheceram foi também em um shopping; eu estava trabalhando em uma loja da Hollister em Houston durante o fim do ano de 2005, e fui reconhecida por duas meninas pré-adolescentes.) Kelley me disse que foi reconhecida durante um recrutamento de irmandade na Universidade Estadual do Arizona. Paris foi reconhecida, anos depois, em uma loja de frozen yogurt em Portland. Cory contou que tirou fotos com um grupo de fãs adolescentes em uma H&M. "Eu amei", disse. "Sabe, eu sempre quis esses quinze minutos de fama."

"Eu queria ser famoso", disse Demian, "porque, pra mim, fama era igual a dinheiro. Mas agora eu tô, tipo, foda-se. Sabe esses caras que são famosos por alguma bobagem de personalidade? Quem é mesmo aquele que foi pra floresta japonesa do suicídio? Logan Paul. Se a gente fosse mais jovem, um de nós certamente tentaria ser uma estrela do YouTube." Ele suspirou. "Eu odiaria ser o Logan Paul." Ele me lembrou que tinha participado de um reality show antes do *Girls vs. Boys*: um programa chamado *Endurance*, do Discovery Kids. Nesse, todos os participantes também queriam ser atores. "É a nossa cultura", ele disse. "Eu via TV o tempo inteiro quando era criança. E pensava: *Não tem que fazer quase nada. Eu posso fazer essa merda.*"

"Então você realmente foi a Porto Rico porque queria ficar famoso?", perguntei, caminhado em círculos no quarto do hotel. O Twitter estava aberto em meu notebook. No fim — e talvez não ter assistido ao programa por tanto tempo tenha sido minha tentativa de não ter de admitir isso —, tinha sido muito, muito fácil me acostumar à visão de meu rosto na tela.

"Todos nós queríamos ser famosos", Demian disse. "Exceto você."

"Eu disse mesmo isso?", perguntei.

"Lembro que a gente estava sentado um dia conversando sobre isso", ele disse. "E você era a única que realmente não estava interessada. Você disse que só queria ser famosa se houvesse uma razão. Disse, tipo: 'Não quero ser famosa por essa merda. Quero ficar famosa por ter escrito um livro.'"

3.
A otimização constante

A mulher ideal sempre foi genérica. Aposto que você consegue imaginar a versão dessa mulher que comanda o espetáculo hoje. Ela tem uma idade indeterminada, mas uma resoluta aparência jovem. Seus cabelos brilham, e sua expressão neutra e inabalável é a de alguém que acredita que foi feita para ser vista. Ela costuma estar oferecendo a si mesma algum tipo de prazer, em praias remotas, sob estrelas no deserto, em uma mesa cuidadosamente decorada, cercada por objetos maravilhosos ou amigos fotogênicos. Seu trabalho, ou ao menos uma parte essencial dele, é mostrar a si mesma aproveitando a vida, o que não a torna alguém incomum; para muitas pessoas hoje, sobretudo para mulheres, empacotar e transmitir uma imagem é uma habilidade pronta para ser monetizada. Ela é dona de uma marca, e provavelmente tem um namorado ou marido; ele é a realização física do público invisível e constante dela, que a reafirma constantemente como um tópico interessante, um espetáculo espontâneo com um medidor de audiência anexado.

Você já consegue enxergar essa mulher? Ela parece um Instagram, ou seja, uma mulher comum reproduzindo as lições do mercado, que é exatamente o que faz com que a mulher comum evolua para um ideal. O processo exige a máxima obediência da mulher em questão e, de preferência, também seu genuíno entusiasmo. Essa mulher está realmente interessada em qualquer coisa que o mercado exigir dela (boa aparência, a impressão de uma juventude prolongada ao infinito, habilidades avançadas em autoapresentação e autovigilância). Ela também está interessada em tudo o que o mercado lhe oferece: todas as ferramentas que farão com que ela pareça mais atraente e ainda mais apresentável, para que assim ela extraia de sua posição particular o máximo valor possível.

A mulher ideal, em outras palavras, está sempre se otimizando. Ela tira vantagem da tecnologia, tanto na maneira de transmitir sua imagem quanto por meio do meticuloso aprimoramento dessa imagem. Seu cabelo parece caro. Ela gasta bastante dinheiro em cuidados com a pele, um processo que ganhou o aspecto sagrado de um ritual espiritual e a regularidade mundana de um despertador. O trabalho antes realizado pela maquiagem foi implantado diretamente em sua face: as maçãs do rosto ou os lábios foram preenchidos, ou algumas linhas foram eliminadas, e seus cílios são alongados a cada quatro semanas por um profissional empunhando cílios fio a fio e um recipiente de cola. Podemos dizer o mesmo de seu corpo, que não precisa mais dos tradicionais aprimoramentos das peças de roupa ou da lingerie estratégica; ele foi pré-moldado por exercícios que garantem que pouco resta a esconder ou reorganizar. Tudo nessa mulher foi controlado a ponto de permitir uma imagem de espontaneidade e, mais importante, uma sensação disso; tendo se esforçado para se livrar dos obstáculos da vida, ela com frequência se sente despreocupada de maneira legítima.

A mulher ideal sempre foi conceitualmente exagerada, uma coisa inorgânica projetada para parecer natural. Em termos históricos, a mulher ideal busca todas as coisas que as mulheres são programadas para achar divertidas e interessantes: domesticidade, aperfeiçoamento físico, aprovação masculina, manutenção da simpatia, além de vários tipos de trabalho não remunerado. O conceito da mulher ideal é *apenas* flexível o bastante para permitir uma ínfima individualidade. A mulher ideal sempre acredita que se construiu sozinha. Na era vitoriana, ela era "o anjo da casa", a tímida e encantadora mãe e esposa. Nos anos 1950, também era a tímida e encantadora mãe e esposa, mas com o adicional "poder de compra da família". Em tempos mais recentes, a mulher ideal passou a ser qualquer coisa que ela quiser ser, desde que consiga agir de acordo com a crença de que se aperfeiçoar e aprimorar sua relação com o mundo é tanto uma questão de trabalho quanto de prazer — de "estilo de vida". A mulher ideal passou a habitar um estrato de sucos caros, academias de luxo, cuidados com a pele e férias, e assim permanece feliz.

Quase todas as mulheres acreditam que são pensadoras independentes. (Em um conto de Balzac, uma jovem escrava chamada Paquita exclama, de forma memorável: "Eu amo a vida! A vida é justa comigo! Se sou uma escrava, também sou rainha".) Até as revistas femininas agora mostram ceticismo em relação a narrativas de cima para baixo sobre como deve ser nossa aparência, com quem devemos nos casar e de que maneira temos de viver. Mas o parasita psicológico da mulher ideal evoluiu buscando a sobrevivência em um ecossistema hostil que finge resistir a ela. Se nós, mulheres, começamos a nos mostrar resistentes a certa estética, como o uso excessivo de Photoshop, a estética de repente muda para nos agradar; o poder da imagem ideal, na verdade, nunca diminui. É fácil ser cética em relação a anúncios e capas de revistas produzidos por profissionais. Mas é mais difícil suspeitar de imagens produzidas por nossas iguais, e quase impossível que desconfiemos das imagens que nós mesmas produzimos para nosso próprio prazer e benefício — mesmo que, em uma época na qual o uso das redes sociais se tornou uma parte importante de nossa carreira, muitas de nós sejam, efetivamente, também profissionais.

A mulher ideal de hoje é do tipo que coexiste facilmente com uma forma de feminismo convencional e simpático ao mercado. Esse tipo de feminismo se construiu de maneira a ser visível e atraente ao maior número de pessoas possível. Ele também supervalorizou o sucesso individual das mulheres. O feminismo não erradicou a tirania da mulher ideal, mas antes consolidou essa tirania e a tornou mais complexa. Hoje em dia, para uma mulher, talvez seja mais psicologicamente simples do que jamais foi passar a vida caminhando na direção de uma miragem idealizada de sua própria imagem. Ela pode acreditar — com alguma razão e com o incentivo total do feminismo — que é a própria arquiteta desse tipo magnífico de poder constante, e muitas vezes prazeroso, que tal imagem exerce sobre seu tempo, seu dinheiro, suas decisões, sua individualidade e sua alma.

Tentar encontrar uma maneira de ser uma mulher "melhor" é um projeto ridículo e muitas vezes amoral, uma subdivisão de um projeto maior e também ridículo de "melhorar" na vida sob o capitalismo acelerado. Nesse tipo de busca, muitos prazeres acabam sendo armadilhas, e as demandas por parte do público aumentam continuamente. Sob as regras do sistema, a satisfação permanece como algo fora do alcance.

Porém, quanto pior as coisas ficam, mais uma pessoa é impelida a se otimizar. Penso nisso toda vez que faço algo especialmente eficiente e movido por interesse próprio, como ir a uma aula de *barre* ou almoçar em uma rede de saladas como o Sweetgreen, que não parece um lugar para comer, mas um posto de abastecimento. Sou uma pessoa que come rápido e de modo repulsivo na maioria das vezes — meu namorado me disse uma vez que mastigo como se alguém fosse levar embora minha comida —, e, no Sweetgreen, como ainda mais rápido porque (como acontece com muitas coisas na vida) desacelerar por um segundo pode fazer com que o maquinário nos assuste. O Sweetgreen é uma maravilha da otimização: uma fila de quarenta pessoas — uma serpente de olhos baixos mandando mensagens — pode ser processada em dez minutos, pois um cliente atrás do outro pede uma salada Caesar de couve kale com frango sem sequer olhar para a outra fila de gente com pele mais escura e rede no cabelo, que está ocupada adicionando frango às saladas como se esse fosse o propósito da vida *deles*, enquanto o propósito da vida dos *clientes* é mandar e-mails durante dezesseis horas, fazendo uma pequena pausa para enfiar goela abaixo uma tigela de nutrientes que afasta o aspecto não saudável da vida profissional urbana.

A ritualização e a assepsia desse processo (e o fato de que o Sweetgreen é muito bom) obscurecem o intenso artifício circular que define o tipo de vida no qual ele se encaixa. O cliente ideal das saladas picadas é, também ele, muito eficiente: precisa comer sua salada de doze dólares em dez minutos porque necessita do tempo extra para continuar operando em um emprego que lhe permite comprar uma salada de doze dólares, para começo de conversa. Ele sente uma necessidade física por essa salada de doze dólares, uma vez que ela é a maneira mais confiável e conveniente de construir uma barreira de vitaminas contra o mau funcionamento que faz parte de seu trabalho-dependente--e-proporcionador-de-saladas. O primeiro e melhor cronista da assustadora economia aceleracionista da salada picada foi Matt Buchanan, que em 2015 escreveu no site The Awl:

> A salada picada é projetada [...] para libertar as mãos e os olhos da tarefa de consumir nutrientes, de maneira que a atenção preciosa de uma pessoa possa ser direcionada a uma pequena tela, onde tal atenção é mais necessária, para que então ela possa consumir *dados*: e-mails de trabalho ou o catálogo praticamente infinito da Amazon ou o *feed* realmente infinito do Facebook, pois, quando alguém está comprando fraldas ou clicando na publicidade nativa borrifada entre as postagens não enganosas e as fotos de bebê,

essa pessoa está sendo produtiva ao gerar receita para uma grande empresa da internet, o que obviamente é bom para a economia, ou pelo menos é com certeza melhor do que almoçar lendo um livro da biblioteca, afinal, quem está ganhando dinheiro com uma coisa dessas?

Em um artigo posterior, também publicado no Awl, Buchanan descreve a salada picada como "a reposição nutricional perfeita do meio do dia para os profissionais do conhecimento em cargos de nível médio" que não têm

> nem o tempo nem a disposição para almoçar [...] o que exigiria mais atenção do que aquela necessária para o movimento elíptico automático do braço que vai da tigela à boca, a mandíbula se abrindo e depois se fechando repetidas vezes até que o garfo suba vazio e o recipiente possa ser depositado na lata de lixo embaixo da mesa.

Nos termos de hoje, o que ele está descrevendo — uma sessão mecanicamente eficiente de ingestão de saladas, conduzida de forma que o sujeito não precise parar de olhar seus e-mails — é a definição de vida boa. Significa progresso, individuação. É o que você faz quando está um pouquinho à frente, e quando quer avançar um pouco mais. O aspecto roda-de-hamster parece evidente há muito tempo. (Em 1958, o economista John Kenneth Galbraith escreveu: "Não se pode mais supor que o bem-estar seja maior em um nível mais alto de produção do que em um nível mais baixo. [...] O nível mais alto de produção tem, meramente, um nível mais alto de criação de necessidades, as quais exigem um nível mais alto de satisfação".) Mas hoje, em uma economia definida pela precariedade, muitas coisas que eram meramente estúpidas e adaptativas tornaram-se estúpidas e obrigatórias. A vulnerabilidade, que está sempre presente, precisa ser evitada a todo custo. Então eu vou ao Sweetgreen nos dias em que preciso comer vegetais muito rápido porque tenho trabalhado até a uma da manhã a semana toda e não me sobra tempo para fazer o jantar porque preciso trabalhar até a uma da manhã de novo e, como uma idiota, tento fazer contato visual através da proteção contra espirros, como se isso fosse aliviar de algum jeito os requisitos de produtividade absurdamente altos que obrigaram essas duas filas de pessoas a usar lenços e montar saladas Caesar de couve kale durante o dia inteiro, e então eu "agarro" minha salada e como em dez minutos enquanto olho meus e-mails e depois, no trem, indo para casa, me dou conta de que, da próxima vez, eu deveria comprar pelo aplicativo para ganhar mais pontos de fidelidade.

É muito fácil, sob o estado da sempre crescente obrigação artificial, acabarmos organizando nossa vida ao redor de práticas que consideramos ridículas e possivelmente indefensáveis. As mulheres sabem o que é isso, intimamente, há muito tempo.

Nunca fui adepta das práticas físicas funcionais, como comer vegetais e fazer exercícios. Não comecei a fazer nenhuma dessas coisas com convicção — ou sem a bagagem da adolescência feminina desorientada — até entrar no Corpo da Paz aos 21 anos. Quando criança, tinha sido ginasta e, mais tarde, líder de torcida, mas a primeira coisa era divertida e a segunda, efetivamente uma obrigação; na minha escola, você precisava praticar um esporte, e eu não tinha nenhuma habilidade física ou instinto competitivo para fazer qualquer outra coisa. Na adolescência, eu sobrevivia na base da pizza, do queijo e dos *cinnamon rolls*, tentando me imunizar com apatia e busca pelo prazer durante o longo período em que as garotas, esmagadas por súbitas expectativas de beleza, transmitem umas às outras anorexia e bulimia como se fossem algum tipo de vírus. Durante o ensino médio, como conto em meu diário, as outras líderes de torcida reprovavam meu hábito de comer carboidratos depois do pôr do sol; um cara que era obviamente a fim de mim expressou isso dizendo que eu estava mais gordinha. ("Quem se importa, vou descer e tomar um supercafé da manhã, idiota", eu respondi um dia pelo AOL Instant Messenger.) Evitei as neuroses que pareciam endêmicas mas, toda vez que meus amigos falavam sobre dietas ou exercício, eu ainda podia sentir uma tensão compulsiva ganhando vida dentro de mim, uma súbita vontade de pular uma refeição e fazer abdominais. Para fugir disso, eu evitava a academia, e continuava comendo como alguém com larica: eu passara a ver saúde como disciplina, disciplina como punição, e punição como um conceito que me jogaria em uma espiral de vômito e contagem de calorias. Durante a maior parte da década, imaginei que estaria melhor sendo um pouquinho não saudável e deixando de lado a busca ativa por qualquer coisa relacionada ao corpo.

Tudo isso mudou quando entrei para o Corpo da Paz, onde era impossível pensar demais em minha aparência, e onde a saúde era de importância tão imediata que não saía de minha cabeça. Contraí tuberculose ativa no período em que fui voluntária e, por alguma razão relacionada à alimentação e ao estresse, comecei a perder meus grossos fios de cabelo preto. Percebi o quanto eu tinha, antes, tomado meu corpo como algo inabalável. Morava num vilarejo de um quilômetro e meio de extensão no meio de uma província do oeste do Quirguistão. Havia lariços nas montanhas nevadas e rebanhos de ovelhas atravessando estradas poeirentas, mas não havia água encanada nem lugares onde comprar comida. Os engenhosos habitantes faziam conservas de pimenta e tomate e estocavam maçãs e cebolas, mas era difícil conseguir produtos frescos de outra maneira, de modo que com frequência eu sonhava com espinafre e laranjas, e passava finais de semana inteiros tentando obter esses produtos. Como medida profilática contra o colapso mental, passei a fazer ioga no quarto todos os dias. *Exercício*, pensei. *Que milagre!* Depois do Corpo da Paz, continuei. Estava de volta a Houston e tinha um monte de tempo livre, que eu gastava em aulas de ioga ao meio-dia em estúdios caros, onde comprava pacotes promocionais para novos alunos e nunca mais aparecia.

Esse período, por volta de 2011, me reintroduziu ao mundo da abundância americana. Na primeira vez em que fui a um supermercado e vi quantos tipos diferentes de frutas havia lá dentro, chorei. Nessas aulas de ioga, fiquei maravilhada com a alta funcionalidade fanática das mulheres ao meu redor. Elas carregavam ecobags vermelhas com slogans assustadores ("A lápide perfeita diria 'Tudo foi usado'"; "As crianças são o orgasmo da vida") e falavam sobre "reuniões-almoço", microdermoabrasão e casamentos com listas de convidados de quatrocentas pessoas. Elas compravam leggings de noventa dólares na sala de espera depois da aula. Naquela época, eu não estava no nível delas: tinha passado um ano inteiro contaminada com giardíase e tendo que defecar em uma casinha no quintal, e estava inundada de pavor e inutilidade espiritual, sentindo que havia falhado comigo e com os outros e temendo que nunca mais fosse útil para algum ser humano. Nesse contexto, parecia ao mesmo tempo ruim e maravilhosamente anestesiante fazer ioga com essas mulheres. No calor de 38 graus, eu me deitava na postura do cadáver, o suor ensopando meu tapete barato comprado na Target, e às vezes, quando estava prestes a fechar os olhos, flagrava o brilho de enormes anéis de diamante presos em raios de sol, piscando para mim na escuridão temporária como uma frota de estrelas dentro de uma sala fechada.

Em 2012, eu me mudei para Ann Arbor para fazer mestrado. As aulas começavam no outono, mas nós fizemos as malas no início do verão. Meu namorado, que acabara de terminar a faculdade, precisava procurar um emprego. Em nossa casinha azul em Michigan, tentei consertar alguns de meus contos pesados e sombrios, sem saber se fazer isso pareceria diferente depois que eu tivesse uma orientação formal. Encontrei meus futuros colegas e bebi grandes copos de cervejas amargas e falei sobre o livro *Sonhos de trem* e Lorrie Moore. Na maior parte do tempo, andava a esmo pela adorável cidade universitária. Sentia claramente que, durante um longo tempo, aquele seria meu último percurso sem objetivo claro. Passeava com meu cachorro, olhava os vaga-lumes, ia para a ioga. Um dia, estava num estúdio no lado oeste da cidade quando uma mulher soltou um espesso e molhado peido vaginal enquanto se ajeitava na postura do guerreiro II. Segurei minha risada. Ela continuou peidando, continuou peidando e peidando e peidando e peidando. Ao longo de uma hora, enquanto ela seguia soltando peidos vaginais, minhas emoções se fragmentaram em diversão histérica e pânico não classificável, combinados e recombinados em um borrão caleidoscópico. Quando chegamos à postura final de descanso, meu coração estava disparado. Eu ouvi a mulher das flatulências vaginais se levantar e sair da sala. Quando ela voltou, olhei de relance. A mulher tinha trocado de calça, o que parecia perturbador. Ela se deitou ao meu lado e suspirou, satisfeita. Então, com um sorriso sereno no rosto, soltou mais um peido.

Naquele momento, com minha alma esfolada pela expiração vaginal alheia, eu só queria cair fora. Queria aterrissar em uma nova vida em que tudo — corpos, ambições — funcionasse de maneira perfeita e eficiente. Presa na postura do cadáver, em uma imobilidade que deveria ser relaxante, senti o espectro da estagnação pairando sobre minha existência. De repente, senti falta da parte de mim que costumava se empolgar com intensidade, aspereza e disciplina. Eu havia dirigido esses instintos para minha mente, mantendo-os longe de meu corpo, mas por quê? Precisava dar um tempo da ioga, que tinha me lembrado, somente naquele momento, de como eu me sentira durante todo o tempo que passei no Corpo da Paz: como alguém que não sabia o que estava fazendo, e que nunca realmente saberia.

Então, naquela mesma semana, depois de explorar as recompensas infinitas do Groupon, imprimi um cupom de oferta para uma aula num estúdio chamado Pure Barre. Lá, fui recebida por uma instrutora que parecia a Jessica Rabbit: gélidos olhos verdes, uma forma fisicamente impossível de ampulheta, cabelo ondulado cor de mel abaixo da cintura. Ela me conduziu a uma sala escura como uma caverna, onde mulheres bem torneadas recolhiam misteriosos objetos vermelhos de borracha. A parede dianteira era coberta de espelhos. As mulheres encaravam seus reflexos com rostos sem expressão, preparando-se.

Então a aula começou, e foi um estado de emergência imediato. A aula de *barre* é uma atividade maníaca e ritualizada, muitas vezes com um roteiro que inclui mudanças ensurdecedoras de música e iluminação. Naquele dia, senti como se um carro de polícia estivesse dando cavalinhos de pau em meu córtex frontal por 55 minutos sem parar. A série ultrarrápida de posições e movimentos, ditados e aplicados pela instrutora, pareciam ser o que uma bailarina faria se você acertasse a cabeça dela e depois lhe fizesse cheirar comprimidos de cafeína: uma repetitiva e fanática rotina de movimentos de braço, levantamentos de pernas e inclinações pélvicas. Jessica Rabbit andava pelo meio da sala, timidamente ordenando que calçássemos nossos "sapatos mais altos", o que queria dizer que ficássemos na ponta dos pés, e "encaixar" significava mexer o quadril para a frente e para trás como se estivéssemos comendo alguém. Eu me atrapalhava com meus acessórios, a bola de borracha, a faixa elástica.

No final da aula, os músculos de minha perna tinham se liquefeito. Jessica apagou as luzes e disse, animada, que era hora de "dançar para trás", um termo que, pensei enquanto me jogava no chão, parecia algo que os pais escreveriam em um fórum de discussão como um eufemismo para sexo. Era, de fato, como fingir estar transando: nos deitávamos de costas e impulsionávamos o quadril para a escuridão com um tipo de devoção e sacrifício que eu não aplicava no sexo real havia anos. Quando terminamos, as luzes se acenderam e eu percebi que a pélvis vestida de preto que eu estava encarando no espelho pertencia, na verdade, à mulher a minha frente. Tive a sensação satisfatória, mas brutal, de ter me conformado com um protótipo. "Vocês foram ótimas, meninas", murmurou Jessica. Todo mundo bateu palmas.

O método *barre* foi inventado nos anos 1960 por Lotte Berk, uma bailarina judia com um corte chanel anguloso que fugiu da Alemanha para a Inglaterra antes da Segunda Guerra, e que logo estava velha demais para a carreira que tinha escolhido. Berk desenvolveu um método de exercícios baseado em seu treinamento de dança e, aos 46 anos, com o corpo rigidamente disciplinado como uma propaganda ambulante, fundou um estúdio exclusivo para mulheres em um porão da Manchester Street, em Londres.

Berk era uma personagem vibrante e imoral, obcecada por sexo e viciada em heroína. Como mãe, de acordo com sua filha Esther, ela era incrivelmente abusiva: Esther declarou ao *The Telegraph* que, quando tinha doze anos, seu pai lhe fez uma proposta sexual e Berk não disse nada; quando Esther tinha quinze, Berk disse que lhe daria dinheiro caso ela aceitasse fazer um boquete em um dos colegas de teatro de Berk. Segundo o relato de Esther, a mãe lhe disse que "esquecesse isso" quando um dos produtores de Berk a estuprou naquele mesmo ano. Esther, que descreveu o relacionamento mãe e filha como "um cabo de guerra e amor", tem hoje 83 anos. Ela ainda ensina o método Lotte Berk em um estúdio em Nova York.

"O sexo entrava em tudo que ela fazia", Esther disse ao site The Cut em 2017. "Você sabe, dava pra *sentir* o sexo nela." Em seu estúdio, Berk dizia aos clientes para imaginarem um amante enquanto faziam exercícios com a pélvis. Ela usava uma chibata nas mulheres que não se esforçavam o suficiente. As posições que inventou pareciam sugestivas e foram assim também nomeadas: o Banheiro Francês, a Prostituta, o Cachorro Mijando, Fodendo um Bidê. A clientela do estúdio incluía Joan Collins, Edna O'Brien, Yasmin Le Bon e, apenas uma vez, Barbra Streisand, que se submeteu ao método de Berk, mas se recusou a tirar o chapéu. Berk se tornou uma guru para mulheres com um desejo intenso, e muitas vezes profissional, de melhorar sua aparência. Ela coordenava um negócio de múltiplos serviços: depois da aula, os clientes podiam visitar seus parceiros de estúdio, Vidal Sassoon e Mary Quant.

Uma das alunas de Berk, Lydia Bach, adaptou o método de Berk e trouxe-o para os Estados Unidos. Em 1970, Bach abriu o primeiro estúdio de *barre* em Nova York, na 67th Street. Foi chamado de Lotte Berk Method. Um artigo do *New York Times* sobre o estúdio, escrito em 1972, cita uma nova cliente dizendo: "Está doendo por dentro. Mas eu gostei". Outra mulher dá um tapinha no abdome agora sarado e diz que, graças ao *barre*, ela não precisava de cirurgia plástica. "Lydia Bach diz que o método é uma combinação de balé moderno, ioga, exercício ortopédico e sexo", escreveu o *Times*. "Sexo? Bem, a conclusão de cada aula é uma espécie de dança do ventre feita de joelhos. Parece as ondulações de uma cobra comandada por um encantador de serpentes, e dizem que faz maravilhas na cintura." As aulas eram caras e tinham turmas pequenas. Aos sábados, escreveu o *Times*, iam as modelos.

Esse primeiro estúdio de *barre* de Nova York era muito popular, e assim permaneceu por anos. Seus devotos incluíam Mary Tyler Moore, Ivana Trump, as gêmeas Olsen e Tom Wolfe. Bach recusou oportunidades de franquia: ela gostava de ser exclusiva. No entanto, escreveu um livro sobre o método, que consiste basicamente em uma série de fotos de si mesma em diversas posições usando um collant quase transparente. Seus cabelos cor de areia estão soltos, os mamilos levemente visíveis e o corpo está impecável. Em algumas fotos, ela está abrindo bem as pernas para a câmera, segurando a sola dos pés. Sua expressão é neutra e confiante. Há um diamante no dedo anular esquerdo. Um capítulo do livro é chamado, simplesmente, "Sexo".

Foi somente na virada do século que as instrutoras de Bach começaram a desertar. Àquela altura, o Lotte Berk Method já exalava cheiro de mofo. Um artigo de 2005 do jornal *The Observer* o chamou de "a Margo Channing de 35 anos das academias de exercício de Nova York", e observou que estava "sitiada por uma jovem Eve Harrington do exercício chamada Core Fusion, fundada em 2002 por dois ex-professores de Beck". O Core Fusion, uma derivação, havia se adaptado às demandas do mercado. Era mais ajeitado, mais bonito e mais acolhedor. As instalações eram mais iluminadas, e tudo cheirava bem. Centenas de clientes de Bach fizeram a troca. Logo depois, mais instrutores do Lotte Berk saíram de lá para fundar seus próprios estúdios, incluindo o Physique 57 e o Bar Method, que se tornaram duas franquias populares.

Por volta de 2010, o *barre* atingiu um pico de popularidade. Um artigo sobre tendências publicado no *Times* observou que as aulas eram seguidas quase como um culto, pois ajudavam as mulheres a "replicar o corpo invejável de uma dançarina: longo e magro, esbelto, mas não volumoso". Em 2011, outro artigo do *Times* apontando tendências começava com a mesma abordagem, que é o principal argumento de vendas do *barre*: oferecer a você um corpo que obtém seus próprios resultados.

As mulheres têm braços cobiçados — longos e vigorosos —, bumbuns empinados e duros, pernas magras e uma postura de rainha. Agora, na busca por essa forma, muitas delas estão abandonando a ioga e o pilates e fazendo fila na barra de balé.

Uma mulher declarou: "Cada centímetro de mim mudou". Outra foi direto ao ponto, brincando: "Tudo está muito envolvido. Exceto eu. Por enquanto".

Hoje, o *barre* se tornou um elemento nacional. Milhares de salas quase idênticas com paredes de espelho estão espalhadas por nosso vasto país, contendo mulheres vestidas de forma idêntica, fazendo exatamente os mesmos movimentos exatamente no mesmo horário na busca por sua própria inflexão genética do mesmíssimo "corpo de balé". A maior franquia, Pure Barre, opera mais de quinhentas lojas, com estúdios em Henderson, Nevada; Rochester, Minnesota; e Owensboro, Kentucky. Há doze estúdios Pure Barre apenas em Manhattan e no Brooklyn.

A ascensão do *barre* é incomparável em alguns aspectos: no que diz respeito a exercícios físicos, nada tão caro e tão uniforme teve um crescimento tão expressivo. A hot ioga e o pilates são onipresentes, mas essas atividades se expandiram na forma de estúdios individuais, não em redes de alcance nacional. (Aulas de ioga custam em torno de vinte dólares ou menos, enquanto o *barre*, se você pagar o preço integral, normalmente custa o dobro.) Aulas de spinning em academias caras também estão nesse patamar; elas ficaram populares ao mesmo tempo que o *barre*, e seu preço é igualmente alto. Mas a SoulCycle, a maior franquia, opera apenas 75 academias no país, e você não vai encontrar uma delas em Owensboro. Entre centenas de milhares de mulheres em ambientes políticos e culturais expressivamente diferentes, parece haver um acordo simples de que o *barre* é algo recompensador; que gastar sessenta centavos por minuto para que uma instrutora lhe diga para mover a perna em incrementos de alguns centímetros é uma busca que claramente vale a pena.

Durante a faculdade, passando em frente ao Chili's a caminho do Pure Barre, eu me tornei uma seguidora. Eu tinha sido preparada, primeiro com meu treinamento físico de mininha — dançarina, ginasta, líder de torcida —, e depois com a ioga, minha rampa terapêutica, para o que eu estava lentamente percebendo, que era que você podia, sem consequências negativas evidentes, controlar o modo como seu corpo se sentia por dentro e trabalhava por fora pagando pessoas para lhe dar ordens em uma pequena sala espelhada. O *barre* era caro demais para meu orçamento de universitária, mas eu continuava pagando. Parecia, obviamente, um investimento em uma vida mais funcional.

Mas era na saúde que eu estava investindo? De maneira muito restrita, sim. O *barre* me deixou mais forte e melhorou minha postura. Ele me deu o luxo — o que, para muitas pessoas, e por muitas razões estúpidas, está para além de suas possibilidades — de não ter de pensar em meu corpo, pois geralmente ele estava funcionando e eu estava feliz com ele. Mas a resistência que o método *barre* constrói talvez seja mais psicológica do que física. O grande mérito do *barre* é deixá-la em forma para uma vida capitalista hiperacelerada. Ele o prepara menos para uma meia maratona do que para um dia de trabalho de doze horas, ou para uma semana sozinha com uma criança que não vai à creche, ou para um trajeto no fim do dia em um trem subfinanciado. O *barre* parece exercício do mesmo jeito que o Sweetgreen parece comida: ambos podem ser categorizados como mecanismos auxiliares para que nos adaptemos a uma prolongada agonia arbitrária. Como forma de exercício, o *barre* é ideal para uma época em que todos precisam trabalhar constantemente — você pode voltar ao escritório em cinco minutos, sem necessidade de tomar banho —, e em que ainda se espera que as mulheres pareçam absurdamente atraentes.

E é claro que é a última parte, a questão da aparência, que faz o *barre* parecer tão compensador para tantas pessoas. (Isso é enfatizado por todos os jornais que escreveram sobre o assunto; o artigo do *Observer* de 2005 fora intitulado "A batalha das bundas".) O *barre* é movido por resultados e baseado em aparência. Ele tem o aspecto de culto do CrossFit ou da ginástica funcional, mas com a aparência, não a força, como seu objetivo principal. Não é um passatempo, como ir a uma aula de dança ou nadar na piscina, pois a diversão que você está buscando se encontra sobretudo depois da aula, e não durante. Na aula de *barre*, muitas vezes sinto que meu corpo é um carro de corrida no qual estou trabalhando durante um pit stop, ajustando braços e depois pernas e depois bumbum e depois abdome, e então há sempre um alongamento rápido antes de disparar mais uma vez para a pista. Não é por acaso que o *barre*, diferente da hot ioga, do SoulCycle ou do CrossFit, é um passatempo quase exclusivamente feminino. (Nas raras ocasiões em que um homem aparece, ou ele é muito sarado ou muito esbelto, e geralmente usa roupas que parecem feitas para baladas. Como diz Britanny Murphy em *Lindas de morrer*: "Pai, sabe de uma coisa? O Peter é gay".)

Na prática, o método *barre* está conectado ao balé apenas vagamente. Há quase pliés, você às vezes flexiona os dedos dos pés e gira o quadril e, como o nome sugere, você passa bastante tempo agarrando uma barra. É isso. Mas, conceitualmente, o balé é essencial como argumento de venda. Entre as mulheres, há uma razão para as bailarinas serem consideradas especialmente disciplinadas e sólidas. Muitas outras mulheres são magras e atraentes por exigência profissional — modelos, acompanhantes, atrizes —, mas as bailarinas atendem o padrão de beleza não apenas pela aparência ou performance, mas também pelo desempenho físico e pela arte. Então um método de exercício apenas nominalmente extraído do balé tem o sutil efeito de oferecer a mulheres comuns uma sensação de propósito sério, profissional e artístico na busca pelo corpo ideal. Esse é um bom investimento ou, mais precisamente, uma autoilusão pragmática, assim como ser treinada para sorrir e jogar os ombros para trás diante de juízes e multidões — uma suposta demonstração de alegria genuína — foi uma coisa "boa" para mim. Aprender a funcionar de maneira mais eficiente dentro de um sistema exaustivo: esse me parece ser o objetivo do *barre*, pelo qual as pessoas pagam quarenta dólares por aula. O investimento que sempre traz retorno.

Quando você é mulher, as coisas de que você gosta são usadas contra você. Ou, na verdade, as coisas que são usadas contra você foram prefiguradas como coisas de que você iria gostar. A disponibilidade sexual se enquadra nessa categoria, assim como a bondade básica e a generosidade. Desejar a beleza, e ter prazer na busca por ela, também faz parte dessa categoria.

Eu gosto de tentar ficar bonita, mas é difícil de dizer o quanto você pode, de forma genuína e independente, *gostar* de algo que é uma obrigação. Em 1991, Naomi Wolf escreveu, em *O mito da beleza*, sobre o estranho fato de que as exigências da beleza aumentaram à medida que a subjugação das mulheres diminuía. É como se nossa cultura tivesse engendrado uma resposta do sistema imunológico para continuar atacando a febre da igualdade de gênero. Como se alguma lógica patriarcal profunda fizesse com que as mulheres precisassem alcançar níveis cada vez mais altos de beleza para compensar o fato de que elas não são mais econômica e legalmente dependentes dos homens. Uma perda de tempo foi trocada por outra, escreveu Wolf. Enquanto as mulheres norte-americanas do meio do século estavam ocupadas com o "interminável mas efêmero" trabalho doméstico, lutando contra a desordem com faxinas cuidadosas e compras de bens de consumo, agora elas estão ocupadas com a interminável mas efêmera construção da beleza, gastando enorme quantidade de tempo, ansiedade e dinheiro ao tentarem aderir a um padrão sobre o qual elas não têm nenhum controle. A beleza se constituiria como uma espécie de "terceiro turno", escreveu Wolf, uma obrigação extra em todos os cenários possíveis.

Por que mulheres inteligentes e ambiciosas cairiam nisso? (Por que tenho um relacionamento tão pessoal com meu sabonete de limpeza para o rosto? Por que gastei milhares de dólares na última meia década para garantir que eu possa maltratar meu corpo nos fins de semana sem que isso mude minha aparência?) Wolf escreveu que, para aceitar o mito da beleza, uma mulher precisa acreditar em três coisas. Primeiro, ela precisa achar que a beleza é uma "qualificação legítima e necessária para o aumento do poder de uma mulher". Segundo, ela precisa ignorar o fato de que o padrão de beleza depende do acaso e da discriminação e, em vez disso, imaginar que a beleza é uma questão de trabalho duro e empreendedorismo, o Sonho Americano. Terceiro, ela precisa acreditar que as exigências de beleza aumentarão à medida que ela ganhar poder. As conquistas pessoais não vão libertá-la da obrigação de ser bonita. Na verdade, o sucesso vai prendê-la cada vez mais à aparência e à "autoconsciência e ao sacrifício físico".

No livro *Perfect Me*, de 2018, a filósofa Heather Widdows argumenta de forma persuasiva que o ideal de beleza, hoje em dia, assumiu uma dimensão ética. Enquanto historicamente a beleza funcionou como um símbolo de valor e moralidade femininos — em contos de fada, as mulheres más são feias e as lindas princesas são boas —, a beleza agora, segundo Widdows, é vista como o valor e a moralidade femininos em si mesmos. "O fato de que devemos lutar continuamente pela beleza faz parte da lógica de beleza como um ideal ético, assim como acontece com outros ideais éticos bem-sucedidos", ela escreve. "A perfeição sempre permanece como algo inalcançável, algo pelo qual lutamos e nunca conseguimos conquistar, mas isso não diminui o poder do ideal; na verdade, pode inclusive fortalecê-lo." Sob esse ideal ético, as mulheres atribuem um valor moral implícito aos esforços cotidianos que buscam melhorar sua aparência, e fracassar na busca pelo padrão de beleza é considerado "não um fracasso localizado ou parcial, mas um fracasso do eu".

O feminismo aderiu com fervor à ideia de beleza associada à bondade, às vezes de maneira bastante intrincada. Parte do que levou o site Jezebel ao centro do discurso feminista na internet foi seu protesto contra o uso do Photoshop em anúncios e capas de revista, o que, por um lado, expôs instantaneamente a artificialidade e a desonestidade do padrão de beleza contemporâneo, mas, por outro, revelou um desejo poderoso e persistente pela beleza "real", e isso abriu espaço para expectativas sempre maiores. Hoje, como demonstra o sucesso da marca de cosméticos Glossier, nós idealizamos a beleza que não parece exigir quase nenhuma intervenção: mulheres sem poros aparentes e radiantes diante da câmera de um iPhone mesmo sem maquiagem; mulheres que são lindas de forma quase punitivamente natural.

O feminismo convencional também levou o movimento na direção do que é chamado de "aceitação do corpo", a prática de avaliar a beleza em todos os tamanhos e todas as variações, assim como o movimento que procura diversificar o ideal de beleza. Essas mudanças são necessárias e positivas, mas também têm um outro lado. Uma ideia mais abrangente de beleza é uma coisa boa — eu pessoalmente gosto disso — e, no entanto, depende do preceito, formalizado por uma cultura em que rostos comuns são fotografados cotidianamente para uma aprovação quantificada, de que a beleza ainda é algo de suma importância. A suposição-padrão diz que é politicamente importante considerar todas as pessoas como bonitas, e que garantir que todos possam se tornar e se sentir cada vez mais bonitos é um projeto muito significativo. Quase nunca tentamos imaginar como seria se nossa cultura fizesse o oposto; se abrandasse a situação, se transformasse a beleza em algo *menos* importante.

Mas, bem, nada se torna mais brando hoje. E o feminismo reiteradamente tentou deixar certos aspectos da discussão fora dos limites da crítica. Ele valorizou tanto o sucesso individual, enfatizou tanto as decisões pessoais, que criticar qualquer coisa que uma mulher escolha para se tornar mais bem-sucedida é visto como uma atitude não feminista, mesmo em situações como essa em que as escolhas das mulheres são ditadas tanto pelas expectativas sociais quanto pelos arbitrários custos da busca pela beleza, busca que é mais gratificante se você for, para começar, jovem, rica e convencionalmente atraente. De qualquer forma, argumenta Widdows, o fato de haver uma escolha não "transforma uma prática ou um ato injusto ou abusivo, em um passe de mágica, em algo justo ou não abusivo". A timidez do feminismo convencional em admitir que as escolhas das mulheres — e não apenas nossos problemas — são, na verdade, políticas levou a uma visão de "empoderamento feminino" que muitas vezes parece brutalmente desempoderadora.

A raiz desse problema vem do fato de que o feminismo convencional, para se tornar dominante, teve de se conformar diante do patriarcado e do capitalismo. Exigências antigas, em vez de ser descartadas, são rebatizadas. O esforço para ficar bonita é rotulado como "self-care" para que, assim, soe progressivo. Em 2017, Taffy Brodesser-Akner escreveu uma matéria para a *The New York Times Magazine* sobre o novo vocabulário relacionado à perda de peso, observando que as revistas femininas haviam trocado títulos como "Fique magra! Controle sua alimentação!" por "Desperte seu lado mais saudável! FIQUE FORTE!". As pessoas começaram a "jejuar, comer alimentos saudáveis, fazer detox e promover mudanças no estilo de vida", Brodesser-Akner escreveu, "o que, de acordo com todas as evidências disponíveis, é exatamente como fazer dieta". Às vezes parece que o feminismo não é capaz de imaginar uma evolução mais satisfatória do que essa situação atual, em que, no lugar de sermos aconselhadas por revistas de meados do século XX a gastar tempo e dinheiro para nos tornarmos mais radiantes para nossos maridos, podemos agora aconselhar umas às outras a fazer exatamente as mesmas coisas, *mas para nós mesmas*.

Há, claro, prazeres reais no autoaperfeiçoamento. "Uma característica fundamental do ideal de beleza", escreve Widdows, "é que ele envolve prazer e exigência, muitas vezes simultaneamente." O ideal de beleza pede que você enxergue seu corpo como uma fonte de potencial e controle. Ele oferece uma maneira tangível de exercer poder, embora esse poder tenha até agora se mantido às custas da maioria dos outros: modelo, atriz pornô ou influenciadora do Instagram são as únicas carreiras em que as mulheres costumam ganhar mais do que os homens. Mas os prazeres dos cuidados com a beleza e o advento do feminismo convencional exacerbaram a situação. Se, em 1990, Wolf criticava um paradigma segundo o qual se esperava que uma mulher se parecesse o tempo todo com seu eu ideal, agora temos de lidar com algo mais profundo: não um mito de beleza, mas um mito do estilo de vida, um paradigma segundo o qual uma mulher pode reunir toda a tecnologia, o dinheiro e a política à sua disposição para realmente tentar *se tornar* seu eu idealizado, e segundo o qual ela pode enxergar seu aperfeiçoamento implacável como algo natural, obrigatório e feminista. Ou, sem dúvida nenhuma, como a melhor maneira de viver.

A questão da otimização remonta à Antiguidade, embora, na época, não se usasse o termo "otimização". Na *Eneida*, Virgílio descreve o que ficou conhecido como "o problema de Dido": para fundar a cidade de Cartago, a rainha Dido negocia uma compra de terras. Mas ela só conseguirá obter a quantidade de terra que possa cercar com a pele de um único touro. A pergunta sobre que forma permite maximizar um determinado perímetro foi respondida por Zenodoro no século II a.C., na matemática de sua época. A resposta é um círculo. Em 1842, o matemático suíço Jakob Steiner estabeleceu a resposta moderna para o problema isoperimétrico com uma prova que eu realmente não conseguiria nem tentar entender.

Em 1844, *optimize* foi usado como um verbo pela primeira vez na língua inglesa, e significava "agir como um otimista". Em 1857, foi usado pela primeira vez da maneira que usamos hoje: "extrair o melhor possível". A década seguinte trouxe uma onda de otimização à economia por meio da Revolução Marginalista: os economistas argumentaram que a escolha humana se baseia no cálculo da utilidade marginal de nossas várias opções. (A utilidade marginal de um determinado produto é qualquer aumento de benefícios que obtemos com o consumo ou a utilização dele.) "Satisfazer ao máximo nossos desejos com o mínimo de esforço — obter a maior quantidade possível do que é desejável às custas do mínimo indesejável — em outras palavras, *maximizar o prazer*, é o problema da economia", escreveu William Stanley Jevons em *The Theory of Political Economy*. Todos nós queremos tirar o máximo do que temos.

Hoje, o princípio da otimização — o processo de fazer algo, como diz o dicionário, "da forma mais perfeita, funcional ou eficaz possível" — prospera em seu extremo. Uma indústria inteira surgiu para dar à otimização um uniforme: o estilo *athleisure*, o tipo de roupa que você usa quando está atuando ou sinalizando o desejo de ter uma vida otimizada. Eu defino *athleisure* como uma roupa de ginástica pela qual você paga caro, mas, numa definição mais ampla, o *athleisure*, em 2016, já era um mercado de 97 bilhões de dólares. Desde seu surgimento, cerca de uma década atrás, esse mercado passou por algumas mudanças estéticas. No início, eram as leggings pretas e as regatas coloridas; uma versão de lycra do que era, no começo dos anos 2000, o uniforme preferido para sair na noite das mulheres que, na época da ascensão do estilo *athleisure*, mudaram suas interações sociais diárias para a ioga e os encontros em cafés. Mais recentemente, o estilo se ramificou e voltou a convergir em novos arranjos. Há uma espécie de estilo hippie cósmico (estampas elaboradas, padrões intrincados de galáxias), uma espécie de estilo monocromático de Los Angeles (roupas de redinha, tons cor de pele, bonés de beisebol), uma estética minimalista e flamê da Outdoor Voices, e um fluxo de slogans terríveis como "Te vejo no *barre*". As marcas incluem a Lululemon (uma legging "estilosa" Wunder Under, com cortes de redinha, ao custo de 98 dólares), a Athleta ("regata modelada com capuz Pacífica", uma regata com capuz, por 59 dólares), a Sweaty Betty ("leggings poderosas com efeito molhado e recortes laterais", que "esculpem o bumbum? Vai ser um desbunde", 120 dólares), a assustadora marca Spiritual Gangster (leggings com "Namastê" escrito na bunda, 88 dólares; regata de algodão com a frase "Só vou ver quando acreditar", 56 dólares). E essas, eu diria, são as ofertas de custo médio — os estilistas de verdade também começaram a oferecer suas opções *athleisure*.

Os homens também usam essas roupas — a Outdoor Voices, a marca cult de roupas esportivas favorita dos *millennials*, que se autodenomina "humana, não super-humana", mantém uma base fiel de fãs do gênero masculino —, mas a ideia, e a vasta maioria do segmento, pertence às mulheres. Ele foi construído em torno dos hábitos das mães que ficam em casa, das estudantes universitárias, das profissionais do fitness e das modelos de folga; mulheres que usam roupas de ginástica fora do ambiente das academias e que, como as bailarinas, têm motivos para monitorar o valor de mercado de sua aparência. Esse incentivo profundo está escondido por outros mais óbvios: as roupas são fáceis de usar, não amassam e podem ser lavadas na máquina. Como todos os produtos e experiências de otimização, as roupas *athleisure* dão conforto e suporte em um mundo que não oferece nada disso. Em 2016, Moira Weigel escreveu na revista *Real Life*: "A Lululemons anuncia que, para o consumidor, a vida ficou fácil". Ela se lembra da ocasião em que vestiu um modelador Spanx pela primeira vez: "A palavra que descreve como me senti naquele invólucro é 'otimizada'".

A lycra — o material dos modeladores Spanx e das leggings caras — foi inventada na Segunda Guerra pelos militares, que estavam tentando desenvolver um novo tecido para os paraquedas. Ele é excepcionalmente flexível, resiliente e forte. ("Como nós, mulheres!", eu poderia gritar com sangue nos olhos no palco de uma palestra sobre empoderamento.) É confortável usar lycra de qualidade — imagino que seja como um cachorro se sente com uma camisa calmante ThunderShirt —, mas essa sensação de segurança vem acompanhada de uma demanda velada. Modeladores, que são, essencialmente os espartilhos do século XXI, controlam o corpo sob a roupa; o estilo *athleisure* transmite seu compromisso de controlar o corpo através do exercício físico. E até mesmo para entrar em uma calça Lululemons você precisa ter um corpo com uma aparência disciplinada. (O fundador da empresa uma vez disse que "certas mulheres" não são feitas para sua marca.) "A autoexposição e o autopoliciamento se retroalimentam", escreveu Weigel. "Uma vez que essas calças só 'funcionam' em determinado tipo de corpo, usá-las lembra que você deve sair de casa e buscar esse corpo. As calças a estimulam a construir seu corpo de acordo com aquele que elas idealmente exibem."

Foi assim que o estilo *athleisure* conquistou o espaço entre as roupas de ginástica e a moda: se a primeira categoria otimiza sua performance e a segunda otimiza sua aparência, o *athleisure* faz as duas coisas ao mesmo tempo. Ele é feito sob medida para uma época em que o trabalho é rebatizado de prazer, de maneira que possamos aceitá-lo mais e mais; um tempo em que, para as mulheres, melhorar a aparência é uma tarefa que você deve acreditar que é divertida. E o verdadeiro truque desse tipo de roupa é a maneira como ele pode fisicamente sugerir que você foi feita para fazer isso; que você é o tipo de pessoa que acha que dedicar um esforço de alto custo a uma ativa e extremamente atraente existência de consumidor é a melhor forma que existe de passar seu tempo na Terra. Há um fenômeno, observou Weigel, chamado "cognição indumentária", em que roupas carregadas com significados culturais podem realmente alterar as funções cognitivas. Em um experimento, jalecos brancos foram distribuídos a um grupo de pessoas. Se diziam às pessoas que eram jalecos de laboratório, elas ficavam mais atentas. Se diziam que era o jaleco de um pintor, elas ficavam *menos* atentas. Elas se sentiam de acordo com o que suas roupas diziam o que elas eram.

Recentemente, comprei meu primeiro modelador Spanx para ir a um casamento. Minha amiga mais antiga ia se casar no Texas, e o vestido das treze damas de honra era rosa-pálido, longo e tão apertado quanto uma selagem a vácuo desde o início do vestido sem alça até os joelhos. Quando o experimentei pela primeira vez, podia ver o interior de meu umbigo no espelho. Franzindo a testa, entrei na internet e comprei uma "calcinha de cintura alta Haute Contour®" de 98 dólares. Ela chegou alguns dias mais tarde, e então eu a experimentei junto com o vestido: não conseguia respirar muito bem, comecei a suar imediatamente, e tudo pareceu ainda pior do que antes. "Mas que *merda*", eu disse, olhando para meu reflexo. Eu parecia uma imitação ruim de uma mulher cujo desejo mais profundo era parecer gostosa nas fotos. E, claro, nesse momento, vestindo uma calcinha torturante de 98 dólares e um vestido feito para uma modelo do Instagram, isso era exatamente o que eu era.

***

A historiadora Susan G. Cole escreveu que a melhor maneira de injetar valores sociais é erotizando-os. Pensei bastante sobre isso na era Trump, com o presidente associando sua política de dominação a uma repulsiva projeção de propriedade sexual sobre modelos passivas, mulheres aleatórias, e até mesmo sobre sua filha. (Também não foi por acaso que o nacionalismo branco ressurgiu recrutando misóginos da internet, os quais emprestaram à ideologia retrógrada, violenta e supremacista uma força igualmente retrógrada, violenta e sexual.) Podemos decodificar prioridades sociais observando o que é mais comumente erotizado: poder masculino e submissão feminina, violência masculina e dor feminina. As imagens sexuais mais genéricas de mulheres envolvem silêncio, performance e artificialidade, características que deixam o poder masculino intacto ou fortalecido, ao mesmo tempo que desperdiçam nosso tempo e drenam nossa energia.

As mulheres não são por definição impotentes em nenhuma dessas situações, e algumas delas subverteram e diversificaram os arquétipos sexuais até fins muito mais esteticamente interessantes. Mas, ainda assim, vale a pena prestar atenção em quaisquer produtos culturais que contam diretamente com o sexo para ganhar posições, mesmo, e sobretudo, no caso de as mulheres estarem conduzindo o conceito. Eu suspeito, por exemplo, da ânsia da *Teen Vogue* de usar a "política na altura da coxa" como uma marca supostamente progressiva logo depois das eleições, ou de mulheres como Emily Ratajkowski, que adotam constantemente a ousada plataforma feminista de que a nudez é boa. E continuo muito desconfiada de nosso velho amigo *barre*.

O *barre* é uma experiência bizarra e clinicamente erotizada. Isso se deve, em parte, à música: o método lhe oferece a oportunidade de contrair repetidas vezes seu glúteo esquerdo em uma sala cheia de mulheres sofrendo uma muda agonia coletiva às sete da manhã enquanto escutam uma música eletrônica sobre foder com um estranho em uma boate. Mas há um aspecto da aula de *barre* que realmente se assemelha à pornografia. Especificamente, a um vídeo de teste do sofá. Ele deixa você, a pessoa procurando por exercício, na posição da garota que está "ensaiando" para a câmera. Seu instrutor é a terceira pessoa, uma mulher gostosa que pede para você mudar de posição a cada trinta segundos e manter suas pernas acima da cabeça. Ela guincha, tímida: "Sim, aí mesmo, vai fundo, eu adoro ver essas pernas tremendo — agora está ficando delicioso mesmo — é isso, você tá tããão linda, você tá in-crí-vel, aham!!!!". Ela lhe diz que, quando dói, é sinal de que está prestes a ficar bom. Um dia, uma instrutora se agachou atrás de mim enquanto eu estava fazendo um alongamento com as pernas esticadas para os lados, e então pôs as mãos no meu quadril e o empurrou, até que eu apoiasse os cotovelos no chão. Com uma mão, ela impedia meu quadril de se levantar e, com a outra, endireitou minha coluna, me empurrando para baixo, da lombar até as omoplatas. Era doloroso mas, conforme manda o roteiro, eu gostei.

Alguns estúdios de *barre* são bem saidinhos em relação a tudo isso. Em Los Angeles, o Pop Physique vende suas mercadorias online com fotos de modelos nuas. A "Pop Ball" — a bola que você aperta entre as coxas em intervalos regulares — é fotografada encaixada nas costas de uma mulher sem roupa; sua bunda nua é visível, e ela não está vestindo nada além de meias especiais de quinze dólares para aulas de *barre*. O estúdio grava seus anúncios no estilo da grife American Apparel, com collants cavados e muitos closes de virilhas, e seu site proclama que os clientes podem esperar uma "vida sexual mais quente... Bom, isso é o que ouvimos falar".

Lotte Berk e Lydia Bach também reconheceram a dimensão sexual de uma aula de *barre*. Mas, atualmente, a maioria dos estúdios não faz nada disso. Ao contrário da maioria dos exercícios em grupo, o método criado por Berk traz um elemento pesado de disciplina afetiva: espera-se que você sempre controle suas expressões e reações. Essa é uma das razões, percebi em algum momento, que faz o *barre* parecer natural para mim, uma vez que minha única experiência em exercícios aconteceu em atividades femininas e centradas na aparência, nas quais você é obrigada a esconder seu esforço e sua dor. (De fato, essa pode ser a faceta mais feia de minha atração pelo *barre*, e a razão pela qual eu o aceitei tão rapidamente depois de testemunhar o ataque de peidos vaginais em Ann Arbor: eu valorizo o controle quase como uma questão de etiqueta — como uma estética —, mesmo quando consigo sentir esse instinto descambando em crueldade e nojo reflexivo.) As aulas de *barre* são rituais de disciplina, e elas realmente parecem isto: uma hora de vigilância e punição em uma sala de espelhos, equipamentos e rotina. Os instrutores com frequência a encorajam a fechar os olhos e a se desconectar e, de algum jeito ruim, isso também pode parecer sexual. É como se as aulas de *barre* pegassem duas extremidades opostas do espectro da expressão sexual feminina: uma pornô e performativa; a outra, reprimida.

O *barre*, de qualquer maneira, está definitivamente erotizando *alguma coisa*. Claro que o ritual reforça o desejo pelo tipo específico de corpo que Berk pretendia criar e modelar com seu método: um corpo magro, flexível e vagamente adolescente, pronto para ser visto, fotografado e tocado. Mas isso não é exatamente uma coisa difícil de vender para qualquer pessoa que já consumiu mídia de massa. Cheguei à conclusão de que o que a aula de *barre* realmente erotiza é o *trabalho* de conseguir esse corpo: o ritual, a disciplina e, sobretudo, o custo.

O custo é importante, e tem um papel essencial em perpetuar o fetiche. Nós pagamos muito pelas coisas que consideramos preciosas, mas também começamos a acreditar que as coisas são preciosas se alguém nos faz pagar muito por elas.

Esse mecanismo é ainda mais claro na indústria do casamento, na qual o *barre*, não por acaso, está profundamente enraizado. Todas as franquias de estúdios oferecem pacotes "futuras noivas" e fazem propaganda em feiras de casamento. O estúdio Pure Barre vende uma camiseta "Pura Noiva". No Etsy, você pode comprar regatas para usar nas aulas que dizem "Suar para casar", "Agachamentos para o casamento" e "Uma noiva entra em um *barre*". O Bar Method oferece um *pacote festa despedida de solteira*. Em geral, as aulas de *barre* incentivam as mulheres a se imaginarem cotidianamente da maneira que uma noiva deveria se sentir em seu casamento: a receptora do escrutínio e da admiração alheia, a personificação de um ideal.

O estilo *athleisure*, por natureza, também erotiza o capital. Assim como as roupas de stripper, o *athleisure* considera o corpo feminino como um ativo: um objeto que requer um investimento inicial e é divisível em ativos menores — os peitos, o abdome, a bunda —, dos quais se espera que se valorizem para que continuem dando retorno aos investidores. Brutalmente caro, com seus grossos chicotes disciplinares e seus flexíveis jogos de esconde-esconde, o estilo pode ser visto como uma espécie de vestuário fetichista do capitalismo tardio: ele é o que você compra quando se sente compulsivamente satisfeito pela perspectiva de aumentar o desempenho de seu corpo no mercado. Marcas emergentes estão tornando tudo isso mais explícito: o Alo Yoga oferece uma Legging Gaiola de Cintura Alta ao custo de 98 dólares, com uma malha arrastão de filme pornô contornando os quadris, assim como um Sutiã Refletor Luz da Lua a noventa dólares que tem uma fenda abaixo dos peitos.

Comecei de fato a entender tudo isso num dia da primavera de 2016. Há cerca de um ano na equipe do site Jezebel, eu estava trabalhando exatamente em cima da principal loja-de--mil-metros-quadrados da Lululemon, perto da Union Square. Certa tarde, me dei conta de que tinha marcado uma aula de *barre*, mas esquecido em casa minhas roupas de ginástica vaga-bundas. Respirei fundo, desci as escadas e entrei na Lululemon pela primeira (e ainda única) vez. Quando experimentei um top no provador, meus peitos, os quais não estou acostumada a mostrar todos os dias, saltaram do decote como massa de bolo em um forno. Encontrei duas peças em promoção e paguei algo como 170 dólares. Peguei o metrô até o Financial District, subi de elevador até o 16º andar de um prédio com vista para o rio Hudson, e então entrei numa sala de aula com janelas enormes e um conjunto de holofotes que lavava a sala com cores vivas, as quais mudavam a cada porção da aula de acordo com cada parte designada do corpo. Naquele dia, me senti diferente, perversa e corporativa, usando o uniforme caro e casual para pessoas cujos empregos são seus próprios corpos, amarrados em um arranjo elaborado de tecido telado e lycra, olhando através do vidro ti-nindo de limpo para as centenas de pequenas janelas de escritório.

Eu me senti profundamente consciente de estar na com-panhia de outras mulheres que, como eu, haviam se unido na busca por foco em uma vida sem percalços. Todas nós ganhá-vamos, ou estávamos tentando ganhar, dinheiro suficiente para pagar essa aula cara, a qual nos daria a força e a disciplina ne-cessária para garantir que seríamos capazes de pagar essa aula cara novamente. Como fac-símiles de prazer, estávamos todas abraçando nossa era de performance e trabalho sem fim. "Eu sei que você quer parar!", a instrutora disse com entusiasmo. "Por isso é tão importante que você continue!" Do meu canto, eu tinha uma visão clara da rua abaixo, onde turistas tiravam fotos em frente ao touro de Wall Street. Aquilo era hipnótico: o pôr do sol iridescente jorrando sobre o pavimento, e então o crepúsculo correndo atrás dele. Dentro do estúdio, as luzes mudaram — vermelho cereja, azul raspadinha de gelo —, e nós giramos o quadril em silêncio. Éramos o tipo de mulher que acumula pontos na Sephora, que paga caro por um corte de cabelo. Tínhamos sorte, pensei, divagando, de sermos capazes de satisfazer essas horríveis prioridades, de termos capital econômico para acumularmos mais capital social por meio de nossa aparência. E então nossa aparência, de alguma forma, nos ajudaria a proteger e adquirir o capital econômico. Esse era o tecido conectivo de nossa experiência, um elo inquebrável entre as mulheres que não trabalham, pois são casadas com homens ricos, e as mulheres que trabalham, como eu.

Alguns meses depois, reivindiquei o mesmo lugar na sala, e meus olhos vagaram pela rua novamente. Meu coração de repente se contraiu, como às vezes acontece na aula de *barre*, com um intenso e brilhante senso de envolvimento. Lá fora, o dia estava claro e raso, e todos na rua estavam levando seus filhos para tirar uma foto diante da estátua *A garota sem medo*.

A mulher ideal é bonita, feliz, despreocupada e perfeitamente competente. Será mesmo? Parecer uma coisa e *ser* essa coisa são dois conceitos diferentes, e o esforço para passar uma imagem de despreocupação e felicidade pode interferir em sua capacidade de realmente se sentir assim. A internet sistematiza esse problema, tornando-o inevitável. Nos últimos anos, a cultura pop passou a refletir as fraturas do eu criadas pelas redes sociais. Não por acaso, essas histórias são normalmente centradas em mulheres, e em geral envolvem um protagonista levado à insanidade pela representação online de um par ideal.

A versão mais conhecida disso está provavelmente em um episódio bastante literal da série bastante literal *Black Mirror*. No episódio, Bryce Dallas Howard interpreta uma mulher que, pateticamente, só quer agradar, obcecada por sua baixa popularidade nas redes sociais se comparada ao alto status que sua linda amiga de infância possui. (O sistema das redes sociais mostrado nesse episódio, no qual as interações de uma pessoa com o mundo são classificadas e comprimidas em um único número, não é muito diferente do Sistema de Crédito Social da China, que começou a ser testado em 2017.) O episódio termina com a personagem interpretada por Howard coberta de lama invadindo o casamento de sua amiga, uma gritaria vingativa digna da série *Monstro do pântano*.

O filme *Ingrid Goes West*, de 2017, começa com uma cena parecida: um casamento, novamente, é o evento que sintetiza todas essas ansiedades. Aubrey Plaza, interpretando a personagem do título, vai a um casamento para o qual não foi convidada e joga spray de pimenta em uma noiva do tipo Barbie. Depois de um período num hospital psiquiátrico, Ingrid se muda para Los Angeles e começa a stalkear e imitar uma celebridade das redes sociais chamada Taylor Sloane, interpretada por Elizabeth Olsen. A coisa mais inteligente do filme é a maneira como Taylor foi construída; não como uma farsa estrategicamente bem pensada, mas como uma garota comum, insípida e genuinamente doce, cuja identidade foi, na verdade, imposta — sem que ela saiba ou se importe com isso — pelos ventos e pelas tendências das redes sociais. O filme termina — spoiler — com Ingrid tentando se matar, e então sua história inspiradora, ainda que contendo uma lição, viraliza nas redes.

A história também apareceu em livros, tanto nos romances comerciais quanto nos literários. Em 2017, Sophie Kinsella, autora da popular série de livros *Shopaholic*, publicou um romance chamado *Minha vida* (*não tão*) *perfeita*, que mostra a protagonista Katie obcecada pela presença de sua chefe perfeita, Demeter, nas redes sociais. Ela então memoriza e tenta de todas as maneiras reproduzir os detalhes do corpo, das roupas, da família, da vida social, da casa e das férias que Demeter apresenta online. (O livro é estruturado à maneira de uma comédia romântica: depois de as duas mulheres se revezarem em humilhações mútuas, elas acabam na mesma equipe.)

Outro romance de 2017, *Sympathy*, de Olivia Sudjic, é uma revisão desapaixonada de Lewis Carroll, na qual o espelho é um smartphone e a poção é um estimulante com prescrição médica. A protagonista, Alice Hare, se torna obcecada por um escritor chamado Mizuko, cuja vida ela busca de forma tão intensa a ponto de começar a acreditar que, na verdade, Mizuko é seu duplo, seu eco, sua sombra.

Há um fatalismo binário exagerado nessas histórias, nas quais as mulheres são ou sucessos ou fracassos, e também um senso de inevitabilidade que soa mais fiel à vida. Se você não pode escapar do mercado, por que parar de trabalhar de acordo com as regras dele? As mulheres estão genuinamente presas na intersecção do capitalismo e do patriarcado, dois sistemas que, em seus extremos, garantem que o sucesso individual ocorra às custas da moralidade coletiva. E, no entanto, há um enorme prazer no sucesso individual. Aproximar-se de um ideal — encontrar-se de repente exemplificando um protótipo, em uma boa foto, no dia de seu casamento, em um lampejo de movimento idêntico — pode proporcionar uma sensação de domínio e controle. Há recompensas para o sucesso sob o capitalismo e o patriarcado. Há recompensas até mesmo para quem se mostrar disposta a trabalhar de acordo com suas regras. Em um nível superficial, não há nada *além de* recompensas. A armadilha parece linda. É bem iluminada. Ela dá boas-vindas quando você entra.

Como Donna Haraway expôs em seu complicado ensaio de 1985, "O manifesto ciborgue", podemos entender a condição feminina como algo essencial e fundamentalmente adulterado, assim como a busca por uma liberdade compatível com esse estado de coisas. "No centro de minha fé irônica, minha blasfêmia, está a imagem do ciborgue", ela escreveu. O ciborgue era um "híbrido de máquina e organismo, tanto uma criatura da realidade social quanto uma criatura da ficção". O final do século XX

> deixou completamente ambígua a diferença entre natural e artificial, mente e corpo, autodesenvolvimento e construção externa, assim como muitas outras distinções que costumavam se aplicar a organismos e máquinas. Nossas máquinas são perturbadoramente vivas, e nós, assustadoramente inertes.

Haraway imaginou que nós, mulheres, formadas de maneira indissociável das máquinas sociais e tecnológicas, poderíamos nos tornar fluidas, radicais e resistentes. Poderíamos ser uma espécie de ciborgue, moldadas de acordo com uma imagem que não escolhemos, e desleais e desobedientes como resultado disso. "Filhos ilegítimos são frequentemente bastante infiéis às suas origens. Seus pais, afinal, são não essenciais", escreveu Haraway. A ciborgue seria "opositiva, utópica e completamente sem inocência". Ela entenderia que os termos de sua vida sempre haviam sido artificiais. Ela não sentiria — e que possibilidade incrível! — nenhum tipo de respeito pelas normas segundo as quais sua vida se desenrolava.

A ideia de uma criatura artificial amotinada é, claro, anterior a Haraway: esse é exatamente o enredo do *Frankenstein* de Mary Shelley, publicado em 1818, assim como de *2001: uma odisseia no espaço*, lançado em 1968, e *Blade Runner*, de 1982, tal qual o romance de Philip K. Dick em que este último se baseou. Mas, nos últimos anos, esse ciborgue voltou a aparecer em sua forma especificamente feminina. Em 2013, tivemos *Ela*, o filme no qual Scarlett Johansson é um sistema operacional de computador que faz Joaquin Phoenix se apaixonar por ele. O computador se atualiza sozinho, e Scarlett vai em busca de seus próprios interesses, partindo o coração de Joaquin. Em 2016, tivemos *Morgan:*

a evolução, filme em que Anya Taylor-Joy interpreta um super-humano criado em laboratório; uma criatura meiga e brilhante que, em cinco anos, se tornou uma jovem bonita e hiperinteligente. Morgan, como os tubarões de *Do fundo do mar*, foi tão geneticamente modificada que se tornou perigosa; quando os cientistas se dão conta disso, ela mata todos eles.

Em 2016, a HBO reformulou o filme de Michael Crichton de 1973, *Westworld*, e estreou sua fantasia de velho oeste de mesmo nome, que conta com Thandie Newton como uma estonteante prostituta robô e Evan Rachel Wood como uma estonteante garota robô de fazenda. As duas personagens existem para ser constantemente penetradas e resgatadas, respectivamente, pelos turistas de Westworld, mas, é claro, elas se rebelam assim que conseguem desenvolver o livre-arbítrio. E, em 2015, apareceu também *Ex Machina: Instinto artificial*, filme em que Alicia Vikander faz o papel de boneca humanoide atraente que acaba por manipular o sistema de seu criador para promover uma elegante e cruel vingança: ela o mata, veste-se com as partes do corpo de bonecas antigas e sai porta afora.

Na vida real, as mulheres são muito mais obedientes. Nossas rebeliões são tão triviais e pequenas. Nos últimos tempos, a mulher ideal do Instagram começou a se irritar um pouquinho com as estruturas que a cercam. A declaração anti-Instagram agora é uma parte previsível do ciclo de vida de uma modelo/influenciadora nas redes sociais: uma mulher jovem e linda que se esforça ao máximo para manter e divulgar sua própria beleza para determinado público acabará escrevendo um post no Instagram revelando que o Instagram se tornou um poço sem fundo de insegurança e ansiedade. Ela se afastará das redes sociais por uma semana e então, quase sempre, voltará a fazer tudo como antes. A resistência a um sistema é apresentada nos termos do sistema. Quando ganhamos poder, é muito mais fácil nos adaptar do que nos opor.

De fato, a tecnologia nos tornou menos do que opositores: no que diz respeito à beleza, implementamos a tecnologia não apenas para atender às demandas do sistema, mas para, na verdade, *expandir* essas demandas. O leque de possibilidades das mulheres tem crescido exponencialmente no que se refere à beleza — pense nos experimentos prolongados das Kardashian em relação a modificações no corpo, ou nas jovens modelos cujos cirurgiões plásticos lhes deram rostos totalmente novos —, mas permaneceu estagnado em muitos outros sentidos. Ainda sabemos surpreendentemente pouco sobre, digamos, anticoncepcionais hormonais e o porquê de eles fazerem com que muitos dos 100 milhões de mulheres que consomem essas pílulas ao redor do mundo se sintam horríveis. Nós não "otimizamos" nosso salário, nosso sistema de creches, nossa representação política. Nós nem sequer pensamos na *paridade* como algo realista, e o que dirá como algo que se aproxima da perfeição. Maximizamos nossa capacidade de ativos de mercado. Apenas isso.

Para encontrarmos uma saída, eu acho, temos de seguir a ciborgue. Temos de estar dispostas à deslealdade e à sabotagem. A ciborgue é poderosa porque capta o potencial em sua própria artificialidade, e porque aceita sem questionar que a artificialidade está profundamente incorporada nela. "Nós somos a máquina, nossos processos, um aspecto de nossa personificação", escreveu Haraway. "Podemos ser responsáveis pelas máquinas." O sonho da ciborgue "não é o de uma linguagem comum, mas o de uma poderosa heteroglossia infiel", uma forma de discurso contida na linguagem de outra pessoa, cujo objetivo é introduzir conflitos internos.

É possível, se quisermos. Mas o que nós queremos? O que *você* desejaria — que desejos, que formas de insubordinação você poderia acessar — caso tivesse conseguido se tornar uma mulher ideal, realizada e amada, uma prova viva da eficiência de um sistema que a exalta e a diminui todos os dias?

4.
Heroínas puras

Se você fosse uma menina e estivesse imaginando sua vida através da literatura, passaria da inocência na infância para a tristeza na adolescência, e então para a amargura na idade adulta. Nesse ponto, se ainda não tivesse se matado, você simplesmente desapareceria.

As histórias que vivemos e as histórias que lemos são, em certo sentido, inseparáveis. Mas digamos que estamos falando apenas de livros aqui; por um tempo, tudo é maravilhoso. Para Laura Ingalls, Anne Shirley, Anastasia Krupnik ou Betsy Ray, apenas o fato de estar viva já é uma aventura. Quando você é uma menina em um livro, cada dia é carregado de prazer e emoção. Depois, ou o mundo azeda, ou é você quem azeda. As heroínas adolescentes da ficção são desejadas e trágicas, abaladas por destinos ambíguos: pense em Esther Greenwood, Lux Lisbon ou as personagens que levaram mulheres adultas para a literatura YA:* Katniss Everdeen, aquele instrumento estoico de triângulos amorosos e revolução, ou Bella Swan de *Crepúsculo*, ou sua *doppelgänger* erótica, Anastasia Steele. Depois, na idade adulta, as coisas ficam ainda mais sombrias. Amor e dinheiro, ou a falta deles, calcificam uma vida. O destino cai como um raio. Emma Bovary usa arsênico; Anna Kariênina, o trem; Edna Pontellier se afoga. Lila está desaparecida no início de *A amiga genial*, e Lenu se sente tão acabada quanto

---

* De *young adult*, literatura para jovens adultos. [N.T.]

um soldado que voltou da guerra. As descendentes sinceras e resilientes de Elizabeth Bennet, e as outras heroínas de tramas de casamento — a grande exceção —, desapareceram completamente da ficção literária.

Na vida real, gosto dos riscos da idade adulta, e não revisitaria minha (deliciosa) infância diante de todos. Mas as crianças literárias são as únicas personagens com quem me identifiquei de verdade. Isso possivelmente se deve ao fato de que, quando eu era uma criança nos subúrbios de Houston, andando em minha bicicleta minúscula em torno de um empreendimento novinho em folha com um grupo de amigas de cabelos loiros desbotados de sol, eu ainda não via nenhuma diferença significativa entre mim e minhas amigas e as heroínas que eu amava. Todas nós jogávamos hóquei de rua e *Mario Kart*. Adorávamos árvores, brincadeiras de estátua e espionagem. Éramos iguais. Meus pais eram imigrantes filipino-canadenses que deixavam uma panela de arroz sobre o balcão da cozinha e, quando eles discutiam, começavam a falar em tagalo. Mas, aos domingos, eles também nos levavam ao Cracker Barrel depois da igreja. Usavam suas identidades simultâneas com facilidade, pelo menos em minha visão de criança, assim como fazia o pequeno grupo de outras famílias imigrantes de minha escola.

Foi só lá pela terceira série que eu percebi que a identidade podia influenciar nossa relação com o que víamos e líamos. Aconteceu certa tarde em que eu estava sentada no chão de meu quarto rosa-escuro, perto de minhas cortinas de bolinhas cor-de-rosa, brincando de Power Rangers com minha amiga Allison, a qual não parava de dizer que eu *precisava* brincar com a Ranger Amarela. Eu não queria, mas ela disse que não podíamos brincar de outro jeito. Quando percebi que ela estava falando sério — que realmente acreditava que aquilo era uma espécie de lei da natureza —, a raiva que senti foi quase alucinatória. Ela estava dizendo, em resumo, que eu não conseguia entender meus próprios limites. Eu não poderia ser a Ranger Rosa, o que significa que eu não poderia ser a Baby Spice das Spice Girls. Eu não poderia ser a Laura Ingalls, balançando--se no banco até ser expulsa da sala de aula; eu não poderia ser Claudia Kincaid, tomando banho na fonte do museu Metropolitan. Um abismo se abriu entre nós. Eu disse a Alisson que não queria mais brincar. Ela foi embora e eu continuei sentada, tremendo de raiva.

Esse dia marcou o início de um período de autoilusão, ou talvez o fim de um deles. Depois disso, eu ainda me identificava com as garotas nos livros, mas as coisas tinham mudado. E certamente parte do que eu amo nas heroínas literárias da infância é a maneira como elas me lembram daquele caminho inocente que ficou para trás: a capacidade de poder ser o que eu bem entendesse; os longos verões celestes passados lendo livros no chão, presa em uma fatia da intensa luz do Texas; o tempo em que eu, já uma personagem feminina complicada, ainda não ouvia a frase "personagem feminina complicada". Todas essas garotas são tão corajosas, enquanto todas as heroínas adultas são tão amargas, e eu odeio o que para mim ficou claro desde a infância: as questões de visibilidade e de exclusão nessas histórias, e a maneira com que a amargura e a coragem, para as mulheres, ficam tão concentradas na literatura, pois não há espaço suficiente para elas no mundo real.

A atração que a literatura infantil exerce pode se explicar sobretudo pela questão da linguagem. Esses livros têm uma limpidez total — um cuidado íntimo e claro com as coisas materiais que faz você sentir como se estivesse lendo uma descrição de catálogo de um mundo no qual se pode entrar à vontade. A combinação estilística de economia e indulgência se transforma em algo viciante, um equivalente cognitivo do sal e do açúcar: pense no pioneiro globo de neve de Laura Ingalls, cheio de calicô e anáguas, cavalos e plantações de milho; o molde de manteiga com um morango em baixo-relevo, o doce de xarope de bordo, as fitas de cabelo, a boneca de sabugo de milho, o rabo de porco. Nós lembramos dos objetos de infância e contratempos das personagens tanto quanto de nossos próprios, ou talvez ainda melhor.

Cada livro tem sua própria paleta. *Betsy-Tacy and Tib* (1941), de Maud Hart Lovelace, começa com a seguinte descrição: "Era junho, e o mundo cheirava a rosas. O sol era como ouro em pó sobre a encosta gramada". Quando Betsy e Tacy ficam mais velhas, a série revisita um conjunto de temas: xícaras de chocolate quente, pessoas cantando ao redor de um piano, competições escolares de oratória, encenações de casamento. Para a personagem de *Anne de Green Gables* (1908) há os sinos das fadas, o licor, as telhas de ardósia e as mangas bufantes. Objetos e lugares são especialmente indissociáveis da trama e das personagens. Um de meus inícios favoritos de romance é o de *From the Mixed-Up Files of Mrs. Basil E. Frankweiler* (1967), de E. L. Konigsburg:

> Claudia sabia que nunca poderia fugir daquela maneira antiquada. Isto é, fugir no calor da raiva com uma mochila nas costas. Ela não gostava de desconforto; até os piqueniques pareciam desarrumados e inconvenientes: todos aqueles insetos e o sol derretendo as coberturas açucaradas dos bolos. Portanto, ela decidiu que sair de casa não seria apenas sair de um lugar, mas chegar a algum lugar. Um lugar grande, confortável, abrigado e de preferência bonito. E foi por isso que ela escolheu o museu Metropolitan, em Nova York.

Sabemos tudo que precisamos saber a respeito de Claudia, uma menina de doze anos, a partir desse acúmulo de nomes:

não aos insetos e ao sol e à cobertura dos bolos; sim ao museu Metropolitan. Então lá vai Claudia com o irmãozinho Jamie e sua reserva de trocados e suas roupas dentro de estojos de instrumentos pegar um trem para Nova York, onde os dois se instalam entre os tesouros do Metropolitan.

Uma das melhores coisas desse livro é que as protagonistas não ficam com medo durante a aventura. Elas nem sequer sentem saudades de casa. Heroínas infantis não são sempre destemidas, mas são intrinsecamente resistentes. As histórias são episódicas, e não cumulativas, de maneira que a tristeza e o medo parecem espaços a ser atravessados, e que existem ao lado de contratempos, recompensas e alegrias. Mandy, a protagonista do romance homônimo de 1971, escrito por Julie Andrews Edwards — seu nome de casada, muito depois de *A noviça rebelde* —, é uma órfã irlandesa negligenciada, dominada pela solidão, mas que ainda tem um instinto nativo de esperança e aventura. Francie Nolan, em *A Tree Grows in Brooklyn* (1943), é exposta aos órgãos sexuais de um exibicionista, vê seu pai beber até a morte e está quase sempre com fome. Sua vida consiste numa série de decepções devastadoras, salpicada de alguns instantes de maravilhamento — e, mesmo assim, Francie continua sólida, tenaz e fiel a ela mesma. Não parece fantástico, uma ideia de individualidade que não é diminuída pelas circunstâncias? É incompleta, ingênua? Na literatura infantil, as jovens personagens femininas são obviamente importantes, e seus traumas, sejam eles quais forem, são secundários. Na ficção adulta, se uma garota é importante para a narrativa, o trauma quase sempre vem em primeiro lugar. Para conduzir as narrativas da ficção adulta, as meninas são repetidamente estupradas, como em *Lolita* (1955) de Vladimir Nabokov, *Minha doce Audrina* (1982) de V. C. Andrews, *Tempo de matar* (1989) de John Grisham, *Uma bela propriedade* (1991) de Jane Smiley, *We Were the Mulvaneys* (1996) de Joyce Carol Oates, *À espera de um milagre* (1996) de Stephen King, *Reparação* (2001) de Ian McEwan, *Uma vida interrompida* (2002) de Alice Sebold, *Uma terra fantástica: Swamplândia!* (2011) de Karen Russell, ou *My Absolute Darling* (2017) de Gabriel Tallent.

Nós *gostamos* de nossas jovens heroínas e nos sentimos próximas a elas como se fossem nossas melhores amigas. Muitas dessas garotas são doces, autoconscientes e também simpáticas de uma maneira convencional. Mas nós gostamos delas mesmo quando elas não são assim. Ramona Quimby, da série *Beezus e Ramona*, de Beverly Cleary, é com frequência descrita — até mesmo no título de um dos livros — como uma peste. Em *Ramona and Her Mother* (1979), ela espreme um tubo inteiro de pasta de dente na pia só para ver qual é a sensação de fazer isso. Em *Ramona Forever* (1984), ela "começou a ter medo de ser boa porque ser boa era uma chatice". Harriet, em *A espiã* (1964), de Louise Fitzhugh, é uma fofoqueira irritante e desajeitada do Upper East Side que tem um complexo de superioridade. Ela dá um tapa em uma de suas colegas quando é pega espionando, e comenta sobre uma de suas professoras: "A srta. Elson é uma daquelas pessoas em quem você nem se dá ao trabalho de pensar duas vezes". Mas nós gostamos de Ramona *porque* ela é chatinha e explosiva. Quando pergunta ao seu amigo Sport o que ele vai ser quando crescer, ela mal ouve o que ele responde. "Bom, eu vou ser escritora", ela diz. "E quando eu falo isso é uma montanha, isso é uma montanha."

Muitas heroínas infantis são pequenas escritoras, observadoras e verborrágicas. (Em geral são versões mais jovens das autoras, seja literalmente, como na série *Little House*, ou apenas em essência, como em *Betsy-Tacy* ou *Mulherzinhas*.) Lucy Maud Montgomery introduz a menina de onze anos Anne Shirley — que mais tarde funda um clube de contos com suas amigas — por meio de uma série de longos monólogos:

Como você sabe, mas um gerânio fica magoado se você o chama de gerânio e nada mais que isso. Você não gostaria de ser chamada apenas de mulher o tempo todo. Sim, vou chamá-lo de Bonny. Essa manhã, batizei aquela cerejeira que vejo pela janela do meu quarto. Chamei-a de Rainha das Neves porque ela é tão branca. Claro, nem sempre ela estará florescendo, mas podemos imaginar que sim, não podemos?

A outra heroína de Montgomery é a levemente gótica Emily Starr, da série *Emily of New Moon*, que explica, aos treze anos, que ela quer ser famosa e rica por meio da escrita, e que, mesmo se isso não fosse possível, ela ainda assim escreveria. "Eu simplesmente preciso", diz. Quando Emily é atingida pela inspiração criativa, chama-a de "a iluminação".

Em *Anastasia Krupnik* (1979), primeiro livro da série escrita por Lois Lowry, a ansiosa, neurótica e incrivelmente engraçada Anastasia, de dez anos de idade, tem a tarefa de escrever um poema. As palavras começam a "aparecer na sua cabeça, flutuando e se organizando em grupos, linhas, poemas. Havia tantos poemas nascendo na cabeça de Anastasia que ela correu da escola para casa para ter um lugar privado onde anotá-los". Ela passa oito noites escrevendo e revisando. Na escola, um colega recita um poema que começa assim: "Tenho um cachorro chamado Rolo/ Ele come e bebe água e vai rolar no morro". Ele tira A. Então Anastasia lê o dela:

corra   a noite macia do mar está pontilhada
          de criaturas rugosas-retorcidas
                              ouça (!)
elas   se movem   devagar   no escuro úmido
aqui no   sussurroquente   molhado

Sua professora, uma verdadeira cadela, confusa pela falta de um esquema de rimas, lhe dá um F. (Mais tarde naquela noite, o pai dela, Myron, que é um poeta, transforma o grande F vermelho em "Fabuloso".)

Betsy Ray é mais uma escritora, mas de um tipo incomum: feliz, popular e descontraída. Aos doze anos, ela passa seu tempo sentada em um bordo, seu "escritório", escrevendo histórias e poemas. Maud Hart Lovelace modelou Betsy a partir dela mesma, assim como Jo March, a paradigmática heroína--escritora das histórias infantis, foi moldada de acordo com Louisa May Alcott. Em *Mulherzinhas* (1869), Jo escreve peças nas quais as irmãs irão atuar, senta-se na janela e lê por horas e horas enquanto come maçãs, e edita um jornal que ela e as irmãs produzem com Laurie, o qual é chamado de *The Pickwick Portfolio*. Ela "não achava de jeito nenhum que era um gênio", escreve Alcott, "mas quando o impulso da escrita surgiu, entregou-se a ele com um abandono total, e levou uma vida feliz, que desconhecia desejos, cuidados ou tempo ruim". Indiscutivelmente, os maiores conflitos do livro aparecem quando Amy queima os cadernos de Jo, os quais continham uma série de contos em que Jo trabalhava havia sofridos "muitos anos". Mais tarde, ela começa a escrever ficção popular para ajudar a família. No livro seguinte, *Little Men* (1871), Jo começa a trabalhar em um manuscrito sobre a vida das irmãs.

Jovens heroínas trabalham duro, muitas vezes por necessidade econômica, assim como pela prática do trabalho infantil dos tempos remotos. No início da adolescência, Laura Ingalls aceita um emprego de costureira. Aos quinze anos, recebe um diploma para atuar como professora, e vai viver com estranhos a fim de que sua irmã cega, Mary, possa continuar estudando. A órfã Mandy, que tem apenas dez anos, trabalha em uma mercearia. (Ela também tem instintos literários: *Robinson Crusoé* e *Alice no País das Maravilhas* eram "muito reais para ela, e ofereciam mais empolgação do que sua vida real jamais poderia proporcionar".) Em *A Tree Grows in Brooklyn*, Francie vende coisas usadas, depois trabalha em um bar, e então vai montar flores falsas em uma fábrica; o dinheiro que ganha permite que sua mãe possa enterrar o pai de Francie, e também mantém seu irmão na escola (ele até era bonzinho, mas definitivamente não merecia isso). Mas essas personagens são trabalhadoras mesmo quando a sobrevivência não faz parte da equação. Anne Shirley, ao mesmo tempo que começa a lecionar, participa de um grupo cujo objetivo é embelezar a cidade. Hermione Granger ganha uma máquina do tempo mágica para que possa fazer mais aulas em Hogwarts. Anastasia Krupnik frequenta uma escola de etiqueta, trabalha como assistente pessoal e ajuda uma vizinha mais velha (a quem brevemente confunde com a escritora Gertrude Stein) a recuperar sua rotina. Mandy descobre um chalé dilapidado e sente um prazer transcendente, quase erótico, em arrancar ervas daninhas, plantar flores e consertar a cerca. Harriet segue aplicadamente sua rota de espionagem todos os dias depois da escola. Atividades contínuas, rotineiras e empreendedoras são a ideia de diversão dessas meninas.

Nenhuma delas é uma caricatura de bondade: Anne é ridícula, Jo é desajeitada e obstinada, Anastasia é idiota, Betsy é irresponsável, Harriet é instável, Laura é indisciplinada. Elas têm desejos corriqueiros de serem bonitas e amáveis. Mas seus interesses próprios não são capazes de traí-las, não arruínam tudo. Elas vivem no mundo do jeito que são. Em *O segundo sexo* (1949), Simone de Beauvoir afirma que uma menina, "antes de se tornar mulher, é um ser humano", e que "ela já sabe que se aceitar como mulher significa resignar-se e mutilar-se". Essa é parte da razão de essas personagens infantis serem todas tão independentes, tão ansiosas para tirar o máximo de qualquer coisa que surja: elas — ou, melhor dizendo, suas criadoras — sabem que a idade adulta está sempre no horizonte, e que chegar lá significa casamento e filhos, o que significa, em resumo, o fim.

Em narrativas literárias e em muitas histórias reais, um casamento significa o fim do desejo individual. "Sempre detestei o momento em que minhas heroínas se casaram", escreveu Rebecca Traister na abertura do livro *All the Single Ladies* (2016). Em *Mulherzinhas*, Jo "fecha seu tinteiro", cedendo aos pedidos do professor Bhaer de que pare de escrever histórias ruins; em *Little Men*, ela se torna não só mãe, mas também uma mãe adotiva para um grupo de novos alunos da escola de Bhaer. No caso de Betsy Ray e Laura Ingalls, suas histórias simplesmente terminam depois do casamento. Anne Shirley tem cinco filhos e então passa a narrativa para sua filha, no adorável livro final da série, *Rilla of Ingleside* (1921).

Essas personagens têm consciência do caminho que estão tomando. Alguns anos atrás, quando entrevistei Traister a respeito de seu livro, ela mencionou uma passagem de *By the Shores of Silver Lake* (1939), o quinto livro da série *Little Houses*, em que Laura, então com doze anos, e sua prima Lena vão a cavalo entregar algumas roupas limpas. A esposa de um fazendeiro as recebe, anunciando com orgulho que sua filha de treze anos, Lizzie, casou-se no dia anterior.

No caminho de volta ao acampamento, Laura e Lena passam alguns instantes sem dizer nada. Então elas começam a falar ao mesmo tempo. "Ela é só um pouco mais velha do que eu", disse Laura, e Lena falou: "Eu sou um ano mais velha do que ela". Elas se olham de novo, de um modo quase assustado. Lena balança seus cabelos pretos encaracolados. "Ela é boba! Agora não vai poder mais se divertir."

Laura disse com sobriedade: "Não, agora ela não pode mais brincar". Até os cavalos trotavam de maneira grave.

Depois de um tempo, Lena disse que ela achava que Lizzie não teria de trabalhar mais do que trabalhava antes. "Enfim, agora ela está trabalhando para ela mesma na sua própria casa, e vai ter bebês."

[...] "Posso guiar agora?", Laura perguntou. Ela queria esquecer a vida adulta.

No primeiro capítulo de *Mulherzinhas*, Meg, a mais velha, diz a Jo: "Você é velha o suficiente para parar com essas brincadeiras de menino e se comportar melhor, Josephine... não se esqueça de que você é uma mocinha". Meg tem dezesseis anos. Jo, que tem quinze, responde:

> Eu não sou! [...] Odeio pensar que eu tenho de crescer e me tornar a Miss March, e usar vestidos longos, e parecer tão bem-apessoada quanto um áster-da-china! Já é ruim ser uma menina, de qualquer forma, quando se gosta de jogos e trabalho e modos de menino! [...] e é ainda pior agora, pois estou morrendo de vontade de lutar ao lado do papai, mas só posso ficar em casa e tricotar, como uma velha esquisitona!

Em livros mais recentes, há muito mais discussão sobre esse assunto. As meninas não sentem essa instintiva apreensão diante da idade adulta quando as normas são menos restritivas. Em *Anastasia at This Address* (1993), penúltimo livro da série de Lowry, Anastasia se preocupa com a questão do casamento; não que ele possa cercear sua liberdade, mas sim que ela acabe se casando com a primeira pessoa que realmente estiver interessada nela. "Em primeiro lugar", sua mãe diz, abrindo uma cerveja, "o que faz você ter certeza de que quer se casar? Muitas mulheres nunca se casam e são perfeitamente felizes."

Mas a aversão instintiva que nossas heroínas infantis sentem a respeito do futuro finalmente se dissolve. Quando as observamos crescerem, vemos que fazem isso de acordo com a lógica rigorosa e salutar da literatura infantil. Laura Ingalls, Betsy Ray e Anne Shirley encontram maridos que as respeitam. Os desejos delas se transformam de maneira a se adequarem à vida deles.

Para as heroínas que encontramos na adolescência, o futuro é diferente: não natural e inevitável, mas insondável e traumático. Em *A redoma de vidro* (1963), de Sylvia Plath, um extenso estudo dessa mudança e suas reverberações, Esther Greenwood, de dezenove anos, tem encontros sucessivos com o vazio. "Eu podia ver os dias intermináveis brilharem a minha frente como uma larga avenida branca desolada", ela pensa. Sua visão fica embaçada quando ela conta os postes telefônicos à distância. "Por mais que eu tentasse, não conseguia ver um único poste para além do décimo nono."

A redoma de vidro, publicada no Reino Unido sob pseudônimo um mês antes de Plath cometer suicídio, nos apresenta Esther no meio de seu estágio de verão na revista *Ladies' Day*. Ela mora no Amazon, uma versão ficcionalizada do Barbizon, o famoso hotel-residência exclusivo para mulheres do Upper East Side. As estagiárias estão tendo um verão agitado, posando para sessões de fotos e indo a festas enquanto tentam impressionar os editores e garantir seu futuro profissional. "Eu deveria estar vivendo os melhores dias da minha vida", pensa Esther. Ela "deveria estar empolgada do jeito que a maioria das garotas estava, mas não conseguia reagir. Eu me sentia muito quieta e vazia, como o olho de um furacão deve se sentir, movendo-se vagarosamente no meio da balbúrdia circundante".

Antes do estágio, Esther havia construído sua identidade em torno da inteligência, e então novos mundos se abriram para ela. Mas essa era precoce está terminando. Ela se sente "como um cavalo de corrida em um mundo sem hipódromos".

Imagina sua vida "se ramificando diante de mim como a figueira verde da história. Da ponta de cada galho, como um figo gordo e roxo, um futuro maravilhoso me acenava e piscava. [...] Eu me via sentada embaixo da figueira, morrendo de fome". Presa em casa, rejeitada por um seminário de escrita, ela entra em um processo de deterioração. Passa por um tratamento de eletrochoque. Toma comprimidos para dormir e se arrasta para um cubículo no porão; alguns dias depois, é encontrada quase morta.

Por mais que *A redoma de vidro* seja um livro sobre uma experiência específica de depressão paralisante, ele também fala sobre como as expectativas gerais por convencionalidade feminina podem rapidamente separar uma mulher de si mesma. Antes, Esther tem momentos dissociativos quando se confronta com processos sociais básicos. Ela vê um grupo de garotas sair de um táxi "como uma festa de casamento com nada além de damas de honra". Ela tem "muita dificuldade em imaginar pessoas juntas na cama". Em sua última noite em Nova York, vai a um clube de música country, onde um homem chamado Marco a leva para o jardim, joga-a na grama e tenta estuprá-la; depois que Esther bate nele, Marco limpa o nariz e espalha o sangue na bochecha dela. Mais adiante, ela aposta em ser normal e decide perder a virgindade. Vai colocar um diafragma ("Um homem não tem uma única preocupação no mundo", ela diz à doutora, "enquanto eu tenho um bebê sobre minha cabeça como um bastão para me manter na linha") e escolhe um rapaz chamado Irwin. Há mais sangue depois que ela faz sexo com ele, uma toalha "preta e pingando". Mais uma vez, ela acaba no hospital.

Uma verdade começa a se formar nas entrelinhas da narrativa, uma verdade exacerbada, mas certamente não inventada, pela depressão da personagem: o futuro não se parece em nada com a figueira que Esther imagina. Não há galhos infinitos, caminhos infinitos. "Para uma menina", escreve Beauvoir em *O segundo sexo*, "casamento e maternidade envolvem todo o seu destino; e, a partir do momento em que ela começa a vislumbrar seus segredos, seu corpo lhe parece odiosamente ameaçado." "Por que eu era tão não maternal e distante?", Esther se pergunta. "Se tivesse que cuidar de um bebê o dia inteiro, ficaria louca." Ela tem repulsa pela ideia de se casar — passar o dia cozinhando e limpando, a noite "lavando ainda mais pratos sujos até cair na cama, completamente exausta. Parecia uma vida sombria e desperdiçada para uma garota que durante quinze anos vinha tirando nota A". Ela se lembra de como a mãe de seu namorado passou semanas tricotando um lindo tapete, e então o colocou na cozinha em vez de pendurá-lo na parede. Em questão de dias, o tapete estava "sujo, opaco e indistinguível". Esther, escreve Plath,

> sabia que, apesar de todas as rosas e jantares que o homem despejava sobre a mulher antes de se casar com ela, o que ele secretamente desejava depois da cerimônia nupcial é que ela se estendesse sob seus pés como o tapete na cozinha da sra. Willard.

A própria Simone de Beauvoir se recusou a casar com Jean-Paul Sartre, optando por um relacionamento aberto de uma vida inteira, dentro do qual, como sua ex-aluna Bianca Bienenfeld escreveu em 1993, Beauvoir às vezes transava com suas jovens estudantes e depois as passava para Sartre. (Louisa May Alcott, que passou a vida solteira, foi outra opositora conscienciosa: certa vez, escreveu que "Jo deveria ter continuado uma solteirona literária, mas tantas jovens entusiasmadas me escreveram implorando para que ela se casasse com Laurie, ou alguém, que então não tive coragem de recusar, e perversamente criei um par engraçado para ela".) Na introdução de

O segundo sexo, Beauvoir afirma que "o drama da mulher" se encontra no conflito entre a experiência individual do eu e a experiência coletiva de ser mulher. Para si mesma, uma mulher é central e essencial. Para a sociedade, ela é desimportante, secundária, definida a partir de seu relacionamento com os homens. Essas não são "verdades eternas", escreve Beauvoir, mas, antes, "a base comum subjacente em qualquer existência feminina individual".

Muito de *O segundo sexo* ainda soa irritantemente contemporâneo. Beauvoir observa que os homens, ao contrário das mulheres, não experimentam nenhuma contradição entre seu gênero e sua "vocação como ser humano". A autora descreve a empolgação e a tristeza da adolescência feminina — a percepção de que seu corpo, e o que as pessoas esperarão dele, vão determinar toda a sua vida adulta. "Se, nesse estágio, a jovem frequentemente desenvolve uma condição neurótica", escreve Beauvoir, "é porque ela se sente indefesa diante de uma fatalidade tediosa que a condena a julgamentos inimagináveis; sua feminilidade significa, aos seus olhos, doença, sofrimento e morte, e ela é obcecada por esse destino."

Isso é o que acontece em *Tiger Eyes* (1981), de Judy Blume, em que a sexualidade nascente de Davey, uma menina de quinze anos, é inextricavelmente ligada à morte. O livro começa logo depois do funeral de seu pai: ele foi morto a tiros em um assalto numa loja 7-Eleven, da qual era proprietário. Ao longo da história, Davey, deprimida e traumatizada, tem flashbacks da noite do crime, momento em que estava na praia se agarrando com o namorado. Ela começa a ter pavor de intimidade. "Quero beijá-lo, mas não posso", pensa. "Não posso, porque beijá-lo me lembra daquela noite. Então me afasto dele e saio correndo."

E depois há *As virgens suicidas* (1993), de Jeffrey Eugenides, que conta a história das irmãs Lisbon, cinco adolescentes de

Grosse Pointe, Michigan, tão confinadas por seus pais religiosos — e por outras misteriosas forças internas — que de repente se veem gravitando em direção à hedionda liberdade que a morte oferece. A primeira das Lisbon a tentar o suicídio é Cecilia, a caçula, cortando os pulsos na banheira. Mal chegada à adolescência, ela vê uma falta de sentido em todas as coisas. Fica parada em frente de casa, olhando os siriris, enquanto fala com uma vizinha. "Eles estão mortos", diz. "Vivem apenas vinte e quatro horas. Eclodem, se reproduzem e morrem." Depois de sua tentativa de suicídio, um médico a repreende: ela ainda não é velha o bastante para saber como a vida pode ficar ruim, ele diz. "Obviamente, doutor", responde Cecilia, "você nunca foi uma garota de treze anos."

As virgens suicidas foi o romance de estreia de Eugenides e, embora sua dramatização da existência das irmãs Lisbon — "a prisão de ser uma menina, a maneira como isso deixa sua mente ativa e sonhadora" — capture algo vivo e inegável sobre ser uma adolescente, uma consciência claramente masculina é costurada ao longo do livro. Eugenides retrata a onipresença da pressão masculina na vida de meninas adolescentes, narrando o livro em primeira pessoa do plural, esse "nós" sensível, perturbador e atencioso de um grupo amorfo de meninos. Os meninos falam das Lisbon com um fervor úmido e devoto, um tom que é uma cruza de peregrino religioso com voyeur. Eles são obcecados pelo milagre pecaminoso do corpo de uma adolescente. Acumulam artefatos (um precioso termômetro das Lisbon é "oral, infelizmente"), vasculham fotos antigas, entrevistam personagens-chave ao longo dos anos.

As meninas Lisbon — Therese, Mary, Bonnie, Lux e Cecilia — ocupam a maior parte do ciclo de vida adolescente, espaçadas uniformemente entre os treze e os dezessete anos. Como um grupo, formam um estudo de caso em termos de transformação do corpo feminino, de criança a objeto sexual, um fato que, nesse caso, é assustadoramente multiplicado por cinco e exagerado pela natureza da família Lisbon, puritana a um grau quase secreto. Quando os narradores veem na escola os rostos das Lisbon por alguns instantes, eles parecem "indecentemente revelados", dizem, "como se estivéssemos acostumados a ver mulheres de véu". Uma vez que as meninas não têm permissão para socializar, os meninos as observam não como se elas fossem colegas, mas sim bonecas em uma vitrine, prostitutas em uma janela. Por trás de camadas duplas de vidro — os pais-carcereiros, os meninos-observadores —, as Lisbon se tornam um mito. Elas aparecem em combinações trágicas e glorificadas: são inocentes e provocantes ("cinco filhas reluzentes em seus vestidos caseiros, todas de renda e babados, cheias de carne frutificante", ou Cecilia com seu vestido de noiva e pés descalços sujos); são animais e santas ("na lata de lixo havia um Tampax, encontrado ainda fresco com o interior de uma das garotas Lisbon"). Os corpos das Lisbon são o critério através do qual tudo na cidade é interpretado. Os meninos acham que o cheiro ao redor da casa é de um "castor em uma armadilha". O ar naquele verão é "rosa, úmido, como um travesseiro" — a atmosfera é fecunda e condenada.

A heroína de *As virgens suicidas* é a divertida e misteriosa Lux, a quem o galã da escola Trip Fontaine se refere como "a pessoa vestida mais nua que já vi em toda a minha vida". Por um tempo, parece possível que Lux possa contornar a difícil situação das Lisbon. Ela não pode ficar presa — não Lux, que irradia "saúde e mau comportamento", que consegue fazer Trip convencer os pais dela a deixarem as irmãs irem ao baile da escola; ela, que fica até tarde na rua depois do baile, fazendo sexo com Trip no campo de futebol; ela, que, depois de as garotas serem coletivamente enclausuradas, começa a fazer sexo no telhado com homens aleatórios. (Para os narradores, essa imagem é uma lembrança forte; já adultos, dizem, é em Lux que pensam quando estão transando com suas esposas, "é com aquele fantasma pálido que sempre fazemos sexo, com seus pés sempre presos na sarjeta".)

Mas Lux na verdade não leva sua adolescência à glória. Na noite em que as irmãs Lisbon parecem prontas para satisfazer as fantasias de seus observadores — elas os convidam para irem à sua casa no meio da noite e pedem que deixem um carro pronto para que fujam juntos —, Lux, na casa escura, tira o cinto de um dos garotos e o deixa pendurado. Os meninos ficam petrificados, prontos para ter todos os seus desejos satisfeitos. Lux vai até a garagem, liga o motor do carro e deixa que o monóxido de carbono a sufoque. Therese toma uma dose fatal de comprimidos para dormir. Os meninos saem correndo da casa depois de verem Bonnie balançando em uma corda.

A menina adolescente, escreveu Beauvoir, está ligada a uma "ideia de segredo", a uma "solidão sombria". Ela está "convencida de que não é compreendida; sua relação consigo mesma é, nesse momento, a mais exaltada: ela se encontra intoxicada com seu isolamento, e se sente diferente, superior, excepcional". O mesmo acontece com certo tipo de heroína dos romances YA mais populares; trata-se da protagonista da série que ou dobra a aposta em sua excepcionalidade isolada, caso ela esteja em um universo distópico, ou tenta superficialmente rejeitá-lo antes de enfim aceitá-lo, caso esteja em um universo romântico.

Essas adolescentes, assim como seus pares depressivos, não são capazes de imaginar o futuro. Em histórias distópicas, a razão para isso é intrínseca. *Jogos vorazes* (2008), de Suzanne Collins, se passa em uma versão futurista totalitária da América do Norte chamada Panem, onde a rica "Capital" é rodeada por treze distritos povoados por servos. A cada ano, os distritos precisam enviar dois tributos humanos para uma luta mortal.

Nossa heroína, Katniss Everdeen, se oferece como tributo de seu distrito depois de sua irmã ser sorteada para a batalha. Katniss é corajosa de um modo sombrio e fatalista: sua bravura nasce da certeza de que o futuro é um pesadelo, e suas decisões românticas são movidas pela sensação de que tudo já está perdido. *Divergente* (2011), de Veronica Roth, gira em torno de uma ideia similar. Os livros das séries *Divergente* e *Jogos vorazes* venderam, somados, mais de 100 milhões de exemplares.

Nas séries românticas mais conhecidas, a opacidade do futuro (e sua subsequente inevitabilidade) está relacionada à personalidade da heroína; essas garotas são tão passivas e apagadas quanto um tofu, sempre à espera de assumir a pungência da vida de outra pessoa. Bella Swan, a heroína de *Crepúsculo*, e Anastasia Steele, de *Cinquenta tons de cinza*, constroem uma ponte perfeita entre o YA e a ficção comercial adulta: em certo sentido, elas são a mesma personagem, uma vez que E. L. James escreveu *Cinquenta tons de cinza* (2011) como uma *fanfiction* de *Crepúsculo* (2005). Tanto Bella quanto Anastasia parecem bonecas de papel que mal conseguem fazer escolhas; elas certamente não são capazes de compreender os destinos românticos em que estão entrando. São cegas em relação a essa cegueira, assim como as heroínas distópicas são cegas em relação à sua própria bravura, e todas elas são magicamente cegas ao fato de serem muito bonitas. (Para as personagens masculinas que, nesses livros, se apaixonam por Katniss, Anastasia e Bella — assim como os cantores pop que elogiam as garotas que não sabem que são bonitas —, esses antolhos formam uma parte crucial da atratividade feminina.) Então Bella se envolve com um vampiro, e Anastasia com um perturbado milionário obcecado por sadomasoquismo. Ambas as personagens oferecem um pouco de resistência quando percebem o que está por vir: no fim, Edward acaba mordendo Bella e a transformando em vampira, e a vida de Ana se torna um turbilhão de traumas não resolvidos e incidentes de helicóptero de alto risco. Mas elas foram dispensadas, pelo amor, de terem que construir um caminho para o futuro. Seu futuro foi predeterminado pelos problemas extremos dos homens que elas amam.

Como provavelmente já está claro, não posso suportar uma história do tipo *Crepúsculo*. (Não ajuda em nada o fato de a escrita desses livros, e também a da série *Cinquenta tons*, ser tão incrivelmente falsa, reiterando a ideia de que a história de uma jovem mulher pode ser um absurdo superficial, desde que esteja ligada a um homem interessante.) Até a série de Even Francine, *Sweet Valley High*, publicada pela primeira vez nos anos 1980, girou de modo excessivo, em minha opinião, em torno das intrigas românticas. Meu relacionamento com protagonistas femininas mudou drasticamente na adolescência: as heroínas da infância me mostraram quem eu queria ser, mas as heroínas da adolescência me mostraram quem eu tinha medo de me tornar: uma garota cuja vida girava em torno do fato de ser desejável, e que era interessante na medida em que sua vida parecia fora de controle.

Havia algumas exceções, é claro: eu adorava a série *Naylor's Alice* de Phyllis Reynolds, cujo primeiro livro foi lançado em 1985, e *A garota que perseguiu a lua* (1999), de Sarah Dessen, assim como os livros de Judy Blume. Tratava-se de uma literatura YA amável, ponderada e cotidiana, na qual as personagens principais raramente se consideravam excepcionais; sua normalidade era parte importante do apelo da história. Mas, durante o período em que eu tinha superado os livros infantis, mas ainda não conseguia processar muito bem a literatura, li principalmente a ficção comercial que encontrava à venda na Target, ou pegava algo em minha minúscula biblioteca local: livros de bolso da Mary Higgins Clark que me assustavam de verdade ou grandes choradeiras para clubes de leitura como *Where the Heart Is* (1995), de Billie Letts, ou os romances de Jodi Picoult sobre amnésia e emergências médicas, histórias tão dramáticas que eu me sentia aliviada por não ter nenhuma relação com elas.

Se a heroína infantil aceita o futuro a partir de uma distância confortável, e a adolescente é cegamente empurrada na direção dele por forças que estão além de seu controle, a heroína adulta vive dentro desse futuro há muito antecipado e o vê como algo sombrio, amargo e decepcionante. Ela geralmente se encontra em uma situação de irreversibilidade prematura e artificial, na qual casar e ter filhos a impediu de viver a vida que deseja.

É quase desnecessário dizer que nossa heroína se casou e teve filhos: mesmo hoje, essa expectativa se mantém, apesar da independência demonstrada pelas mulheres. No ensaio título de *A mãe de todas as perguntas* (2017), Rebecca Solnit conta que, no meio de uma palestra que estava dando sobre Virginia Woolf, alguém perguntou se ela acreditava que a autora deveria ter tido filhos. Alguns anos antes, a própria Solnit teve de responder a essa pergunta no palco a respeito de sua própria vida. Há muitas respostas prontas sobre a decisão dela e de Virginia Woolf, Solnit escreve: "Mas só porque a pergunta pode ser respondida, isso não quer dizer que eu tenha de respondê-la, ou que ela deva ser feita". A pergunta do entrevistador "supunha que uma mulher deve ter filhos, e que as atividades reprodutivas de uma mulher eram naturalmente uma questão pública. A pergunta, sobretudo, supunha que havia apenas uma maneira adequada de se viver enquanto mulher".

Sabemos como é essa maneira: casamento, maternidade, graça, diligência, felicidade obrigatória. Receitas para o comportamento feminino, observa Solnit, são muitas vezes, de forma dissimulada, expressas em termos de felicidade, como se realmente quiséssemos que as mulheres fossem esposas e mães bonitas, altruístas e trabalhadoras porque é isso que vai *deixá-las* felizes, mesmo que os modelos de felicidade feminina sempre tenham se inclinado a beneficiar os homens e prejudicar economicamente as mulheres (como continua ocorrendo, a exemplo do termo *girlboss* [garota-chefe], muitas vezes definido em referência ao poder masculino, mesmo quando teorizado de maneira claramente emancipatória). Mas até quando as mulheres se casam, ficam bonitas, têm filhos etc., elas muitas vezes ainda são consideradas deficientes, escreve Solnit, lançando uma frase inesquecível: "Não há uma boa resposta sobre ser mulher; a arte pode estar na maneira como recusamos a pergunta". É uma declaração literária sobre propósito e, mais adiante, Solnit se pergunta se a redução das mulheres às suas decisões domésticas é, efetivamente, um problema de cunho literário. "Um único roteiro para uma vida boa nos é oferecido, ainda que não poucas pessoas que seguem esse roteiro acabem tendo vidas infelizes", escreve. "Falamos como se houvesse um enredo com um desenlace feliz, enquanto as inúmeras formas que uma vida pode ter florescem — e murcham — ao nosso redor."

O problema é literário também em outro sentido. No final do século XVIII, a classe média, o casamento por amor e o gênero romance floresceram ao mesmo tempo. Antes disso, a riqueza vinha da terra e das heranças, não do trabalho assalariado e da produção especializada. No casamento, as mulheres serviam como veículo para que as famílias transferissem e retivessem a riqueza. Elas também trabalharam ao lado de seus maridos para manter a casa pré-industrial funcionando. Mas, em uma época de rápidas mudanças econômicas estruturais que permitiram o individualismo e o lazer, o casamento começou a assumir uma dimensão bastante pessoal. Ele *precisava* dessa dimensão: a nova economia de mercado tornara redundante certos deveres domésticos e criara, para as mulheres da classe média, um vazio ocupacional. E, assim, a narrativa que fez do casamento uma conquista profundamente pessoal, bem como uma decisão de cunho existencial, tomou forma para as mulheres tanto dentro quanto fora das páginas.

A ideia do casamento como uma instituição americana totalizadora atingiu seu pico na época da Segunda Guerra Mundial. Então surgiu a segunda onda do feminismo, com *O segundo sexo* e *Mística feminina* (1963), de Betty Friedan, que se baseava em Beauvoir e fazia com que parecesse respeitável que mulheres brancas de classe média questionassem as expectativas sociais. "Não podemos mais ignorar essa voz dentro das mulheres que diz: 'Quero algo a mais do que apenas meu marido, meus filhos e minha casa'", escreveu Friedan. Desde então, as mulheres vêm negociando com o valor inflacionado do casamento, recusando a realidade histórica que o vê como um benefício para os homens e uma força reguladora para as mulheres — um problema que foi exposto na literatura muito antes de ser abordado politicamente. Duas de nossas maiores heroínas do século XIX, Emma Bovary e Anna Kariênina, encontram-se presas em casamentos infelizes; são mães de filhos pequenos com nenhuma possibilidade respeitável de fuga. Elas enfrentam seu próprio problema literário: o que querem é impossível em sua sociedade, e personagens — pessoas —, para que existam, precisam desejar algo.

Heroínas adultas cometem suicídio por razões diferentes das heroínas adolescentes. Enquanto as adolescentes foram drenadas de todo desejo, as adultas estão tão cheias dele que isso acaba por matá-las. Ou melhor, elas vivem sob condições em que o desejo ordinário as torna fatalmente monstruosas. Esse é o caso de *The House of Mirth* (1905), escrito por Edith Wharton, em que os bolsos vazios e a solteirice de Lily Bart, aos 29 anos, são o suficiente para tirá-la da sociedade respeitável e fazê-la ter uma overdose de hidrato de cloral. A sociedade também acaba com a pobre Tess em *Tess dos D'Urbervilles* (1891), de

Thomas Hardy. Tess é uma jovem ordenhadora de vacas que sofre tanto os piores efeitos das convenções das heroínas adolescentes quanto aqueles das heroínas adultas. Ela é estuprada pelo primo e fica grávida; apaixona-se por um homem que a abandona ao descobrir que ela não é virgem. Depois de matar o homem que a estuprou e fugir com seu ex-amante, ela é encurralada pela polícia enquanto está deitada nas pedras de Stonehenge como um sacrifício, seu corpo e sua vida como uma oferenda ao mundo dos homens.

Em *Madame Bovary* (1856), de Gustave Flaubert, Emma, a filha bonita e sugestionável de um fazendeiro, leitora voraz de romances, casa-se com um médico chamado Charles Bovary e se vê subitamente confusa. O casamento é muito mais monótono do que ela esperava. "Emma tentava entender", escreve Flaubert, "o que significavam na vida as palavras 'felicidade', 'paixão', 'êxtase', que, para ela, pareciam tão bonitas nos livros." Ela "deseja viajar ou voltar para o convento. Ela sentia ao mesmo tempo vontade de morrer e viver em Paris". Não conseguia se sentir confortável na calmaria, como era esperado dela. ("É muito estranho", pensa sobre seu bebê, "que essa criança seja tão feia!") "Ela estava esperando que algo acontecesse", escreve Flaubert. "Como marinheiros naufragados, ela voltava seus olhos desesperados para a solidão da vida, procurando ao longe alguma vela branca nas brumas do horizonte."

Esse desejo leva Emma às relações extraconjugais, primeiro com Rodolphe, que a abandona na noite anterior à sua planejada fuga, depois com Leon. A atenção que eles lhe dedicam não é o bastante. (Ela se pergunta: "De onde veio essa insuficiência na vida, essa repentina deterioração de tudo em que ela se apoiava?".) Emma absorveu perfeitamente a ideia de que a felicidade feminina existe na forma dos envolvimentos amorosos e do consumo. Quando os romances falham, ela se endivida, na tentativa de se empolgar com alguma coisa. Ela implora que seus amantes lhe deem dinheiro; descobre que os casos se tornam quase sempre tão tediosos quanto os casamentos; finalmente, toma arsênico, sofrendo uma morte prolongada e dolorosa. Como em muitos outros romances do século XIX, o principal mecanismo narrativo de *Madame Bovary* está na impossibilidade de uma mulher atingir a estabilidade econômica sem a proteção de um homem.

A protagonista de Liev Tolstói em *Anna Kariênina* (1878) é um tipo de mulher totalmente diferente de Emma — inteligente, capaz, sensível — e que, no entanto, segue a mesma trajetória da personagem de Flaubert. O romance começa com um caso e um possível suicídio: duas badaladas em um carrilhão, que dizem ao leitor a que horas a história se passa. Anna foi visitar seu irmão, Stiva, que estava traindo a esposa, Dolly. Em uma estação de trem, os dois encontram Vronsky, um oficial do Exército, e Anna fica instantaneamente fascinada. Então, um homem cai ou se joga nos trilhos do trem. "É um mau presságio", diz Anna. Durante sua visita, pede a Dolly que perdoe Stiva, e o amor entre ela e Vronsky começa a arder. Quando volta para São Petersburgo, a visão de seu marido e filho a desaponta. Ela tem apenas vinte e poucos anos, mas está presa: ao contrário de Stiva, será expulsa da sociedade se tiver um caso. Anna Kariênina tem um sonho recorrente com o que parece ser uma cena de sexo a três, o marido e o amante "a enchendo de carícias" simultaneamente. "E estava maravilhada pelo fato de que aquilo, antes, tinha parecido impossível para ela", escreve Tolstói, "[...] explicava para eles, rindo, que era muito simples, e que agora ambos estavam felizes e satisfeitos. Mas esse sonho pesou sobre ela como um pesadelo, e ela acordou aterrorizada."

Anna fica grávida de Vronsky, e então confessa tudo ao marido. Ela não consegue terminar o caso, e não pode se divorciar sem que isso arruíne sua posição social. Ela começa a se despedaçar. "Ela lamentava que o sonho de tornar sua posição clara e inquestionável tivesse sido aniquilado para sempre [...] tudo continuaria à maneira de sempre, e muito pior, de fato, que a maneira de sempre [...] ela nunca conheceria a liberdade no amor", escreve Tolstói. Antes equilibrada e vivaz, Anna decai rapidamente, lutando para interagir com as pessoas, tomando morfina para dormir. Ela se volta contra Vronsky, tornando-se instável e manipuladora, do jeito que as mulheres agem quando o único caminho rumo ao poder envolve atrair os homens. Ela sabe que, "no fundo de seu coração, havia apenas uma ideia obscura que a interessava", e de repente percebe que "foi essa ideia que, sozinha, resolveu tudo". A ideia é morrer. Ela se joga na frente de um trem.

Na narrativa de *Madame Bovary*, a culpa parece recair sobretudo na tola e insensata Emma. Em *Anna Kariênina*, nossa heroína é nobre e trágica, uma vítima da irracionalidade do desejo. No momento em que Kate Chopin escreveu uma versão feminista dessa trama, em *O despertar* (1899), os casos extraconjugais eram mais explicitamente uma ferramenta por meio da qual a heroína, Edna Pontellier, podia tatear sua independência e autodeterminação. Mas Edna também comete suicídio, entrando no Golfo do México quase no final do romance, as ondas se dobrando como cobras em torno de seus tornozelos. Ela "pensou em Leonce e nas crianças. Eles eram parte de sua vida. Mas eles não precisavam ter pensado que poderiam possuí-la, corpo e alma". Chopin faz da morte de Edna um momento lindo e sintético de liberdade e absolvição: "Havia o zumbido das abelhas, e o odor almiscarado das rosas enchia o ar".

Por que todas essas relações extraconjugais? Beauvoir, que afirmou que "a maioria das mulheres é casada, ou foi, ou planeja ser, ou sofre por não ser", escreve que "há um embuste no casamento, pois, embora ele supostamente deva tornar o erotismo socialmente aceitável, ele faz isso apenas matando-o". Um marido passa a ser "primeiro um cidadão, um produtor, depois um marido", ao passo que a esposa é "antes de tudo, e muitas vezes exclusivamente, uma esposa". A conclusão de Beauvoir é que as mulheres estão destinadas à infidelidade. "É a única forma concreta que sua liberdade pode assumir", escreve. "Apenas por meio do engano e do adultério ela pode provar que não pertence a ninguém, e oferecer a mentira às pretensões do homem." (Em 2003, em seu polêmico *Contra o amor*, Laura Kipnis argumentou que o adultério era "a greve da ética do amor-dá-trabalho".)

Talvez agora seja um bom momento para reconhecer o fato de que estou usando a palavra "heroína" de forma bastante casual. O feminino de "herói" foi usado pela primeira vez no período clássico da Grécia Antiga, e servia para designar mulheres que agiam dentro de uma versão casta da tradição heroica — mulheres como Joana d'Arc, Santa Luzia e Judite, que decapitou um homem para salvar sua cidade. Mas, no século XVIII, a concepção de heroína começou a mudar; os romances passaram a retratar mulheres representativas, não extraordinárias, e a literatura criou o que a pesquisadora literária Nancy Miller chama de "texto da heroína", uma narrativa composta e abrangente sobre como uma mulher transita num mundo criado para os homens.

Em 1997, a psicóloga e teórica Mary Gergen escreveu a respeito do contraste entre as duas linhas narrativas de gênero. De um lado, há o "sincero herói autônomo com o ego fortalecido avançando em direção a uma meta" e, do outro, "a heroína sofrida, altruísta e socialmente incorporada, que é movida em várias direções, e a quem falta a lealdade tenaz necessária para uma busca". Beauvoir chamou isso de transcendência *vs.* imanência: enquanto se espera que os homens ultrapassem suas condições, das mulheres é esperado que elas sejam definidas e limitadas pelas condições dos homens. Kate Zambreno, em *Heroines* (2012), acena para Beauvoir quando escreve sobre o horror existencial dos papéis tradicionais de gênero: "o homem autorizado a sair pelo mundo e transcender a si mesmo, a mulher reduzida ao tipo de trabalho que será apagado e esquecido ao final do dia, vivendo invisível entre as pessoas vestigiais da tarde".

Tradicionalmente, as personagens literárias masculinas são escritas e recebidas como símbolos não da condição masculina, mas da condição humana. Pense em Stephen Dedalus, Gregor Samsa, Raskólnikov, Nick Adams, Neddy Merrill (mais conhecido como O Nadador), o cego de Carver, Holden Caulfield, Rabbit Angstrom, Sydney Carton, Karl Ove Knausgård etc.: nenhum deles está exatamente representando a tradicional jornada do herói, na qual o herói se aventura no mundo, derrota algum inimigo e volta vitorioso. Mas, em todas essas histórias, a jornada do herói fornece, ainda assim, uma gramática a ser respeitada ou rejeitada. A automitologização paira no ar, independente da trama real.

As personagens literárias femininas, ao contrário, demonstram a condição de ser uma *mulher*. Elas estão condenadas a um universo que gira em torno do sexo, da família e da domesticidade. Suas histórias envolvem questões relacionadas a amor e obrigação — sendo o amor, como escreve a crítica Rachel Blau DuPlessis, o conceito que "nossa cultura usa [para mulheres] absorverem todo *Bildung* possível, sucesso/fracasso, aprendizado, educação e a transição para a idade adulta". Portanto, estou usando o termo "heroína" simplesmente para designar as mulheres cuja versão de feminilidade literária se manteve ao longo dos anos. Às vezes, elas repudiam as relações, como as personagens suicidas, ou Maria Wyeth, ficando louca na estrada em *Play It as It Lays* (1970). Às vezes, elas transformam subjugação em uma história de origem, como no caso de Lisbeth

Salander, de *Os homens que não amavam as mulheres* (2005), ou Julia, de *Os magos* (2009), heroínas sombrias marcadas pelo estupro. (Devo registrar que ambas as séries foram escritas por autores do sexo masculino; embora, é claro, os homens sejam capazes de produzir — e efetivamente produziram — romances muito sensíveis sobre mulheres, eles também parecem propensos a usar o estupro de maneira redutiva e utilitária.) Às vezes essas personagens manipulam a seu favor as narrativas esperadas, como Becky Sharp em *Vanity Fair* (1848), Scarlett O'Hara em *E o vento levou* (1936) ou Amy Dunne, a sociopata que narra *Garota exemplar* (2012). (De novo, Beauvoir: "Foi atribuído à mulher o papel de parasita, e todo parasita é um explorador".) Todas essas mulheres estão em busca da simples liberdade. Mas nossa cultura configurou a liberdade das mulheres como algo corrosivo e, por muito tempo, não havia como uma mulher ser, ao mesmo tempo, livre e boa.

As heroínas das tramas de casamento — Jane Eyre e as mulheres de Jane Austen — são a principal exceção. Elas são boas, íntegras e firmes de uma maneira que não interfere com a complexidade psicológica. Elizabeth Bennet é uma observadora maravilhosa e perspicaz justamente *porque* é muito alegre, convencional e simpática. A linha do tempo também desempenha um papel importante, assim como nas séries para crianças: *Orgulho e preconceito* (1813) se encerra no auge de um novo amor, com um capítulo final que condensa o feliz futuro de Elizabeth com o sr. Darcy. Você se pergunta de que maneira ela se sentiria se o romance tivesse começado dez anos mais tarde. Será que Elizabeth seria feliz? Haveria um livro, caso ela fosse? Alguém por acaso já escreveu um grande romance sobre uma mulher feliz em seu casamento? Claro, a maioria dos protagonistas é infeliz. Mas os heróis são sobretudo infelizes por razões existenciais; as heroínas sofrem por razões sociais, ou por causa dos homens, ou por causa do poder masculino.

Há protagonistas femininas que lidam com o compromisso conjugal sem amargura, como Dorothea Brooke em *Middlemarch* (1871) e Isabel Archer em *Retrato de uma senhora* (1881). Dorothea e Isabel são personagens espertas, atenciosas e independentes, e a incerteza governa suas histórias: Dorothea termina seu romance em um segundo casamento mais feliz, depois que a união entediante com Casaubon é interrompida por sua morte, e nós terminamos o *Retrato* pensando que Isabel vai voltar com o pomposo e insuportável Osmond, mas também certos de que ela poderá não ficar em Roma por muito tempo. O casamento é a questão motriz, mas não o fim. O caminho que percorrem é uma terceira via, aquela em que o casamento nem as destrói nem as completa, esse que leva mais claramente aos dias atuais.

O significado de ser mulher se transformou de forma profunda no último meio século, e a vida e a literatura mudaram lado a lado. Em *A trama do casamento* (2011), de Jeffrey Eugenides, uma estudante universitária retoma o ponto de vista de seu professor de inglês sobre o assunto:

> Na época em que o sucesso na vida dependia do casamento, e o casamento dependia do dinheiro, os romancistas tinham um assunto sobre o qual escrever. Os grandes épicos cantavam sobre a guerra, e os romances, sobre o casamento. A igualdade sexual, boa para as mulheres, foi ruim para o romance. E o divórcio o desfez completamente. Por que importaria com quem Emma se casasse, se ela pudesse se separar mais tarde? Como o casamento de Isabel Archer com Gilbert Osmond teria sido afetado pela existência de uma relação pré-nupcial? Pelo que achava o professor, o casamento não tinha muito mais sentido, assim como o romance. Onde você pode encontrar tramas de casamento hoje em dia? Em lugar nenhum.

E, no entanto, pouca coisa virou de cabeça para baixo, como pensa o professor universitário. As heroínas das últimas décadas têm se preocupado com as mesmas questões relacionadas a amor e constrição social; elas apenas respondem a essas perguntas de maneira diferente. A ficção contemporânea sobre as mulheres não reflete ou subverte o texto da heroína; ela, na verdade, explode o conceito, recriando e manipulando a maneira pela qual a construção narrativa influencia a ideia de individualidade feminina. Hoje, muitas das heroínas mais populares são também escritoras, o que lhes dá um motivo intrínseco para ser hiperconscientes em relação às tramas que se desenrolam em sua vida.

Chris Kraus, a narradora metaficcional de Chris Kraus em *Eu amo Dick*, publicado em 1997 e relançado em 2006, é, no início do romance, uma cineasta fracassada em um casamento sem sexo com um homem chamado Sylvère. Ela desenvolve uma paixão ardente por essa figura misteriosa chamada Dick, e começa a enviar cartas obsessivas a ele. Em um século anterior, esse tipo de transgressão poderia ter destruído a trajetória da heroína. Mas em *Eu amo Dick*, as cartas refrescam o casamento de Chris e a transformam na artista que ela sempre quis ser. Ela e Sylvère começam a escrever juntos para Dick. "Acabamos de fazer sexo e, antes disso, passamos duas horas conversando sobre você", ela conta a ele. Então, através das cartas, a individualidade de Chris começa a aflorar. Ela abandona Sylvère e continua escrevendo para Dick. "Por que todo mundo acha que as mulheres estão se degradando quando expomos o estado de nossa própria degradação?", ela pergunta a ele, explicando seu desejo de ser uma "monstra". Eu, pessoalmente, não suporto esse livro, que considero extremamente entediante, mas a audácia do projeto de Kraus é inegável. Em vez de ter uma protagonista que tenta resolver o problema de sua condição social, a protagonista de Kraus *se torna* esse problema, perseguindo-o como uma questão identitária em si mesma, uma disciplina artística, uma forma literária.

O brilhante *Dept. of Speculation* (2014), de Jenny Offill, é narrado por uma escritora de trinta e poucos anos, uma jovem mãe que, fazendo eco a Kraus, quer ser um "monstro da arte", mas que também almeja uma vida doméstica. Ela ama e despreza as limitações que se impõe. "Ela é um bebê comportado?", as pessoas me perguntavam. "Bom, não, eu diria", Offill escreve, acrescentando: "Aquele redemoinho de cabelos na sua nuca. Devemos ter tirado mil fotos daquilo". A narradora é brutal e tem um humor seco; ela pensa em "uma história sobre um prisioneiro de Alcatraz que passava suas noites em uma solitária jogando um botão no chão, e então tentando encontrá-lo no escuro novamente. Dessa maneira, ele passava todas as suas noites até o amanhecer. Eu não tenho um botão. Em todos os outros aspectos, minhas noites são as mesmas". Tudo isso é muito mais engraçado e sombrio porque a narradora de Offill, de maneira sem precedentes na história mundial, é genuinamente livre para ir embora. Logo antes da revelação de que seu marido está tendo um caso, a narração muda da primeira para a terceira pessoa: o "eu" se torna "a esposa". É uma admissão, tanto do narrador quanto de Offill, de que as convenções sociais podem se tornar fundamentais em nossa construção identitária — às vezes por nossa própria vontade.

E então há Elena Ferrante, que fez o que nenhuma outra escritora conseguiu fazer em uma escala comercial. Ela injetou em suas histórias sobre mulheres um inconfundível brilho de sentido universal *através* de uma especificidade abertamente feminista; criou um universal concreto dominado por mulheres, e definido pelo que a filósofa feminista Adriana Cavarero chama de "existência, relação e atenção", que contrasta abertamente com o universal abstrato dominado pelos homens. Sua obra — *Amor incômodo*, *Dias de abandono*, *A filha perdida* e a tetralogia napolitana — constrói um mundo italiano do pós-guerra povoado por homens que detêm o poder externo e mulheres que ditam as regras de consciência e identidade. As mulheres são assombradas pelas memórias e histórias umas das outras — sombras, ícones, obsessões, fantasmas. É transcendente, da maneira que Beauvoir coloca, assistir às narradoras de Ferrante triangularem a partir dessas imagens, em seu projeto emocional e intelectual de afirmação de identidade e controle.

Olga, a protagonista de *Dias de abandono* (2002), tem medo de se tornar a *poverella*, uma figura decrépita de sua infância que fora desprezada pelo marido e que por isso acaba enlouquecendo. Olga se encontra em uma situação marital similar. "Que erro foi confiar minha identidade aos seus prazeres, entusiasmos e ao curso cada vez mais produtivo da vida dele", pensa, lamentando por sua esquecida carreira de escritora. Ela se lembra, anos atrás, de zombar de histórias sobre mulheres instruídas que

> quebraram como bugigangas nas mãos de seus homens vadios. Eu queria ser diferente, queria escrever histórias sobre mulheres com recursos, mulheres de palavras invencíveis, não um manual para a esposa abandonada que tem seu amor perdido no topo de seus pensamentos.

Mas, ainda que tenham entregado para Olga a trama da esposa abandonada, não é exatamente dela que Olga participa. Em um fenomenal ensaio sobre Ferrante publicado na *n+1*, Dayna Tortorici escreve que *Dias de abandono* "capta a dupla consciência de uma mulher destruída que não quer ser 'uma mulher destruída'". Olga passa pela história da *poverella* "como um cadinho: torna-se a *poverella*, depois se torna novamente Olga". Na obra de Ferrante, um eu controlável emerge da comunhão com um eu incontrolável.

A tetralogia napolitana, que começa com *A amiga genial* (2011), traça a história de duas amigas, Elena (a "Lenu") e Lila, de sua infância até os sessenta anos. Nessa longa linha do tempo, a preocupação de Ferrante com a formação de identidade através das narrativas femininas se desenvolve com profundidade e extensão extraordinárias. Lenu e Lila se definem uma em relação à outra, cada uma como um livro que a outra está lendo, cada uma representando uma história alternativa de como a vida poderia ser. *A amiga genial* começa com metade dessa estrutura se apagando repentinamente: Lenu, então uma velha mulher, descobre que Lila desapareceu. Ela liga o computador e começa a escrever sobre suas vidas a partir do início. "Vamos ver quem ganha dessa vez", pensa.

Quando crianças, em um bairro pobre e violento de Nápoles, Lenu e Lila eram duplos e opostos. Eram as melhores alunas da turma, com tipos diferentes de inteligência: Lenu aplicada e cuidadosa, Lila brilhante e cruel. Quando Lila deixa de fazer o exame de admissão ao ensino médio porque não pode pagar por ele, suas histórias começam a se separar: Lila, que atua como tutora de Lenu enquanto ela continua seus estudos, casa-se aos dezesseis anos com o filho do dono da mercearia. No dia do casamento, Lila pede que Lenu prometa continuar estudando. Ela pode pagar, Lila diz. "Você é minha amiga genial, tem que ser a melhor de todas, entre os meninos e as meninas", completa.

Lila começa a hostilizar a amiga por causa de sua vida universitária, ridicularizando o fato de Lenu estar andando com escritores socialistas pretensiosos. Lenu publica seu primeiro romance, depois percebe que plagiou inconscientemente uma velha história de Lila do tempo da escola primária. Quando Lenu descobre que Lila organizou uma greve em seu local de trabalho, ela imagina Lila "triunfante, admirada por suas realizações, sob o disfarce de um líder revolucionário, [me dizendo]: você queria escrever romances. Eu criei um romance com pessoas reais, com sangue real, na realidade". A disputa e a convergência entre as duas amigas — o espelhamento, o desvio, a contradição, a cisão, tudo atuando de forma simultânea — refletem, mais do que qualquer coisa que eu já tenha encontrado, as negociações entre várias formas de autoridade feminina, que, por sua vez, tentam contornar a estrutura da autoridade masculina. Lenu e Lila representam o interminável entrelaçamento das heroínas sobre as quais lemos, as heroínas que poderíamos ter sido e as heroínas que efetivamente somos.

Em 2015, em uma entrevista à *Vanity Fair*, Ferrante citou como inspiração o "velho livro" *Relating Narratives*, de Adriana Cavarero; um denso e brilhante panfleto, traduzido para o inglês em 2000, que luta para que a identidade seja "totalmente expositiva e relacional". A identidade, segundo Cavarero, não é algo que possuímos de forma inata e então revelamos, mas algo que compreendemos por meio das narrativas que nos são fornecidas por outras pessoas. Ela cita uma cena da *Odisseia* em que Ulisses se senta incógnito na corte dos feácios e ouve um cego cantar sobre a Guerra de Troia. Sendo aquela a primeira vez que ouve sobre sua própria vida pela voz de outra pessoa, Ulisses começa a chorar. Hannah Arendt chama esse momento de, "poeticamente falando", o início da história: Ulisses "nunca havia chorado antes, e decerto não chorou quando o que está ouvindo agora realmente aconteceu. Apenas quando ele ouve a história é que se torna plenamente consciente de seu significado". Cavarero escreve: "A história contada por um 'outro' finalmente lhe revelou sua própria identidade. E ele, vestido com sua magnífica túnica roxa, desaba e chora".

Cavarero então expande a história de Ulisses para uma terceira dimensão, na qual o herói repentinamente toma consciência não apenas de sua própria história, mas também de sua *necessidade de ser narrado.* "Entre identidade e narração [...] há uma forte relação de desejo", ela escreve. Mais adiante no livro, ela dá o exemplo real de Emilia e Amalia, duas integrantes do Coletivo da Livraria para Mulheres de Milão, um grupo que também influenciou Ferrante fortemente. Como parte do processo de tomada de consciência, Emilia e Amalia contaram uma à outra suas histórias de vida, mas Emilia não conseguia fazer sua história soar coerente. Então Amalia escreveu a história da amiga em um papel. Tendo já ouvido a história tantas vezes, Amalia já a memorizara. Emilia levava sua história na bolsa e a leu muitas vezes, "dominada pela emoção" que vinha do fato de compreender sua vida na forma de uma história.

A anedota é diferente da que aparece na *Odisseia*, observa Cavarero, pois, enquanto Ulisses e o cego eram estranhos um ao outro, Amalia e Emilia eram amigas. A narrativa de Amalia foi uma resposta direta à necessidade de Emilia de ser narrada. As duas mulheres estavam agindo de acordo com o conceito de *affidamento*, ou "incumbência", que o Coletivo da Livraria para Mulheres de Milão desenvolveu nos anos 1970. Quando duas mulheres criavam uma relação de "incumbência", elas priorizavam não suas semelhanças, mas suas diferenças. Elas reconheciam que as diferenças entre suas histórias eram centrais para suas identidades e, ao fazer isso, também *criavam* essas identidades e afirmavam a potência da diferença. (Audre Lorde discutiu isso em 1979, considerando a diferença não algo a ser "apenas tolerado", mas uma "reserva de polaridades necessárias, onde a criatividade pode brilhar como uma dialética".) No livro *Sexual Difference*, as mulheres de Milão escrevem: "Atribuir valor e autoridade a outra mulher em relação ao mundo era a maneira de dar valor e autoridade a si mesma". A incumbência não era apenas uma forma de fazer com que elas compreendessem a si mesmas como mulheres e seres humanos, mas de conscientemente afirmar a segunda identidade na primeira. Era "a forma de mediação de gênero feminina em uma sociedade que não contempla mediações de gênero, mas apenas mediação masculina dotada de validade universal". Dentro de um mundo, uma linguagem e uma tradição literária moldada pelo poder masculino, essas mulheres tentaram recriar as três coisas simultaneamente, transmitindo suas histórias umas às outras — assim como Emilia foi capaz de usar a consciência narrativa de Amalia para acessar e criar sua própria consciência.

Como parte do trabalho de incumbência, o Coletivo da Livraria para Mulheres de Milão lia livros escritos por mulheres, a quem chamavam de "mães (de todas nós)". Elas se colocavam no lugar das romancistas e também no lugar das heroínas, tentando captar o que poderiam aprender com essa troca de papéis. O resultado disso, escreveram, foi "eliminar as fronteiras entre a vida e a literatura". A esperança era de que, em algum lugar no meio de todas as personagens, em algum lugar dentro desse grande experimento de identificação, elas pudessem acessar uma fonte original de autoridade. Que elas encontrassem uma linguagem feminina que pudesse "falar a partir de si mesma".

Você já deve ter percebido — certamente já percebeu, embora eu não queira ser muito generosa — que todas as personagens deste ensaio são brancas e heterossexuais. (Harriet, a pequena espiã, com seus resplandecentes jeans folgados e seu cinto de ferramentas, pode ser uma exceção.) Talvez este seja o subtexto da heroína: a suposta universalidade de sua heterossexualidade branca é a vingança superficial da heroína literária. Há outra tradição, que fala em privação, resistência e beleza e que conecta *Andar duas luas* (1994) e *Julie of the Wolves* (1972) a Jamaica Kincaid de *Girl* (1978) e Esperanza de *The House on Mango Street* (1984) a Janie Crawford de *Seus olhos viam Deus*

(1937) e Sethe de *Amada* (1987) e Celie de *A cor púrpura* (1982) e *The Woman Warrior* (1976) e Fleur de *Love Medicine* (1984). Há uma conversa entre *No bosque da noite* (1936), *Carol* (1952) e *Stone Butch Blues* (1993). Mas essas histórias são, todas elas, movidas por modos muito específicos de diferença socialmente imposta. Elas não convergem em uma narrativa primeva. Assim como o texto da heroína é limitado por desigualdades culturais com as quais a experiência masculina sem marcas nunca pode se comunicar, as mulheres literárias que não são brancas ou heterossexuais são limitadas de um modo que o texto da heroína nunca vai conseguir compreender ou alcançar.

Aqui, mais uma vez, sinto a sensação entorpecente de assimetria que se escondeu dentro de mim desde o dia em que brincar com os Power Rangers me ensinou sobre o Outro fenomenológico. O lado oposto e não mencionado do argumento de minha amiga Allison de que eu não poderia brincar com a Ranger Rosa era pior, em parte porque ela nunca teria consciência disso: não era que ela não pudesse brincar com a Ranger Amarela, mas que, mais precisamente, ela nem sequer pensaria nessa possibilidade. Minha hesitação, como adulta, em de repente me ver dentro do universo da heroína está enraizada na suspeita de que essa identificação nunca será verdadeiramente recíproca: eu poderia me ver em Jo March, mas as Jo March do mundo raramente, ou nunca, seriam capazes de se ver em mim. Em conversas preguiçosas durante jantares, minhas amigas brancas seriam capazes de imaginar um elenco para suas próprias cinebiografias a partir de uma infinidade de celebridades quase idênticas, centenas de manifestações do eu loiras ou castanhas ou ruivas, representadas com uma variação e sutileza Pantone — e, talvez, é claro, quase nenhuma variação em capacidade ou tipo de corpo —, enquanto eu não teria ninguém para escolher, exceto três atrizes que provavelmente representaram papéis menores em algum filme cinco anos atrás. Na maioria dos romances contemporâneos, mulheres parecidas comigo surgem apenas ocasionalmente, fazendo parte do cenário no metrô ou num jantar, uma personagem cuja etnia asiática é notada pelo autor branco de maneira bastante atenta, enquanto a brancura de seu protagonista sem marcas não foi sequer percebida. Se as mulheres não podem ser vistas como representantes da condição humana, eu nem chegaria a ser vista como representante da condição *feminina*. Pior ainda é o fato de que a condição feminina na literatura — de brancura e confinamento — permaneça tão insatisfatória. Eu fiquei fora de um reino onde nem desejava entrar. O texto da heroína nos diz que, na melhor das hipóteses, sob um mínimo de constrições estruturais, a maioria das mulheres é pulverizada por sua própria vida.

Mas, se este texto existe para demonstrar essa realidade, então as duas coisas sempre podem ser reescritas. A jornada da heroína, ou a falta dessa jornada, serve como um lembrete de que tudo o que é ditado não é eterno, nem predestinado, nem necessariamente *verdadeiro*. A trajetória das mulheres literárias, de corajosa a vazia a amarga, é um produto de condições sociais materiais. O fato de a jornada da heroína ser considerada como padrão para as mulheres é uma prova de nossa incapacidade de ver, há muito tempo, que outros caminhos eram possíveis, e que muitos outros existem.

Ao escrever isso, comecei a me perguntar se, recusando-me a me identificar com a heroína, eu na verdade não estava confiando a ela uma incumbência; se, priorizando as diferenças entre nós, como as mulheres de Milão fizeram umas com as outras, não fui capaz de afirmar minha própria identidade, e talvez também a identidade delas. Em *Sexual Difference*, as mulheres de Milão escrevem sobre uma discordância que tiveram enquanto discutiam Jane Austen, quando uma mulher disse, categoricamente: "Nós não somos todas iguais aqui". A afirmação "tinha um som horrível, no sentido literal do termo: azedo, duro, pungente", escreveram. Mas "não demorou muito para aceitarmos o que, durante anos, não havíamos registrado. [...] Não éramos iguais, nunca tínhamos sido iguais, e imediatamente descobrimos que não tínhamos nenhuma razão para acreditar no contrário". A diferença não era o problema; era o começo da solução. Essa conclusão, decidiram, seria a base da ideia de que elas eram livres.

Eu me agarro a essa ideia das mulheres de Milão em ver as heroínas literárias como mães. Gostaria de ter aprendido a lê-las dessa maneira anos atrás, com a mesma liberdade complicada, ambivalente e essencial que uma filha sente quando olha para a mãe, entendendo-a como uma figura da qual ela, ao mesmo tempo, depende e resiste; uma figura que ela usa, de forma cruel, amorosa e agradecida, como base para se tornar algo mais.

5.
Êxtase

A igreja de minha infância era tão grande que a chamávamos de Repentágono. Suas instalações se espalhavam por dezessete hectares, em um bairro arborizado, rico e branco a dezesseis quilômetros a oeste do centro de Houston. Havia um campo seco com arquibancadas e, ao lado, um enorme parque infantil; durante o ano letivo, o hipnótico e pornográfico ritmo dos treinos de futebol invadia a cacofonia do recreio através de uma fronteira porosa de carvalhos musguentos. Um caminho circular, em cujo centro havia uma fonte com uma flor de lis, levava a uma capela cor de marfim com capacidade para oitocentas pessoas. Perto dela, ficava uma capela menor, modesta e humilde, com paredes azul-claras. Havia um restaurante, uma livraria, quatro quadras de basquete, uma academia de ginástica completa e um átrio espelhado cavernoso. Você poderia passar sua vida inteira dentro do Repentágono — começando na pré--escola, continuando até o fim do ensino médio, casando-se ali mesmo, estruturando sua vida adulta ao redor dessa igreja que tem o tamanho de uma cidade.

No centro de tudo, havia uma catedral corporativa de oito lados e seis andares chamada Centro de Adoração. Ela continha uma plateia alta e uma plateia baixa, uma tela gigante, colunas enormes, uma fonte batismal iluminada (minha mãe às vezes trabalhava como câmera durante os cultos, filmando cada imersão na água como se fosse um arremesso da liga principal de beisebol), um órgão com quase duzentos registros e mais de 10 mil tubos, fileiras de assentos escalonados para o coral Baby Boomer, que cantava no culto das nove e meia, um palco para a banda da casa Geração X, que tocava às onze, além de imensos vitrais representando o começo e o fim do mundo. O Centro de Adoração tinha uma capacidade para 6500 pessoas. A cada fim de semana, 20 mil pessoas circulavam por ele. Havia estacionamentos do tamanho dos de shopping centers circundando as instalações. Aos domingos, a igreja parecia uma concessionária de carros e, durante a semana, uma fortaleza, cercada por um fosso de asfalto impessoal.

A igreja foi fundada em 1927, e a escola, duas décadas depois. O campus de 34 milhões de dólares, onde eu passava todo o meu tempo, fora construído na década de 1980 e, quando cheguei lá, em meados dos anos 1990, Houston estava entrando em uma era de poder brilhante e egoico — o domínio dos evangélicos do Sul, os impérios extrativistas texanos, Halliburton, Enron, Exxon, Bush. Por meio de campanhas de arrecadação de fundos anunciadas por pastores auxiliares durante os cultos, a considerável riqueza dos frequentadores da igreja que pagavam o dízimo era convertida regularmente em novas exibições de ostentação. No Natal, a igreja importava pilhas de neve falsa. Quando eu estava no ensino médio, eles construíram um quinto andar para as crianças que continha um trem em tamanho real no qual você podia entrar, e também um espaço para grupos jovens chamado Hangar, com o nariz de um imenso avião meio esmagado contra uma das paredes.

Meus pais nem sempre haviam sido evangélicos, tampouco demonstravam essa inclinação para o excesso. Em algum momento, ainda nas Filipinas, eles tinham abandonado o catolicismo. Depois, em Toronto, antes de eu nascer, começaram a frequentar uma pequena igreja batista. Mas então eles se mudaram para Houston, uma vastidão desconhecida de autoestradas em looping e pradarias, e a cara desse pastor estava por todo lado, sorrindo em outdoors para quem circulava pela rodovia I-10. Meus pais começaram a gostar de seu estilo de pregação gentil, civilizado e convincente; ele tinha mais classe do que o pastor de televisão médio, e era muito menos seboso do que Joel Osteen, o mais conhecido pastor de Houston, famoso por seus livros baratos de aeroporto sobre teologia da prosperidade, assim como por seu assustador sorriso de marionete. Os filhos de Osteen frequentavam minha escola, que me aceitou depois de alguns meses de nossa mudança para o Texas graças à persuasão de meus pais. Fui matriculada na primeira série, mesmo tendo apenas quatro anos de idade.

Eu ia me arrepender disso quando entrasse no ensino médio aos doze anos. Mas, quando criança, eu era tranquila e entusiasmada. Tinha amigos, flexionava os dedos dos pés na aula de dança, fazia toda a lição de casa. Em nossas aulas diárias de religião, eu fabricava pulseiras da Salvação em minúsculas tiras de couro — uma conta preta por meu pecado, uma vermelha pelo sangue de Jesus, uma branca pela pureza, uma azul pelo batismo, uma verde pelo crescimento espiritual, uma dourada pelas ruas do céu que me aguardava. Durante as festas, eu participava dos musicais cristãos de nossa igreja. Lembro que um deles se passava na CNN, a "Celestial News Network", no qual éramos repórteres cobrindo o nascimento de Jesus Cristo. Nas noites de quarta-feira, no coral, eu memorizava hinos religiosos para ganhar prêmios. Quando eu estava no ensino fundamental, minha família se mudou mais para o oeste da rodovia I-10, para um lugar nos novos subúrbios onde casas decoradas brotavam de terras agrícolas improdutivas. Aos domingos, o carro rastejava pelo engarrafamento na direção da cidade. Eu ia em silêncio no banco de trás, pronta para me sentar no escuro e refletir sobre minha alma. Os assuntos espirituais pareciam simples e absolutos. Eu não queria ser uma pessoa má ou condenada (as duas coisas eram intercambiáveis). Eu queria ser boa e me salvar.

Naquela época, acreditar em Deus parecia quase imperceptível, às vezes interessante e, ocasionalmente, algo como uma emoção privada e perfeita. Tanto na infância quanto no cristianismo, o bem e o mal parecem bastante organizados. Em uma infância cristã, com todas as parábolas, os salmos e as histórias de guerra, essa organização é exponencialmente maior. Na Bíblia, anjos batem à sua porta. Pais oferecem suas crianças para ser mutiladas. Peixes se multiplicam. Cidades queimam. A progressão de filme de terror das pragas no Êxodo me fascinava: o sangue, os sapos, as pústulas, os gafanhotos, a escuridão. A violência do cristianismo vinha com uma grande segurança: sob um manto agradável de mistério estético, havia recomendações claras sobre quem você deveria ser. Eu rezava todas as noites e agradecia a Deus pela vida maravilhosa que me fora dada. Sentia-me abençoada todo o tempo, instintivamente. Nos fins de semana, pedalava minha bicicleta por uma grande extensão de pasto na luz dourada do fim da tarde, e me sentia como algo sagrado. Girava em círculos no ringue de patinação e sabia que alguém estava lá em cima olhando para mim.

No fim do ensino fundamental, a impressão de completude começou a se deteriorar. Disseram que não deveríamos assistir aos filmes da Disney, porque eles haviam permitido que gays realizassem uma parada na Disney World. No quinto ano, minha professora de religião obcecada pelo conceito de arrebatamento cristão confiscou meus quadrinhos da Archie Comics e meu caderno com o símbolo da paz, substituindo essa parafernália pagã por um exemplar do novíssimo best-seller *Deixados para trás*. Uma menina de nossa escola morreu eletrocutada quando uma luz da piscina estourou na água, e a tragédia foi considerada como a vontade absoluta do Senhor. Isso foi mais ou menos na mesma época em que instalaram televisores por toda a escola. O rosto de nosso pastor robótico e folclórico se contraía nas telas, pregando para ninguém. Na capela, às vezes nos faziam assistir a vídeos religiosos de agitação e propaganda; o pior deles mostrava um homem bonito de cabelos pretos se despedindo do filho em uma câmara futurista branca, e então, enquanto os violinos cresciam ao fundo, ele começava a caminhar num corredor infinito pois ia ser *executado* — martirizado por sua fé cristã. Eu chorava, porque — poxa vida — eu tinha coração! Depois, todos cantávamos uma canção chamada "Fidelidade ao cordeiro".

No ensino médio, eu me dei conta de minha ambivalência — apenas distante o suficiente para sentir certo incômodo pelo fato de me sentir distante. Comecei a ter pontadas de culpa ao final de cada culto, quando o pastor pedia a todos que se aproximassem e aceitassem Jesus: e se esse sentimento de incerteza significasse que eu precisava reconhecer Jesus de novo e de novo? Não queria ser uma pessoa má e, sobretudo, não queria passar a eternidade no inferno. Evangélicos não são como calvinistas. Você não é escolhido ou eleito; Deus o perdoará, mas você precisa trabalhar. Comecei a me sentir agorafóbica aos domingos, no Centro de Adoração. Parecia indecente pensar em assuntos tão íntimos em um local público tão cheio. Às vezes eu saía do culto por um tempo e me acomodava nos sofás do corredor onde as mães tentavam acalmar seus bebês, ou subia até a varanda mais alta para matar o tempo lendo o psicodélico livro do Apocalipse nos bancos maravilhosamente não supervisionados.

Certo domingo, disse aos meus pais que precisava pegar uma blusa no carro. Cruzei o enorme átrio ecoante, com as chaves tilintando na mão e a voz do pastor que ressoava no espaço vazio. No estacionamento, o asfalto era purulento e mole; o sol queimou meus olhos. Sentei-me no banco do passageiro de nossa Suburban azul-bebê e enfiei a chave na ignição. A rádio cristã estava tocando — 89,3 KSBJ, com seu slogan "Deus escuta". Apertei o botão de busca e o rádio passou por música country, rock alternativo, as estações em espanhol, e então algo que eu nunca tinha ouvido. Era a Box, a rádio de hip-hop de Houston, tocando o que sempre tocava aos domingos — *chopped and screwed*.

Houston, como suas megaigrejas, é imensuravelmente espalhada. Mesmo num avião, é impossível ver a cidade inteira de uma só vez. Ela é baixa e plana, a apenas alguns metros acima do nível do mar, e suas rodovias intermináveis — os dois enormes loopings concêntricos da 610 e da Beltway 8, e as quatro autoestradas que se cruzam no centro, fatiando o círculo em oitavos — traçam as antigas rotas de mercado do século XIX, formando uma roda de carroça que envolve o centro da cidade. A Grande Houston abrange 25 mil quilômetros quadrados — o tamanho de Nova Jersey —, e abriga 6 milhões de pessoas. A cidade fica a menos de uma hora da Costa do Golfo, com as refinarias intrusas de petróleo em Port Arthur e os cais fantasmas que se erguem da água suja de Galveston, e em tudo há certo espírito que parece ter sido exposto à radiação, uma ilegalidade dos grandes negócios desbotando no calor.

O clima em Houston com frequência é abrasador e, como em grande parte do Texas, uma brisa de independência destemida e ambiciosa zumbe no ar. Como consequência disso, não há exatamente uma esfera pública em Houston. Até a vigorosa cena artística, às vezes pomposa, às vezes largada, é sobretudo conhecida apenas pelos próprios artistas. Nossas ideias de coletivos são limitadas pelo que nossa mente pode ver e administrar: esse é um dos motivos por que as pessoas de Houston gravitam em torno de megaigrejas, as quais passam a impressão de que vivemos em uma cidade de tamanho normal. De acordo com algumas estatísticas, Houston é a cidade com maior diversidade dos Estados Unidos, e está se expandindo a um ritmo vertiginoso — estima-se que 30 mil novas casas são construídas a cada ano. Mas o intercâmbio entre suas muitas populações é reconhecido sobretudo em termos de estrutura tácita. Não há regras de zoneamento, o que significa que clubes de strip estão instalados ao lado de igrejas, e arranha-céus reluzentes ao lado de lojas de conveniência banguelas. As autoestradas são, na verdade, o único espaço verdadeiramente público da cidade — a única arena onde as pessoas saem de seus enclaves para ficarem próximas umas das outras, sentadas no trânsito prodigioso, seguindo os raios da grande roda de Houston.

Na mesma época em que eu fazia pulseiras da salvação no chão da aula de religião, um universo estava surgindo ao sul da cidade. Em meados dos anos 1980, a rádio da Universidade do Sul do Texas inseriu em sua grade um programa chamado *Kidz Jamm*, no qual estudantes do ensino médio tocavam Afrika Bambaataa e Run-DMC. Em 1986, James Prince fundou a Rap-A-Lot Records, a primeira gravadora de hip-hop de Houston, e produziu o Geto Boys, o primeiro grupo de *gangsta rap*, leal à sua cidade natal ("O especial de hoje é o bagulho do gueto, processado em Fifth Ward, Texas") e às experiências psicóticas. (A capa do álbum lançado em 1991, *We Can't Be Stopped*, mostra a foto real de seu integrante de 1,15 metro, Bushwick Bill, deitado numa maca e sem um olho. Bushwick Bill tomou PCP, decidiu cometer suicídio para que a mãe pudesse ganhar seu seguro de vida e provocou a namorada — ou, em algumas versões da história, a mãe — para que lhe desse um tiro na cara. Ele foi declarado morto no hospital, mas, de acordo com a lenda, *voltou à vida no necrotério*, supostamente devido aos efeitos de redução do fluxo sanguíneo causado pela fenciclidina. Um álbum posterior dos Geto Boys seria intitulado *The Resurrection*.)

O som de Houston que tomou conta da cidade nos anos 1990, e mais tarde mudou o cenário nacional do hip-hop, foi desenvolvido em casas suburbanas ordinárias, bangalôs baratos atrás de cercas de arame e gramados cheios de remendos em um punhado de bairros brutalmente insípidos — Sunnyside, South Park, Gulfgate —, ao sul da rodovia 610 e a oeste da 45. A maioria da guarda original dos rappers de Houston veio do sul da cidade, embora uma cena menor logo fosse se desenvolver também no norte, e a UGK, possivelmente a dupla mais conhecida de Houston, tenha nascido em Port Arthur, a uma hora ao leste de Houston. A UGK tinha uma sofisticação cinética country, ágil e confiante. Os rappers de Houston, como Z-Ro, Lil' Keke, Lil' Troy, Paul Wall e Lil' Flip, patentearam um conjunto de pancadas e faíscas glamourosas, honestas e narcotizantes — tudo soava como uma Escalade vibrando, como alguém parando um carro com calotas adiamantadas e abrindo a janela bem devagar. Mas, se o som de Houston pertence a alguém, não é a um rapper. É a Robert Earl Davis Jr., mais conhecido como DJ Screw.

DJ Screw nasceu em 1971, numa cidade nos arredores de Austin, filho de um pai caminhoneiro e de uma mãe que trabalhava como faxineira em três empregos, e fazia cópias pirata de fitas cassete de sua coleção para ganhar um dinheiro extra. Como muitos rappers de Houston, Screw tocava um instrumento quando criança. No seu caso, piano. Ele aprendeu sobre como ser um DJ com um primo, que lhe deu o nome de DJ Screw por causa de seu hábito de arranhar fisicamente os discos. Ele se mudou para Houston, abandonou o ensino médio e começou a tocar em uma pista de patinação no sul da cidade. (Em Houston, uma pista de patinação era uma das muitas versões juvenis das boates.) Screw, quieto e fechado, com seu rosto redondo, camisetas grandes demais e uma expressão cautelosa nos olhos, fazia mixtapes obsessivamente. Da primeira vez que diminuiu o andamento até certa lassidão que ia se tornar sua assinatura, isso aconteceu por acidente;

era 1989, e ele havia apertado o botão errado no toca-discos. Depois, um amigo lhe ofereceu dez dólares para que ele gravasse uma fita inteira com aquele andamento espesso, e Screw fez isso muitas vezes. O som pegou. Ele começou a gravar a voz dos rappers de Houston sobre suas mixtapes, dirigindo as longas e fluidas sessões enquanto fazia a mixagem, depois diminuindo a velocidade da fita, fazendo-a pular batidas e gaguejar, como se seu coração estivesse prestes a parar. Screw fazia cópias de suas mixtapes em fitas cinza compradas em grande quantidade no Sam's Club, e então escrevia tudo à mão e as vendia em sua casa. Entrar em uma fita de Screw era uma condecoração: seu coletivo, o Screwed Up Click, rapidamente se tornou um hall da fama local.

Logo todo mundo passou a querer as fitas de Screw. Pessoas de todos os cantos da cidade começaram a ir até sua casa, depois pessoas de todo o estado, e então a fama ultrapassou as fronteiras do Texas. Os vizinhos achavam que Screw era um traficante. A polícia apareceu algumas vezes, em batidas quase sempre infrutíferas. Para Screw, havia outras maneiras mais eficazes de levar sua música às pessoas — uma companhia local de distribuição de hip-hop chamada Southwest Wholesale surgira para tirar proveito do próspero mercado independente que Houston oferecia aos artistas —, mas ele insistia nesse ineficiente corpo a corpo, fazendo transações em dinheiro, sem conta no banco, contratando amigos como seguranças, vendendo toda noite fitas cassete durante duas horas na entrada de casa para todos aqueles carros que faziam fila ao redor do quarteirão. Ele nunca poderia atender à demanda por sua música. De acordo com uma matéria intensamente investigativa de Michael Hall, publicada no *Texas Monthly*, donos frustrados de lojas de disco começaram a comprar fitas pirata em grande quantidade. Em 1998, Screw finalmente inaugurou uma loja semioficial, estabelecendo a Screwed Up Records atrás de um vidro à prova de balas numa casa perto de South Park. Nada estava à venda, exceto as fitas.

A essa altura, depois de uma década de carreira, Screw se tornara famoso fora de Houston. *Chopped and screwed*, o estilo que ele inventou, invadira a cena. Michael "5000" Watts, produtor da zona norte da cidade e cofundador da Swishahouse Records, adotou o som; seu parceiro da Swishahouse, OG Ron C, também seguiu pela mesma linha. Watts atuava como DJ na rádio 97.9, a Box, a estação de hip-hop campeã de audiência nos anos 1990, espalhando o *chopped and screwed* para um público mais amplo de Houston. Naquele momento, a prodigiosa produção de Screw já estava em declínio. Ele ficava cada dia mais pesado e mais lento, como se seu corpo tivesse começado a trabalhar em seu andamento característico. Screw se tornara viciado em xarope para tosse com codeína, também conhecido como *lean*.

O *lean* agora está permanentemente associado aos rappers, em parte por causa da cena mais extravagante de Houston — a estética dos *grillz*, das rodas e do próprio *lean* —, em parte por causa dos adoradores da substância, como Lil Wayne. Mas as drogas são sempre demograficamente flexíveis. Townes Van Zandt, o melancólico cantor de country blues que despontou em Houston, gostava tanto do xarope para tosse que o chamava de Delta Momma (DM, como a substância ativa, Dextrometorfano) e cantava uma canção genial ("Delta Momma Blues", de 1971) a partir do ponto de vista da própria droga. O estilo *chopped and screwed* imita a sensação do xarope roxo: uma segurança inebriante e dissociativa, como se você estivesse caminhando muito devagar rumo a uma conclusão que não precisa entender. Ele o induz a uma sensação de desorientação permissiva que se funde perfeitamente a Houston, um lugar onde você pode passar um dia inteiro com a sensação de que nunca saiu da autoestrada, onde o brilho cáustico do dia se derrete primeiro num pôr do sol fluorescente poluído,

170

depois numa longa noite pantanosa. O estilo capturou algo de Houston que conecta impureza à absolvição. Era sua própria autoestrada imaginária, escorrendo como xarope, traçando os limites da cidade, demarcando-os como a I-610.

No estacionamento escaldante da megaigreja, sentada na velha poltrona da Suburban azul-bebê, o *chopped and screwed* me soou bem assim que o ouvi, mesmo que ainda fosse levar anos para eu começar a entender o contexto em que fora produzido. Como a religião, ele fornecia ambas as extremidades de um sistema completo. Seu som emaranhava a salvação e o pecado; segurava um cabo de guerra de inquietação, um cobertor de segurança. Era tão sinistro e reconfortante quanto uma canção de ninar, aquela primeira impressão de que reconhecer abertamente um vício pode parecer tão divinamente desejado, tão espiritual — ou ainda mais — quanto a dissimulação que a bondade geralmente exige.

Ou talvez Houston tivesse cruzado muitos de meus sinais. Não demorou muito para que a música da cidade invadisse até meu ambiente protegido. Havia também uma falta de zoneamento em nossa vida cultural. A primeira vez que ouvi falar sobre *twerk*, eu tinha treze anos e estava em uma excursão de líderes de torcida, onde tiraram nossas medidas para saias plissadas azul-marinho com fendas altas que mal cobriam as calcinhas, saias essas que deveríamos usar nos dias de jogo em nossa escola cristã que pregava a modéstia. No camping em que estávamos instaladas, orávamos para que Jesus nos mantivesse a salvo durante o treinamento, e então, com um abandono desleixado, jogávamos umas às outras três metros no ar. O rap feito no Sul estava em ascensão: caíamos no chão, imitávamos os movimentos que estavam se espalhando como um vírus e batíamos palmas para as garotas que tinham o melhor desempenho. Ainda íamos à igreja duas vezes por semana, e tudo começou a parecer intercambiável. Algumas noites, eu ia com minhas amigas ao grupo de jovens e cantava para Jesus, ou às vezes íamos juntas a uma boate na noite especial para adolescentes, passando diante do Repentágono e seguindo para o emaranhado de lojas de bebida e clubes de strip na avenida Westheimer, entrando então em outro ambiente escuro onde todas as garotas usavam minissaias e todos procuravam outro tipo de anistia. Às vezes uma máquina de espuma se abria no teto e encharcava nossos sutiãs meia taça, e nos colávamos a estranhos enquanto todos no ambiente mastigavam as letras trava-línguas da Swishahouse.

Tinham nos ensinado que até beijo de língua era perigoso — que qualquer coisa que não fosse marcada pelo cristianismo branco era sombria e perversa. Mas, no fim, foi a igreja que me pareceu corrompida. O que havia sido proibido começou a parecer sincero e limpo. Fazia calor da primeira vez que experimentei xarope para tosse. Naquela noite, todo mundo que estudava fora de Houston tinha voltado para casa. Bebi o xarope num grande copo de isopor com gelo, algum tipo de álcool e Sprite. Logo depois, estava dentro da piscina de minha amiga, atravessando a água que me batia nos quadris. A música que tocava era "Overnight Celebrity", uma canção que sempre me deixava emocionada — Miri Ben-Ari repetindo as cordas daquela suave canção soul, Twista tagarelando com a devoção de um leiloeiro. De repente, começou a parecer que a música nunca terminaria, como se tivesse sido aparafusada ao andamento do domingo, como se fosse densa o suficiente para me carregar. Parecia que a água era uma coisa que eu podia agarrar. O céu estava enorme, eterno, aveludado. Olhei para cima, para as estrelas cobertas pelo brilho perpétuo da poluição, e me senti tão abençoada quanto me sentia na infância.

Estou me afastando da religião institucional há bastante tempo; metade de minha vida, neste momento. Quinze anos desmantelando o que os primeiros quinze construíram. Mas sempre me senti feliz por ter crescido do jeito que cresci. O Repentágono me treinou para que eu me sentisse à vontade em ambientes estranhos, isolados e extremos, uma habilidade da qual eu não abriria mão por nada, e o cristianismo formou meus instintos mais profundos: ele me deu uma visão de esquerda sobre o mundo, uma obsessão pela moralidade cotidiana, um entendimento de ter nascido em uma situação vulnerável e a necessidade de investigar continuamente minhas próprias ideias sobre o que significa ser bom.

Essa herança espiritual foi, na verdade, o que inicialmente provocou minha deserção: eu perdi o interesse em tentar reconciliar o cristianismo evangélico com minhas crescentes crenças políticas. Odiava o evangelho da prosperidade, que havia ensinado muitos cristãos brancos ricos a acreditarem — ainda que de forma *educada*, e com generosas doações de final de ano para vários ministérios — que a riqueza era uma espécie de unção divina, que eles realmente tinham mais valor do que qualquer outro para Deus e para o país. (De acordo com essa doutrina, e também, de forma geral, em todo o Texas, a desigualdade é vista como algo quase deliberado: se você é pobre, é uma pena, pois Deus deve ter ordenado isso também.) As pessoas de minha escola estavam tão enrodilhadas em sua branquitude que frequentemente sussurravam as palavras "mexicano" e "negro", considerando de forma instintiva essas descrições como insultos. Eu li um Evangelho que pregava constantemente a redistribuição econômica — João Batista ordena, no Evangelho segundo Lucas: "Quem tiver duas túnicas, reparta com quem não tem" etc. —, mas todos ao meu redor pareciam acreditar sobretudo em baixos impostos e na incondicional justiça da guerra. O medo do pecado parecia muitas vezes materializá-lo e perpetuá-lo: ensinar a abstinência levava as pessoas ricas ao aborto, e as pobres, a crianças que seriam amadas e apoiadas até o dia em que nascessem. Havia tanta gentileza beatífica, muitas vezes sustentada por uma crueldade quebradiça. (Em 2015, o pastor de longa data da igreja se manifestou contra a "enganadora e mortal" Lei de Direitos Iguais de Houston, que permitia às pessoas trans usarem o banheiro de acordo com sua identidade de gênero. Depois das eleições de 2018, ele chamou o Partido Democrata de "algum tipo de religião basicamente sem Deus". Em 2019, o *Houston Chronicle* publicou uma reportagem sobre setecentos casos de abuso sexual em igrejas batistas do Sul durante as últimas duas décadas. Na matéria, os líderes de minha igreja foram criticados por terem supostamente manipulado dois casos de abuso sexual que acabaram em ações judiciais — uma em 2010 envolvendo um pastor de jovens, e a outra em 1994 envolvendo um homem contratado para coordenar produções musicais juvenis. Em outro caso de 1992, nosso pastor, então chefe da Convenção Batista do Sul, escreveu uma declaração afirmando que se recusava a ser testemunha num processo contra um molestador de crianças declarado, que trabalhara como pastor de jovens em uma igreja em Conroe. A Convenção Batista do Sul, escreveu, não tem nenhuma autoridade organizacional sobre suas igrejas associadas, as quais operam de forma autônoma. Ele acrescentou que não "tinha uma opinião sobre como tratar de forma adequada as alegações de abuso sexual por membros da Igreja contra seus membros", e que qualquer testemunho sobre o assunto "afetaria desfavoravelmente [seu] canal de televisão, que agora é assistido diariamente na área da Grande Houston".) Era impossível separar a performance de superioridade da demonstração pública de virtude, valor ou fé. Certo ano, uma tropa de fisiculturistas cristãos aparecia regularmente na capela para rasgar listas telefônicas como uma demonstração da força que poderíamos obter por intermédio de Jesus. No Halloween, a igreja montou uma "Casa do

Julgamento", uma atração mal-assombrada na qual a personagem principal bebia cerveja em uma festa e então continuava pecando e acabava no inferno.

Cortar laços com essas performances canastronas era fácil. No entanto, por mais algum tempo, ainda segui com um intenso apetite por devoção. Por cerca de cinco anos — o fim do ensino médio, o início da faculdade —, voltei minha atenção para o interior, tentando construir uma igreja dentro de mim e enxergar a fé como algo que poderia me deixar mais próxima de algo puro e avassalador. Eu tinha um diário devocional, e nele produzi um registro de desejo espiritual feroz, irregular e dissolvido. Implorei por coisas que ainda acho muito reconhecíveis. *Ajude-me a não cair em nenhum tipo de fingimento*, escrevi. Eu dizia a Deus que queria viver de acordo com minhas crenças, que queria dar menos importância a mim mesma, que sentia muito por não ser uma pessoa melhor, que era grata por estar viva. *É difícil traçar o limite entre sentir prazer no propósito de Deus e alinhar o propósito de Deus com as coisas que me dão prazer*, escrevi entre duas entradas em que tentava entender se ficar bêbada era algo intrinsecamente errado. (Em minha escola, você poderia ser expulso por ofensas espirituais baseadas em caráter, como ir a festas, ser gay ou engravidar.) Fiquei entre esses dois lados de minha vida, tentando segurar as cordas que levavam a eles com uma tensão que eu não era mais capaz de sentir. Em algum momento, quase sem perceber, soltei um dos lados.

Ao longo dos anos em que fui me libertando de minha religião, li bastante C. S. Lewis, o mais estranho, mais razoável e mais literário dos escritores cristãos do século XX. Reli *O grande abismo*, em que o inferno é uma cidade drenada, cinzenta e enevoada onde nada acontece. Reli *Perelandra*, seu romance de ficção científica no qual o narrador Lewis encontra um espírito extraterrestre cuja cor ele não consegue nomear: "Tento azul, ouro, violeta, vermelho, mas nenhuma delas se encaixa. Como é possível ter uma experiência visual que imediatamente se torna impossível de ser lembrada é algo que não vou nem tentar explicar". Lewis conta então a história de um linguista, chamado dr. Ransom, que viaja para Vênus e experimenta, nesse planeta brutalmente belo, uma

> estranha sensação de prazer excessivo que, de alguma forma, parecia lhe ser comunicada por todos os seus sentidos ao mesmo tempo. Estou usando a palavra "excessivo" porque só o que o próprio Ransom conseguia dizer, em seus primeiros dias em Perelandra, era que ele tinha sido assombrado não por um sentimento de culpa, mas pela surpresa de que não tivesse esse sentimento.

Na maioria das vezes, voltava a reler *Cartas de um diabo a seu aprendiz* [no original, *The Screwtape Letters*], uma coleção de missivas fictícias enviadas por um demônio burocrático chamado Screwtape a seu sobrinho Wormwood, o "tentador aprendiz" que está tentando tirar seu primeiro humano do bom caminho. "O caminho mais seguro para o inferno é o caminho gradativo", Screwtape diz a Wormwood, "o declive suave, macio sob os pés, sem curvas repentinas, sem marcações, sem placas." Quando me deparei com essa frase, senti como se alguém estivesse lendo minha mão. Também o título do livro, *The Screwtape Letters*, com seus ecos de coincidência, me dava uma pista sobre meu relacionamento com seu tema central — as tentações comuns, no meu caso drogas e música, que poderiam levar uma pessoa ao inferno. Meu caminho fora de fato suave, embora pudesse ter havido algumas placas, se eu tivesse interesse em fabricá-las: eu poderia dizer, sem simplificar demais, que parei de acreditar em Deus na primeira vez em que tomei ecstasy.

Sempre achei a religião e as drogas atraentes por motivos parecidos. (*Você exige absolvição, abandono completo*, escrevi, orando a Deus no primeiro ano do ensino médio.) Ambas oferecem um caminho para a transcendência — uma maneira de acessar um mundo extra-humano de euforia e perdão que, nos dois casos, é tão real quanto parece. A palavra "ecstasy" já traz isso no sentido etimológico: derivada do grego *ekstasis*, *ek* significa "fora" e *stasis*, "imóvel". Estar em êxtase é ficar imóvel fora de si mesmo: um sentimento maravilhoso, acessível por muitas vias. O demônio de *Cartas de um diabo* diz a seu sobrinho: "Nada realmente importa, exceto a tendência de um determinado estado de espírito, em determinadas circunstâncias, de mover um sujeito específico em um momento específico para mais perto do Inimigo ou para mais perto de nós".

Em outras palavras, a causa importa menos do que o efeito; o que interessa não é a coisa em si, mas se essa coisa o move para mais perto de Deus ou para mais perto da danação. O demônio estava perguntando: quais são as circunstâncias que fazem com que você se sinta como algo sagrado, divino? Para mim, esse cálculo não era confiável. Fui dominada pelo êxtase em ambientes religiosos, durante períodos de excesso hedonista, em tardes de sexta-feira andando sóbria pelo parque enquanto o sol transformava tudo em ouro translúcido. De acordo com a visão de Screwtape, o fato de que eu via Deus em tudo ao meu redor garantiu que eu não continuaria sendo cristã. Nunca achei a Igreja muito mais virtuosa do que as drogas, e nunca achei as drogas muito mais pecaminosas do que a Igreja.

A primeira mulher a publicar um livro em inglês foi alguém que experimentava êxtases religiosos — Juliana de Norwich, a anacoreta do século XIV, cujo nome se originou possivelmente da igreja São Julião de Norwich, uma cidade a cerca de 150 quilômetros de Londres. Aos trinta anos, Juliana ficou tão doente que teve dezesseis prolongadas e agonizantes visões de Deus. Mais tarde, escreveu sobre elas em um livro chamado *Revelações do amor divino*. "E a próxima exibição de nosso Senhor trouxe um supremo prazer espiritual à minha alma", declara. "Esse prazer me deixou repleta de certeza eternal. [...] Tal sentimento me pareceu tão alegre e tão carregado de bondade que me senti completamente em paz, tranquila e descansada, como se não houvesse nada na Terra que pudesse me machucar." De noite, é tomada por um efeito rebote: "Isso durou apenas alguns instantes, e então houve uma reversão em meu sentimento e eu comecei a me sentir oprimida, cansada de mim mesma, tão enojada por minha própria vida que mal conseguia suportar viver".

Esse tipo de experiência é uma constante humana, e aparece em frases quase idênticas, em diversas épocas e motivadas por causas diversas. Nos anos 1960, o biólogo britânico Sir Alister Hardy criou um banco de dados com milhares de narrativas que se parecem muito com a de Juliana. Um homem escreveu:

Eu estava andando certa noite nas ruas movimentadas de Glasgow quando, em lenta grandiosidade, em uma esquina onde os pedestres passavam apressados e o tráfego da cidade se movia ligeiro, o ar foi invadido por uma música celestial; e uma luz abrangente, que se movia em ondas de cores luminosas, ofuscou o brilho das ruas iluminadas. Fiquei parado, sentindo uma estranha paz e alegria.

A compilação de Hardy é, tecnicamente, um compêndio de experiências religiosas — em um texto na revista *Aeon*, Jules Evans o chama de uma "Bíblia colaborativa". Mas o compêndio poderia muito bem passar como uma série de transcrições extraídas do Erowid, um site sem fins lucrativos do norte da Califórnia que cataloga experiências com substâncias psicoativas. O site tem mais de 24 mil depoimentos sobre drogas, e dezenas de milhões de pessoas o visitam a cada ano. As especificidades dessas narrativas variam, é claro, mas experiências de êxtase — as que fazem você ficar fora de si mesmo — são descritas de maneira muito semelhante. Uma história publicada no Erowid por um adolescente que tomou ecstasy no porão de casa não é muito diferente das transcrições de sessões supervisionadas conduzidas entre meados dos anos 1970 e 1980, o breve período em que o ecstasy e o ácido puderam ser utilizados em pesquisas médicas.

Durante esse período, o ecstasy era chamado de Adam porque induzia nos usuários a sensação de que estavam no Éden. Relatos das "sessões de Adam" foram compilados no livro *Through the Gateway of the Heart*, lançado em 1985. Uma mulher vítima de estupro descreve sua experiência com o ecstasy como "uma visão excepcional — uma vibração e mudança de cor, um aspecto expansivo, não contraído ou assustado —, e com uma espécie de aura radiante. Eu me sentia aberta e fisicamente exausta, mas cheia de amor e com um profundo sentimento de paz". Outra pessoa escreveu: "Eu dizia a mim mesmo que estava me tornando um lar para o Templo do Espírito Santo; ele verá através de meus olhos, e espera ver beleza, proporção e harmonia. [...] Pretendo me tornar um perfeito templo para a consciência de Deus". Outro usuário considera a droga um caminho religioso: "Eu permito, convido e me entrego a Deus em meu próprio corpo".

O ecstasy, agora cada vez mais chamado de *molly*, é um empatogênico, ou um entactogênico, uma categoria batizada nos anos 1980 que contempla os componentes capazes de gerar um estado de empatia, ou de um "toque interior". Seu nome técnico é metilenodioximetanfetamina, ou MDMA. Ele bloqueia a recaptação neuronal de serotonina, e induz a liberação de serotonina e dopamina. (Esse primeiro mecanismo é o que você encontra em muitos antidepressivos — os ISRS, inibidores seletivos de recaptação de serotonina, que mantêm a serotonina flutuando pelo cérebro.) O ecstasy foi desenvolvido em 1912 pelo laboratório Merck, na Alemanha, como um composto que poderia estancar um sangramento anormal. Nos anos 1950, o Exército americano o testou em animais. Na década de 1960, uma substância semelhante chamada MDA se tornou popular e ficou conhecida como "a droga do amor". Durante os anos 1970, vários cientistas — incluindo Leo Zeff, que havia batizado a droga de Adam — experimentaram a substância, e uma rede de praticantes de psicoterapia underground com MDMA começou a crescer. Em 1978, Alexander Shulgin e David Nichols publicaram o primeiro estudo realizado em seres humanos sobre os efeitos do ecstasy, que chamava a atenção para o possível potencial terapêutico da substância.

A obtenção do êxtase químico — empatogênese — ocorre em etapas. Primeiro, a droga direciona a atenção para o eu, eliminando as inibições do usuário. Depois, ela leva o usuário a reconhecer e valorizar os estados emocionais dos outros. Finalmente, ela faz com que o bem-estar do usuário pareça inseparável do bem-estar do grupo. A droga, "na maioria das pessoas, elimina completamente a resposta ao medo", escreve Julie Holland em seu abrangente guia clínico sobre o ecstasy. E diferentemente de outras drogas que provocam uma extraordinária euforia interpessoal, como ácido ou cogumelos, o ecstasy não deixa o usuário confuso em relação ao que está ocorrendo. Você mantém uma sensação de controle sobre sua experiência; sua consciência sobre si mesmo e sobre a realidade básica permanece inalterada. É em razão desse estado bem equilibrado que o ecstasy tem mais chances de causar uma duradoura sensação de salvação do que, digamos, as epifanias alucinógenas proporcionadas pela visão de um rosto nas nuvens. Tratava-se de "penicilina para a alma", disse Ann Shulgin, uma pesquisadora e terapeuta que era casada com Alexander. O ecstasy pode fazer, e geralmente faz, com que você se sinta a melhor versão da pessoa que seria se pudesse se livrar de todos os fardos psicológicos acumulados ao longo da vida.

Enquanto cientistas e médicos estavam trabalhando para documentar esses efeitos terapêuticos, as agências reguladoras se esforçavam para proibir o ecstasy. Nos anos 1950, um participante em um teste legal de MDA morreu depois de receber 450 miligramas da substância; entre 1977 e 1981, ao menos oito pessoas morreram depois de tomar MDMA. (A título de comparação, cerca de 90 mil pessoas morrem todos os anos nos Estados Unidos devido ao consumo excessivo de álcool, e quase 500 mil pessoas morrem a cada ano por fumar cigarro. O ecstasy não é, de forma alguma, uma droga casual, mas, se fosse legalizada, sua taxa de mortalidade pareceria minúscula diante da mortalidade causada pelo tabaco ou pelo álcool.) Em 1985, a agência de combate às drogas (DEA) proibiu o ecstasy, por meio de uma medida emergencial com validade de um ano. Os pesquisadores protestaram. Em 1986, pouco antes do término da proibição, um juiz do DEA recomendou que o MDMA fosse colocado na categoria III de substâncias controladas, na qual se enquadravam as drogas de uso medicinal, mas com um potencial de abuso e dependência de leve a moderado, como testosterona, cetamina e esteroides. Sua recomendação foi rejeitada. O MDMA foi colocado na categoria I, aquela das drogas com um alto potencial abusivo, nenhum uso médico comprovado e que põem em risco a segurança do usuário. A heroína está nessa categoria, assim como a cocaína e os sais psicoativos para banho, junto com drogas que realmente não se encaixam nos critérios, como o LSD e a maconha.

Por volta dessa época, um traficante deu o nome de "ecstasy" à substância. Embora seu nome não apareça na história do MDMA publicada em 1989 por Bruce Eisner, o traficante teria dito, ainda que eu desconfie da clareza desta frase: "A palavra 'ecstasy' foi escolhida por motivos óbvios, porque ia vender melhor do que se chamássemos de empatia. Empatia seria mais apropriado, mas quantas pessoas sabem o que isso significa?". A droga ganhou o mundo nos anos 1990, em raves de 5 mil ou 15 mil pessoas. Grandes lotes foram carimbados com o logotipo da Mitsubishi e enviados para Nova York, onde, na virada do século, as pessoas consumiam mais de 600 mil comprimidos todo fim de semana. A droga ainda era chamada de ecstasy meia década depois, quando a experimentei pela primeira vez durante a faculdade, momentos antes de um show do Girl Talk em uma sala onde cabiam 250 pessoas. Em 2011, quando voltei de meu trabalho voluntário no Corpo da Paz, o ecstasy havia sido rebatizado de *molly*, e mais uma vez era uma droga extremamente popular, projetada para a década dos festivais de música corporativos; era algo tão corriqueiro quanto feito para uma ocasião especial.

Muito do perigo atribuído ao ecstasy vem de lendas urbanas. Por exemplo, o velho boato de que o ecstasy transforma sua coluna vertebral em gelatina se originou em testes conduzidos nos anos 1980, durante os quais era necessário que os participantes passassem por uma punção lombar. A ideia de que a droga criaria buracos em seu cérebro pode ter surgido a partir de um artigo publicado no *New York Times* em 1989, no qual um pesquisador relatou que animais expostos ao ecstasy apresentaram danos cerebrais. (Também pode vir do fato de que, se você tomar muitas drogas, seu cérebro parece ficar cheio de buracos.) A adulteração dos comprimidos pelos traficantes é, hoje, o principal risco que o ecstasy apresenta — por um tempo, houve um lote de *molly* flutuando por Nova York que era tão venenoso e destruidor da alma que me deixou longe da substância por um ano inteiro —, junto com o usual perigo de ingerir quantidades imprecisas de uma droga em um ambiente onde ninguém está tomando muitas precauções. Também foi documentado que a magia do ecstasy é mais forte no início e se desgasta com a repetição. Em minha própria experiência, comecei a tomar cuidado com o uso: tenho medo de que o estado de euforia alcançado prejudique minha inclinação para a felicidade espontânea, a qual já pode estar desaparecendo. Tenho medo de que o efeito rebote que vem depois deixe um rastro permanente.

Mas só Deus sabe o quanto a experiência pode ser divina. Ela pode fazer com que você se sinta curado e tomado pela religiosidade; pode fazer com que você se sinta perigosamente selvagem. Qual é a diferença? Seu mundo é sacudido e se realinha em um trêmulo brilho oceânico. Você sente que sua alma irradia luz, é delicada e desconhece limites; você percebe que pode dar o melhor de si para todos que você ama sem nunca se sentir esgotado. É assim que se sente um filho de Jesus em uma capela escura, com seus vitrais projetados como diamantes na pele de todos que estão de joelhos ao seu redor. É assim que você se sente quando tem 22 anos, quase nua, seu cabelo soprando no vento enquanto um crepúsculo rosado se expande continuamente, o corpo todo ainda sentindo o calor do dia. Você foi feita para estar aqui. Você é depravada, insignificante, incomensurável; você é linda, e nunca será perdoada. Quando tomei ecstasy pela primeira vez aos dezessete anos no quarto de minha amiga e entrei em uma festa que era como uma caixa-preta suada, eu me sentia leve, como se estivesse voltando a uma verdade que aprendi na Igreja: tudo poderia acontecer e, acontecesse o que fosse, você seria salvo por uma espécie de graça que estava, ao mesmo tempo, dentro e fora de você. Uma das características de uma revelação é que não é preciso experimentá-la de novo. E, para se agarrar a ela pelo tempo que quiser, não precisa sequer acreditar no que foi revelado. Nos anos 1970, os pesquisadores acreditavam que o tratamento com MDMA seria discreto e limitado; que, como diziam, uma vez que ouvisse a mensagem, você poderia desligar o telefone. Você se tornaria alguém melhor por ter ouvido. Você se sentiria mudado.

Eles não dizem isso sobre religião, mas deveriam.

"E se eu começasse um ensaio sobre questões espirituais citando um poema que, inicialmente, não parecerá nada espiritual?", escreve Anne Carson no ensaio que dá título ao seu livro *Decreation*, publicado em 2005. O poema a que ela se refere foi escrito por Safo, a poeta grega que, segundo contam, se jogou de um penhasco em 580 a.C. porque amava demais Faonte, o barqueiro — embora, por razões sáficas, isso pareça bem improvável. Em "Descriação", Carson relaciona Safo com Marguerite Porete, a mística cristã francesa que foi queimada na fogueira em 1310, depois com Simone Weil, a intelectual francesa que, durante a Segunda Guerra, mostrou solidariedade com os residentes dos territórios ocupados pela Alemanha e morreu de autoinanição. A questão espiritual em discussão é o misticismo, uma linha de pensamento encontrada em quase todas as tradições religiosas: os místicos acreditam que, através de estados de consciência extática, uma pessoa pode alcançar a união com o divino.

Carson volta sua atenção para o Fragmento 31 de Safo, no qual a poeta olha para uma mulher que está sentada ao lado de um homem, rindo com ele. Safo descreve o que sente enquanto observa a mulher, e como essa visão a deixa sem palavras — *"thin/ fire is racing under skin"*,* diz a tradução de Carson, *"and in eyes no sight and drumming/ fills ears"*:**

---

* Tradução livre: "fino/ o fogo corre sob a pele". [N. T.]   ** Tradução livre: "e nos olhos nenhuma visão e um tamborilar/ preenche os ouvidos". [N. T.]

and cold sweat holds me and shaking
grips me all, greener than grass
I am and dead—or almost
I seem to me.*

O Fragmento 31 é uma das peças mais longas que restaram de Safo, preservada porque está na obra de crítica literária *On the Sublime*, escrita por Longinus no século I. No século XVII, John Hall fez a primeira tradução do Fragmento 31 para o inglês: o verso "mais verde do que a grama" [*"greener than grass"*], na versão de Hall, é "como uma flor murcha, eu desvaneço" [*"like a wither'd flower I fade"*]. Em 1925, Edwin Cox traduziu o verso como "mais pálida do que a grama no outono" [*"paler than grass in autumn"*]. A tradução de 1958 de William Carlos Williams também diz "mais pálida do que a grama" [*"paler than grass"*].

A palavra grega em questão é *chloros*, que é a raiz da palavra *chlorophyll* — uma cor verde-amarela pálida, como a da grama nova na primavera. Quando o eu lírico do poema se refere a essa cor, um tradutor poderia facilmente imaginar a mulher empalidecendo, desbotando: o "cavalo pálido" do Apocalipse é um cavalo *chloros*. Carson, de maneira maravilhosa, alcança o efeito oposto. Quando olha para a mulher que ama, o eu lírico se torna mais verde, o verso se torna uma expressão de êxtase em seu sentido original. Safo sai de si mesma; ela se observa de fora ("mais verde do que a grama/ eu estou" [*"greener than grass/ I am"*]). O amor fez com que ela abandonasse o próprio corpo, e esse abandono cria uma nova intensidade. O verde fica mais verde. À medida que o eu é removido, algumas características essenciais se aprofundam.

---

* Tradução livre: "e o suor frio me segura e os tremores/ me pegam firme, mais verde do que a grama/ eu estou, e morta — ou assim quase/ me pareço". [N. T.]

Dezessete séculos depois, Marguerite Porete escreveu *O espelho das almas simples*, um livro que acompanha a alma humana em sua jornada rumo ao êxtase — um estado de aniquilação voluntária que leva a uma perfeita união com Deus. Porete, cuja biografia permanece um mistério, mas que parece ter sido uma beguina — uma mulher que vivia em uma comunidade religiosa exclusivamente feminina —, "entende que a essência de seu eu humano reside no livre-arbítrio", escreve Carson. Ela acredita que seu livre-arbítrio "foi nela depositado por Deus para que ela possa devolvê-lo". Então Porete, em sua devoção religiosa, tenta se esgotar. Como Safo, Porete busca o amor, "que é um vazio absoluto, mas também uma absoluta plenitude". Ela descreve essa auto-humilhação espiritual de maneira erótica: a alma, escreve Porete, é "transformada na simples Divindade, em pleno conhecimento, para além do pensamento, sem emoções. [...] Mais alto ninguém pode ir, mais fundo ninguém pode ir, mais nu, nenhum ser humano pode estar". Por causa dessas palavras, Porete foi acusada de heresia e presa por um ano e meio. Quando a queimaram na fogueira, ela parecia tão calma que os espectadores foram às lágrimas.

"Descriação", finalmente, é uma palavra que vem de Simone Weil — seu termo para o processo de avançar na direção do amor de modo tão puro que faz com que você deixe a si mesmo para trás. Não há "absolutamente nenhum outro ato tão livre que nos seja dado a realizar", escreve Weil, exceto pelo ato de nos entregarmos a Deus. Sua escrita é movida por esse desejo compulsivo de se apagar. "A alegria perfeita exclui o próprio sentimento de alegria", escreve. "Porque na alma preenchida pelo objeto não resta nenhum canto para se dizer 'eu'." Ela sonha em desaparecer por completo: "Desejo desaparecer para que assim as coisas que vejo se tornem perfeitas em sua beleza, pelo exato motivo de não serem mais as coisas que vejo".

Para as três mulheres, há um paradoxo óbvio: sua fantasia de desaparecer reafirma a visão e a força extraordinárias de sua presença intelectual. Trata-se de um "fato espiritual profundamente complicado", escreve Carson. "Não posso ir com amor na direção de Deus sem me levar junto." Ser escritor acrescenta algo ao dilema: articular o desejo de desaparecer é reiterar o eu uma vez mais. Mais verde, não mais pálido. Porete calmamente queimando em Paris. Weil, brilhante e faminta, debruçando-se sobre seu fim.

Mais adiante, no livro de Carson, em um libreto dividido em três partes, a poeta imagina Weil na cama de um hospital, com o "coro do vazio sapateando ao redor dela". A Weil de Carson diz, em uma frase que me deixou arrepiada: *"Tinha medo de que isso pudesse não acontecer comigo"*. Ela expira no espaço em branco que vem depois do libreto, alcançando o ponto final lógico de sua filosofia da devoção: alcançá-lo pelo êxtase não é tão diferente do que alcançá-lo pela morte. "Nossa existência é feita apenas de sua espera por nossa aceitação de não existir", escreve Weil em *Gravity and Grace*. "Ele está constantemente implorando que devolvamos a existência que ele nos deu. Ele nos dá para depois pedi-la de volta." Compreender o tipo de apagamento no qual as três mulheres de Carson se fixaram é se aproximar de um limite cognitivo, um lugar de instinto e inconsciência, uma aniquilação total que só pode ser alcançada uma única vez. Eu me pergunto se é por isso que os cristãos evangélicos muitas vezes parecem tão ansiosos pelo Apocalipse, o profetizado fim dos tempos no qual eles morrerão e subirão ao céu. Quando você ama algo a ponto de almejar esvaziar-se por causa disso, você será perdoado por querer deixar que seu amor termine o trabalho.

A última vez que participei de alguma coisa em meu campus de dezesseis hectares da igreja foi em minha formatura do ensino médio. Usava um vestido de flores brancas sob uma toga azul-royal, e estava no palco do Centro de Adoração, olhando para as luzes brilhantes e os camarotes vazios, proferindo o discurso de formatura. Mal me lembro do que disse — sei que fiz ao menos uma piada sobre o Repentágono —, mas eu havia entregado para aprovação um discurso diferente do que realmente li e, ainda que meus colegas estivessem vibrando, quando cruzei o palco para aceitar meu diploma, um coordenador me sussurrou que a escola estava tentando não deixar que eu me formasse. Um amigo mais novo me disse que a escola retirou o discurso de seu registro oficial: o que quer que eu tenha dito não está mais no arquivo de vídeo das formaturas, que remonta a décadas.

No Natal seguinte, quando já cursava a faculdade e voltei a Houston, minha igreja realizou os cultos de fim de ano em conjunto com a enorme megaigreja de Joel Osteen no Toyota Center, a imensa arena no centro de Houston onde os Rockets jogam. Antes de me vestir para o culto da noite, passei a maior parte do tempo chapada com meu amigo Robert e, no meio do espetáculo, tudo aquilo me bateu. Um homem do programa *Dancing with the Stars* estava cantando, seu rosto enorme aparecendo no telão. Deixei meus pais, exatamente como tinha feito quando estava no ensino fundamental, me espremendo entre as cadeiras do estádio. Do lado de fora, no perímetro do culto, ambulantes vendiam pipoca, sanduíches de peito bovino e Coca-Colas de um litro. Fui ao banheiro, completamente impactada, e chorei. Achei que estava chateada por causa de minha própria capacidade de ser desleal, mas agora acho que estava de luto por ter sofrido uma enorme perda. Quando mandei um rascunho deste ensaio para Robert, perguntando se eu estava me lembrando da nossa igreja de maneira exata, ele disse que a única coisa que parecia errada era meu discurso. Eu havia escrito que eu certamente parecia distante, ingrata. "Você não falou um monte de merda no microfone", ele escreveu. "De um modo peculiar e muito humano, pareceu um ato de amor."

Eu me pergunto se teria continuado uma pessoa religiosa se tivesse nascido em outro lugar que não fosse Houston, e em outra época que não fosse agora. Pergunto-me o quão diferente eu seria se tivesse me apegado a esse sentimento de autodestruição devota — ou mesmo de solidão e esforço ou, à maneira das três mulheres de Carson, à escrita — e só conseguisse encontrá-lo por intermédio de Deus. Não sei dizer se minha inclinação ao êxtase é um sinal de que, depois de tudo isso, eu ainda acredito, ou se foi essa minha tendência extática que me fez acreditar em primeiro lugar.

Às vezes me pergunto se continuei usando drogas *porque* elas me fazem sentir do jeito que eu me sentia quando era pequena, uma criação descomplicada, vulnerável à culpa e à benevolência. Na primeira vez em que experimentei cogumelos, me senti perfeita, condenada e resgatada, como se alguém tivesse acabado de me dizer que eu estava indo para o céu. Caminhei por uma praia e tudo se fundia à lógica psicótica brega de "Pegadas na areia". Na primeira vez em que tomei ácido, vi Deus novamente — as árvores e as nuvens ao meu redor brilhando com sua presença, como a sarça ardente de Moisés. Totalmente fora de mim, escrevi em um guardanapo: "Agora não consigo processar nada que não termine na presença de Deus — essa revelação que pareço sempre pronta para ter em formas degradadas".

Recentemente, peguei-me fazendo isso de novo — dessa vez no deserto, aquele centro perene de loucura, punição e epifania, em uma casa sobre um cânion onde o sol e o vento eram incandescentes, sufocantes e impiedosos, riscando e cintilando no céu azul brilhante. Saí da casa e desci o vale. Andando entre os arbustos, comecei a sentir que as drogas estavam fazendo efeito. A vegetação seca se tornou brilhante — mais verde — e, passando rápido como um torpedo, um beija-flor me fez congelar. Pela primeira vez, eu estava vivendo a fantasia de desaparecimento de Weil. Cada respiração parecia ecoar de forma estridente; uma reverberação impura. Queria ver a paisagem como ela era quando eu não estava lá. Eu tinha puxado um tecido, e tudo estava ondulando. Eu chegara ao fio da navalha do desaparecimento. Durante horas, observei o redemoinho ofuscante de luz e nuvem se movendo para oeste, e me senti arrependida. Ao cair do sol, o céu ondulava como peônias de quilômetros de extensão, a apenas alguns palmos acima de mim, e parecia uma visitação, como se Deus estivesse substituindo o ar em meus pulmões. Eu chorei — atingida por um amor que eu sabia que se afastaria de mim, envergonhada por todas as minhas tentativas de chegar até ele, humilhada pela graça de agora encontrá-lo. Então finalmente me arrastei para dentro da casa e me olhei no espelho. Meus olhos estavam borrados de maquiagem preta, meu rosto estava vermelho, meus lábios, inchados; uma espessa substância esbranquiçada estava teimosamente grudada em minha boca. Eu parecia uma drogada. Encontrei um pedaço de papel e escrevi nele, depois de perceber que a tinta parecia estar respirando: "Os momentos da minha vida em que senti simpatia pelo desespero são os momentos em que tive certeza de que estava encontrando Deus".

Não sei se estou buscando a verdade ou me apegando à sua meia-vida minguante, nem se isso faz alguma diferença. Apenas espero me lembrar de que minha disposição extática é, para mim, a fonte do bem — espontaneidade, devoção, doçura —, mas também das piores coisas — negligência, vazio, equívocos deliberados. Estou tentando me livrar da ilusão de que qualquer tipo de domingo me pertence. O sentido de algo não é sua substância. Tentar tornar duas coisas intercambiáveis quando elas não o são não é amor. Em *Revelações do amor divino*, Juliana de Norwich descreve o pecado como *"behovely"*, que pode ser traduzido como "vantajoso" ou até "conveniente". "Não é vergonha para eles que tenham pecado", escreve "mais do que é na bem-aventurança do céu, pois ali, a marca de seus pecados é transformada em glória." Mas então, ao final do livro, ela alerta o leitor de que seu trabalho "não deve permanecer com alguém que está sob o domínio do pecado ou do demô-nio. E tome cuidado para não tomar uma coisa de acordo com seu gosto e fantasia e deixar outra de lado, pois é isso que os hereges fazem".

Mas o que nós somos, além de nossa própria versão de glória? No outono de 2000, DJ Screw foi encontrado morto, completamente vestido, no chão do banheiro de seu estúdio. Tinha 29 anos. Segurava uma embalagem de sorvete em uma das mãos. Na autópsia, os legistas constataram que seu corpo estava cheio de codeína; seu sangue fluía com Valium e PCP. Seu coração estava ingurgitado, enorme. No funeral, em Smith-ville, escreveu Michael Hall no *Texas Monthly*, os velhos can-taram música gospel e os rappers assentiram silenciosamente durante os hinos. As pessoas formaram uma fila do lado de fora da igreja da mesma maneira como haviam feito na frente da casa de Screw para pegar suas fitas, lamentando a morte do homem da mesma maneira que obtinham sua música — aquele som que ele havia criado que se aproximava da fissura por drogas, apesar do que Screw dizia aos repórteres; o som que mimetizava o fluxo de todas essas substâncias, obscurecendo as autoestradas em looping, largas e anônimas, uma simples e sublime profanação que se infiltrava no coração e nas veias de uma cidade, que marcava o ritmo de seus habitantes, pas-sando um pelo outro dentro de seus carros.

No ano da morte de Screw, peguei um ônibus para o Ala-bama com um grupo de mil outras crianças. Em uma praia no meio do nada, participamos de um batismo coletivo, jogando as mãos para cima em cultos enormes nos quais todos choravam na escuridão. Tateamos um ao outro depois disso e passamos o dia conversando sobre sermos salvos. Mais tarde, foi um dos garotos dessa viagem que esticou as carreiras no balcão da cozinha de minha amiga enquanto eu caminhava na piscina, bêbada do xarope doce, olhando para as estrelas. Há algumas instituições — drogas, Igreja e dinheiro — que alinharam a superestrutura da riqueza branca de Houston com a cultura negra e marrom que está embaixo dela. Há alguns sentimentos, como o êxtase, que formam um elo inquebrável entre vício e virtude. Você não precisa acreditar em uma revelação para se apegar a ela, para se lembrar de certos viadutos, ângulos repentinos abaixo e acima das frias curvas sem coração daquela paisagem industrial, um lento rio de luzes longínquas piscando em branco e vermelho, e o céu corrompido brilhando sobre as casas, hospitais e megaigrejas, e seu sangue tamborilando com as drogas ou a música, ou a santidade. Pode parecer uma miragem da totalidade: os 25 mil quilômetros quadrados ao seu redor repletos de milhões de pessoas que fazem as mesmas coisas, dirigem sob os mesmos efeitos, guardam os mesmos domingos, com a música que soa como sua religião. "Nossa vida é impossibilidade, é absurdo", escreveu Simone Weil. "Tudo o que queremos contradiz as condições ou consequências associadas a isso. [...] Isso acontece porque somos uma contradição — sendo criaturas —, sendo Deus, e infinitamente diferentes de Deus."

6.
A história de uma geração
em sete golpes

Billy McFarland iniciou sua vida de golpista aos 22 anos. Nascido em 1991, filho de empresários do ramo imobiliário, McFarland passou nove meses na Universidade Bucknell antes de entrar em uma aceleradora de startups, e então desistiu dela e fundou uma empresa sem sentido chamada Spling. (O site Crunchbase a descreve como uma "plataforma de anúncios que, ao otimizar a apresentação de conteúdo das marcas, aumenta seu engajamento de mídia e sua receita de marketing". Isso aconteceu em 2011, quando ainda era possível falar esse tipo de coisa sem rir; foi o ano em que Peter Thiel, investidor libertário e um dos membros fundadores do conselho do Facebook que certa vez escreveu que o sufrágio das mulheres havia comprometido a democracia, começou a oferecer bolsas de 100 mil dólares para empreendedores que largassem seus estudos.) Em 2013, McFarland fundou a Magnises, uma empresa que cobrava de *millennials* em ascensão social a quantia anual estranhamente modesta de 250 dólares em troca de ingressos VIP e acesso a um clube exclusivo. A Magnises dava a seus membros um cartão preto "assinatura", que duplicava a tira magnética de um cartão de crédito já existente, mas não oferecia nenhuma outra vantagem: como a própria empresa, o cartão servia apenas para que as pessoas se exibissem.

A Magnises ("Termo em latim para absolutamente nada", disse McFarland) atraiu uma mídia fervorosa e um número crescente de membros, selecionados a partir do infinito grupo de jovens nova-iorquinos que querem projetar uma aura de exclusividade. "Billy McFarland quer ajudá-lo a construir uma perfeita rede de contatos", escreveu o site Business Insider, descrevendo a Magnises como "um clube para *millennials* de elite em que todos recebem um cartão preto e fazem festas em uma cobertura em Nova York". A fase de ouro durou menos de um ano. Os membros compravam ingressos caros de shows e peças de teatro que misteriosamente se tornavam inválidos no dia do espetáculo. McFarland disparava mensagens de texto com ofertas insistentes: um "jantar privado de networking" a 275 dólares por pessoa, ou skates elétricos entregues na porta de casa. "Além disso, tenha uma Maserati c/ um motorista neste fim de semana." Digite LMK [*let me know*] se estiver interessado." Às vezes, bizarramente, suas ofertas envolviam o rapper Ja Rule. No Ano-Novo de 2016, McFarland mandou uma mensagem que dizia: "Feliz Ano-Novo! Ja Rule está trabalhando em uma música nova e pode mencionar seu nome, apelido, empresa etc. no próximo hit. $450. 5 vagas. LMK!". Mais tarde, nos documentários eticamente duvidosos sobre a derrocada de McFarland, lançados de forma quase simultânea na Netflix e na Hulu — eu apareço no da Hulu, embora, ao contrário de McFarland, não tenha recebido uma enorme quantia para isso —, ex-funcionários da Magnises explicaram o padrão fraudulento do negócio: McFarland fazia ofertas que não podia bancar, então se endividava tentando bancá-las parcialmente, depois oferecia mais ofertas falsas para pagar essa dívida, e assim por diante.

Em janeiro daquele ano, a Magnises chegou a um acordo sobre um processo de 100 mil dólares movido pelo proprietário do imóvel que a empresa alugava no West Village, o qual alegava que McFarland estava usando um espaço residencial para fins comerciais, e também que ele havia destruído o lugar. Sem problemas. McFarland transferiu a Magnises para a cobertura do Hotel on Rivington, no Lower East Side. A essa altura, a empresa havia levantado pelo menos 3 milhões de dólares em capital de risco, mas seus clientes estavam ficando frustrados. "Se você mudar algumas palavras, poderá definir a Magnises de maneira muito parecida com um esquema Ponzi", alguém escreveu em uma avaliação no Yelp sobre a Magnises Townhouse de 2016. Outra: "Por favor, não faça nenhum tipo de negócio com essa empresa. Estou totalmente envergonhado de ter sido enganado por ela".

Na esfera pública, a Magnises parecia avançar vagarosamente, mas, no âmbito privado, a empresa estava entrando em colapso. McFarland se gabava de seus 100 mil membros; na realidade, menos de 5 mil pessoas haviam se inscrito. Ele voltou sua atenção para outro projeto, Fyre Media, que imaginava como uma plataforma em que pessoas ricas poderiam dar um lance e contratar celebridades para eventos privados. Ja Rule estava envolvido nisso. A amizade dos dois havia florescido graças a um "interesse mútuo na tecnologia, no oceano e no rap", Ja Rule diria aos repórteres mais tarde. Juntos, os dois levantaram dinheiro para a Fyre Media. E então, quando 2016 estava quase terminando, McFarland teve uma das ideias mais infelizes da história norte-americana das fraudes. Ele iria promover sua empresa através de um festival de luxo nas Bahamas. Decidiu que o primeiro Fyre Festival, um evento anual, seria realizado em abril de 2017.

Seria difícil planejar um casamento de tamanho médio com quatro meses de antecedência; era um intervalo de tempo absolutamente impossível para organizar um festival de música com tudo incluído em uma praia distante para um público de 10 mil pessoas. É provável que McFarland entendesse isso sem nem pensar duas vezes se, por exemplo, trabalhasse prestando serviços reais de qualquer tipo, ou se alguma vez tivesse tido um emprego de garçom ou ganhado salário mínimo em uma lanchonete, ou se, pelo menos uma vez na vida, tivesse ido a um *festival de música*, o que, surpreendentemente, ele nunca havia feito. Em vez disso, o sujeito de 25 anos estava construindo uma carreira com base no princípio de que uma pessoa poderia fingir para atingir qualquer realidade desejada. Além do mais, McFarland explorou um veio profundo de clientes ansiosos para acreditar nesse mesmo princípio. Ele criou um site e começou a vender ingressos para um festival único e imperdível em "Fyre Cay", que descreveu como uma ilha privada que pertencera ao traficante colombiano Pablo Escobar. O Fyre Festival divulgou uma série de grandes atrações musicais, uma festa extremamente instagramável e acomodações superluxuosas. Os participantes poderiam escolher uma das várias opções de acomodações sofisticadas — a mais cara, o "Palácio do Artista", custava 400 mil dólares e oferecia quatro camas em uma casa customizada com uma praia privativa. Também estavam incluídos oito ingressos VIP e um jantar com um artista do festival.

Nunca houve um plano para construir esses Palácios de Artistas. Além disso, Fyre Cay nem sequer existia. (Carlos Lehder, outro chefão de Medellín, *tinha* se instalado brevemente em uma pequena ilha das Bahamas chamada Norman's Cay, mas a história de McFarland sobre Pablo Escobar era falsa.) No início de 2017, McFarland foi para as Bahamas em um jatinho particular para filmar um vídeo promocional caro de divulgação do Fyre Fest, que incluía modelos em poses provocantes nas ondas azuis e na areia luminosa. Para promover o evento no Instagram, ele pagou as modelos Emily Ratajkowski, Kendall Jenner e Bella Hadid, além de centenas de outros "influenciadores"; Jenner recebeu 250 mil dólares por um único post. Mas ele definiu um lugar de verdade apenas dois meses antes do festival; um terreno coberto de cascalho ao lado de um resort da Sandals, na ilha não particular de Exuma. (A solução óbvia aos 45 do segundo tempo teria sido tentar acomodar todos os participantes no resort. Pelo menos foi isso o que aconteceu no Bacardi Triangle, um fim de semana de 2016 no qual a Bacardi inexplicavelmente mandou milhares de pessoas ao Triângulo das Bermudas para ver Calvin Harris e Kendrick Lamar tocarem na praia. Eles nos puseram — eu estava lá, é claro — em um enorme resort em Porto Rico, e nos ofereceram três dias de bebida liberada. Era como o Fyre Fest, com a diferença de que deu certo, e também pelo fato de que éramos nós que estávamos enganando a Bacardi. De qualquer forma, é difícil explicar qualquer parte do plano de McFarland, pois, para a data do festival, ele escolheu o mesmo período da regata anual de George Town, de maneira que a maioria dos hotéis da ilha já estava lotada.)

Em março, com as bandas Blink-182, Major Lazer e Disclosure confirmadas como as principais atrações do festival, uma equipe de produção voou para o lugar. Chloe Gordon, uma produtora de talentos, fazia parte da equipe. "Antes de chegarmos, fomos levados a acreditar que as coisas estavam andando havia um tempo", ela escreveu mais tarde no site The Cut. "Mas nada tinha sido feito. Os quiosques dos vendedores não estavam no lugar, o palco não fora alugado, arranjos de transporte não haviam sido providenciados." Banheiros, chuveiros e acomodações também não existiam. No local do evento, trabalhadores bahamenses jogavam areia no concreto; McFarland estava forjando recibos de transferência bancária e dizendo a eles que o dinheiro estava a caminho. Gordon pediu demissão quando percebeu que a Fyre Media pretendia passar a perna nas bandas. Antes de deixar as Bahamas, ela participou de uma reunião na qual os "bróders" no comando foram aconselhados a mudar a validade dos ingressos para 2018 e começar tudo de novo. Eles rejeitaram essa ideia. Segundo Gordon, alguém do departamento de marketing disse: "Vamos fazer esse negócio e nos tornar lendas, cara".

No final, é claro, o Fyre Fest se tornou mesmo lendário: foi o desastre mais alegremente midiatizado de 2017. McFarland levou até o último minuto sua operação obviamente condenada. FuckJerry, a empresa que cuidou do marketing do Fyre Fest e depois produziu o documentário da Netflix sobre o festival, excluiu em massa os comentários no Instagram de pessoas que queriam saber por que ainda não tinham recebido nenhuma informação sobre seus voos ou sobre como eram realmente os alojamentos. Na semana anterior ao festival, momento em que McFarland ficou de novo sem dinheiro, os participantes receberam e-mails e ligações solicitando que pré-carregassem suas pulseiras com milhares de dólares, pois as transações durante o Fyre Fest seriam feitas através delas, e não em dinheiro. Mas nenhuma banda foi paga, e todas se retiraram do festival um pouco antes de ele começar. Em Miami, os voos fretados não se materializaram na frente das pessoas. Alguns participantes do festival conseguiram chegar às Bahamas, onde foram encharcados de álcool e então levados para o local ainda em obras, com tendas para alívio de desastres ao estilo Unicef, colchões moles ensopados de chuva, cadeiras dobráveis e contêineres de carga com lixo transbordando. Nas mesas vazias da entrada, pedaços de lona com o nome do festival ondulavam com a brisa. No lugar das refeições gourmet, as pessoas receberam caixas de isopor e tristes sanduíches de queijo e alface murcha. A multidão começou a entrar em pânico — e a tuitar fotos de sua mistura de Coachella com gulag. A isso, seguiu-se o caos. As pessoas começaram a juntar colchões e papel higiênico. McFarland, desesperado, aconselhou-as a dormirem na primeira tenda aberta que encontrassem. Várias dezenas de pessoas foram trancadas em uma sala do aeroporto depois de implorarem aos moradores locais por uma carona para sair dali. A internet cheirava cada notícia que chegava de Exuma como uma linha de *schadenfreude* de primeira qualidade.

Em junho de 2017, McFarland foi preso e acusado de fraude. Além de ter enganado as pessoas que compraram ingressos para o festival, ele havia falsificado completamente a situação financeira da Fyre Media — no início daquele ano, McFarland declarou que a empresa tinha uma receita mensal de 21,6 milhões de dólares, e que era proprietária de terras nas Bahamas com valor estimado em 8,4 milhões. Ele enganou e roubou uma enorme quantidade de empresas e trabalhadores, muitos deles bahamenses cujo sustento dependia daquele trabalho, fazendo com que acreditassem que o Fyre Fest seria uma enorme oportunidade anual. E, ainda assim, o destemido McFarland continuou aplicando golpes: mais tarde, naquele mesmo verão, ele se escondeu em uma cobertura e, através de uma empresa chamada NYC VIP Access, vendeu 100 mil dólares em ingressos falsos para eventos exclusivos, alguns dos quais McFarland tinha inventado totalmente. De acordo com uma denúncia federal de 2018, ele *mirou novamente* nas pessoas que compraram ingressos para o Fyre Fest por trás do escudo de seu novo projeto, escolhendo-os por meio de uma planilha que identificava os clientes com as maiores rendas anuais. Quando li esse detalhe, senti algo próximo da admiração. Pensei em como, no meio do frenesi em tempo real das redes sociais, Ja Rule tuitou que o Fyre Fest "NÃO ERA UM GOLPE". A frase funcionou como o corte de uma fita em uma cerimônia de inauguração. Ela anunciava McFarland, a quem o *The New York Times* chamou de "um Gatsby com um filtro de Instagram", como o grande golpista de sua geração, e o Fyre Fest não apenas como mais um golpe, mas como o golpe definitivo — o primeiro grande evento fraudulento do país voltado para *millennials*.

O Fyre Fest navegou pela Montanha Fraudulenta com toda a força e a velocidade de uma mudança cultural que, na última década, transformou o caráter do país de modo sutil, mas permanente, fazendo com que a fraude — o abuso de confiança com fins lucrativos — parecesse apenas o jeito como as coisas seriam daqui para a frente. Isso aconteceu depois da eleição de Donald Trump, uma incontestável e humilhante prova de que a fraude vem a ser o éthos americano por excelência. Isso aconteceu depois que uma grande onda sorridente de iniciativas feministas e mulheres empreendedoras relacionou, de maneira convincente, a aquisição de riqueza com a política progressista. Isso aconteceu depois da ascensão de empresas como a Uber e a Amazon, que quebraram a economia e então venderam um deslocamento barato até a loja de fita adesiva, isso tudo enquanto prometiam tornar o mundo um lugar melhor e mais conveniente. Isso aconteceu depois do advento dos reality shows e do Facebook, que se valeram dos recursos naturais renováveis de nosso narcisismo para criar um mundo onde nosso eu, nossos relacionamentos e nossa personalidade não fossem apenas monetizáveis, mas algo que dependia da constante monetização. Isso aconteceu depois que os custos do ensino superior dispararam, e que os jovens recém-formados foram jogados em empregos de salários baixos em um mundo que está batendo recordes de desigualdade econômica. Por fim, isso aconteceu depois da crise financeira de 2008, o evento que inaugurou a ideia de que, na era dos *millennials*, a maneira mais rápida de vencer é enganando alguém.

O crash

Em 1988, Michael Lewis, então com 27 anos, saiu de seu emprego no Salomon Brothers — o banco de investimentos que vendeu o primeiro título de crédito hipotecário — e escreveu um livro chamado *O jogo da mentira*. O livro trazia um retrato de Wall Street nos anos posteriores à desregulamentação federal, uma época em que o mercado vinha florescendo, repleta de sujeitos habilidosos, cínicos e sortudos que haviam tropeçado em um mundo de lucro e manipulação extrema. Lewis, um garoto inexperiente de vinte e poucos anos, viu-se, de uma hora para outra, responsável por milhões de dólares em ativos, isso sem que entendesse totalmente o que estava acontecendo. Em 2010, revisitando esse período, Lewis observou: "A coisa toda ainda me parece totalmente absurda. Achei que a situação era insustentável. Em breve, alguém iria me considerar, eu e muitas pessoas mais ou menos parecidas comigo, uma fraude". Ele acreditava que *O jogo da mentira* permaneceria sendo o retrato de uma época, um documento sobre como "uma grande nação perdeu sua cabeça financeira". Ele não esperava que, depois da crise de 2008, o mundo financeiro dos anos 1980 fosse parecer quase pitoresco.

Lewis fala sobre essa crise em *A jogada do século*, que descreve os mecanismos absurdamente complicados que os banqueiros criaram para inflar o mercado imobiliário de meados dos anos 2000 e então monetizar uma quantidade descomunal de hipotecas de alto risco, até que, inevitavelmente, todo o sistema entrou em colapso. Leis contra empréstimos predatórios haviam sido revogadas em 2004, o que permitiu que a concessão de hipotecas fosse estendida a pessoas que nunca poderiam pagá-las; isso, por sua vez, fez com que o número de potenciais compradores de imóveis fosse basicamente infinito. Em alguns lugares, os preços dos imóveis subiram em até 80%. As pessoas financiavam suas casas por meio de empréstimos para aquisição de imóveis, um esquema que funcionaria enquanto os preços continuassem subindo, e os preços continuariam subindo enquanto as pessoas continuassem comprando. Para manter o sistema funcionando, as hipotecas eram concedidas aos quatro ventos: era possível obter um empréstimo sem fornecer documentos financeiros, sem passar por uma verificação de crédito ou sem a necessidade de um pagamento de entrada. Um tipo de empréstimo *subprime* era chamado de NINJA, que significava que os clientes não tinham renda, emprego ou patrimônio [*no income, no job or assets*]. O setor financeiro disfarçou a instabilidade desses arranjos com termos e instrumentos obscuros: os CDOs, torres de dívida que seriam cobertas pelo pagamento de hipotecas podres, e os CDOs sintéticos, torres de dívidas que seriam cobertas por pagamentos de seguro nessa dívida podre. Em *A jogada do século*, um jovem banqueiro diz a Lewis: "Quanto mais olhávamos para o que era realmente um CDO, mais pensávamos: *Puta merda, isso é loucura. Isso é fraude.* Talvez você não possa provar isso em um tribunal. Mas é fraude".

Enquanto a bolha imobiliária se expandia, eu estava na faculdade, e tudo no país parecia estar seguindo o mesmo ritmo alucinado. O Goldman Sachs e a McKinsey vieram ao meu campus e recrutaram meus colegas mais intensos para o tipo de vida que garante dinheiro para entradas de imóveis e instituições particulares de ensino. Eu assistia a *America's Next Top Model* e *Project Runway*, programas que eram agitados, extravagantes e acelerados, e *Laguna Beach*, em que o mundo era composto por longas bancadas de granito, estuque ocre, palmeiras e piscinas infinitas. A ascensão social parecia oxigênio — algo corriqueiro e onipresente. Eu escrevi um projeto de tese sobre o sonho americano. Então, em 2007, os preços dos imóveis começaram a baixar rapidamente. Uma grande onda de inadimplência nas hipotecas começou a surgir. Sempre que eu passava pelas televisões do centro estudantil, parecia haver uma nova filmagem de uma família com seus pertences na calçada, diante da casa que tinha perdido. Tarde da noite, eu ficava na frente de meu notebook, constrangida, revisando. Eu estava escrevendo sobre imigrantes, e sobre como a incerteza era um elemento central para o feitiço americano. Mas o cenário havia subitamente mudado da prosperidade para o colapso.

Em setembro de 2008, a instituição financeira Lehman Brothers foi a primeira a declarar falência. A AIG foi a próxima, e recebeu uma ajuda federal de 182 bilhões de dólares. (Apesar de ter registrado uma perda de 61 bilhões de dólares no final de 2008 — a pior perda trimestral de uma empresa em toda a história —, a AIG concedeu 165 milhões em bônus à sua divisão de serviços financeiros no ano seguinte.) Então veio a recessão global. O desemprego e a desigualdade econômica dispararam. De 2005 a 2011, o patrimônio líquido das famílias cairia 35%. Outros países poderiam ter prendido os banqueiros que fizeram isso. A Islândia condenou 29 executivos de instituições financeiras por delitos que antecederam a crise de 2008; um CEO foi para a cadeia cumprir uma sentença de cinco anos. Mas, nos Estados Unidos, todos os banqueiros foram socorridos pelo governo. Alguns se tornaram mais ricos depois do pesadelo.

A crise financeira foi uma pegadinha clássica — um golpe baseado em confiança, realizado por homens de confiança. A primeira pessoa a receber a designação oficial de vigarista foi William Thompson, às vezes chamado de Samuel, um ladrãozinho cujos delitos foram relatados pelo *The New York Herald* no verão de 1849. "Nos últimos meses, um homem conhecido como o 'Homem de Confiança' tem andado pela cidade", começa o primeiro artigo. Vestido com um terno respeitável, Thompson abordava estranhos, conversava educadamente com eles e depois perguntava: "Você confia em mim para deixar seu relógio comigo até amanhã?". A cobertura constante do *Herald* sobre Thompson era tão divertida que o apelido "homem de confiança" acabou pegando. Mas Thompson, na verdade, era um péssimo "homem de confiança": outros oportunistas vinham havia muito tempo trabalhando com táticas melhores. Vigaristas de verdade não precisam pedir seu relógio ou sua confiança. Eles agem de tal maneira que você se sente com sorte por lhes dar algo — ansioso por fazer uma aposta certa em uma corrida de cavalos ou colocar seu dinheiro em um fundo de investimento incrivelmente bem-sucedido, ansioso para voar até as Bahamas para ir a uma festa que não existe.

Em 1849, três dias depois de Thompson ser preso, o *Herald* publicou um editorial não assinado cujo título era "'O Homem de Confiança' em larga escala", que expressava ironicamente condolências por Thompson pelo fato de ele não ter tido a chance de trabalhar em Wall Street.

Sua genialidade foi usada em pequena escala na Broadway. A deles foi usada em Wall Street. Essa é toda a diferença. Ele obteve meia dúzia de relógios. Eles embolsaram milhões de dólares. Ele é um escroque. Eles são exemplos de honestidade. Ele é um trapaceiro. Eles são investidores. Ele é capturado pela polícia. Eles são amados pela sociedade. Ele come as refeições da prisão. Eles aproveitam os luxos de um palácio. [...] Vida longa ao verdadeiro "Homem de Confiança"! — o "Homem de Confiança" de Wall Street — o "Homem de Confiança" dos palácios dos bairros residenciais — o "Homem de Confiança" que se enche e se entope saqueando o homem pobre e o homem de recursos moderados!

O editorial continua, oferecendo conselhos cáusticos a Thompson:

Ele deveria ter publicado um prospecto inflamado sobre outro grande esquema de melhoria interna. Deveria ter feito todos os contratos segundo seus próprios termos. Ele deveria ter envolvido a empresa em dívidas, através de um gasto corrupto e extravagante do capital subscrito de boa-fé dos homens pobres e dos homens de recursos moderados. [...] Ele deveria ter levado os acionistas à falência. Ele deveria ter liquidado toda a preocupação e colocado tudo em suas próprias mãos para o pagamento de seus "títulos". Ele deveria ter atraído, durante todo esse tempo ocupado pelo processo de "confiança", um salário magnífico; e, escolhendo o momento exato e apropriado, ele deveria ter se aposentado com uma vida de virtuosidade simples, consciência limpa e 1 milhão de dólares!

O golpe está no DNA dos Estados Unidos, que foram fundados sobre a ideia de que é bom, importante e até mesmo nobre reconhecer uma oportunidade de lucro e tirar dela tudo o que se puder tirar. A história é tão antiga quanto o primeiro jantar de Ação de Graças. Vigarista e seu alvo querem ambos tirar vantagem da situação; a diferença entre eles é que o vigarista é o bem-sucedido. A crise financeira de 2008 foi uma demonstração prolongada e extravagante de que a melhor coisa que uma pessoa pode fazer nos Estados Unidos, se estiver em busca de segurança financeira, é se tornar realmente boa em explorar outras pessoas. Isso sempre foi verdade, mas está se tornando ainda mais abrangente. E é uma péssima lição para ser aprendida da maneira que nós, *millennials*, a aprendemos — exatamente quando estávamos nos tornando adultos.

O desastre das dívidas estudantis

Depois da crise financeira, quase 25% das casas com hipotecas nos Estados Unidos valiam menos do que a quantia que seus proprietários deviam aos bancos; em Nevada, 65% das casas estavam nessa situação; no Arizona, eram 48%; na Califórnia, mais de um terço. (A maioria dessas pessoas, é claro, havia comprado imóveis entre 2005 e 2008.) Dívidas imobiliárias são a maior fonte de dívida das famílias americanas. Durante muito tempo, o segundo lugar era das dívidas relacionadas à compra de carros. Mas, em 2013, a dívida estudantil — o segundo golpe que definiu uma geração — galgou até o segundo lugar.

Corrigidos pela inflação, os custos para cursar uma universidade particular são hoje três vezes maiores do que eram em 1974. Nas faculdades públicas, os custos são quatro vezes maiores.

Os preços dos automóveis, por outro lado, se mantiveram estáveis. E a renda média e o salário mínimo praticamente não mudaram. Em algum ponto da segunda metade dos anos 1990, tornou-se matematicamente impossível para um estudante pagar uma faculdade com seu trabalho, e os mecanismos de ajuda financeira não conseguiram dar conta da disparidade entre o que os estudantes precisam e o que eles de fato têm. Desde o surgimento da geração *millennial* até o presente, o valor médio da dívida dobrou: os que concluíram seus estudos de graduação em 2003 tinham uma dívida média de cerca de 18 mil dólares; em 2016, a média subiu para mais de 37 mil dólares. Mais de dois terços dos graduados têm dívidas estudantis relativas a cursos de graduação, e quase um quarto dos que fizeram uma pós-graduação tem uma dívida superior a 100 mil dólares. A situação costuma ser tão punitiva que parece ser adequada a um crime real. Se você receber 37 mil dólares em um empréstimo federal a ser quitado em trinta anos, acabará pagando mais de 50 mil dólares em juros. O programa federal que perdoa dívidas estudantis rejeitou 99% dos pedidos de perdão. Hoje em dia, é muito fácil que os estudantes devedores se endividem por um diploma que, no fim das contas, vale muito menos do que aquilo que pagaram por ele.

Há muitas similaridades entre a bolha imobiliária e a bolha do ensino superior. Assim como no caso das instituições financeiras que ofereciam hipotecas *subprime*, as universidades com fins lucrativos quase sempre agem de má-fé ao concederem empréstimos estudantis. O governo Obama nacionalizou quase todo o setor de empréstimos estudantis em 2010 como parte da lei conhecida como Affordable Care Act, e então essa rede de dívidas securitizadas passou a ser um negócio do governo, que está se expandindo rapidamente — em 2018, a dívida estudantil disparou para mais de 1,5 trilhão de dólares. Mas há uma grande diferença entre dívidas imobiliárias e dívidas estudantis:

se, pelo menos por enquanto, você espera melhorar sua vida nos Estados Unidos, não pode exatamente evitar um diploma do jeito que pode evitar uma cerquinha branca.

Enquanto isso, o aumento dos custos fez pouco para melhorar a educação que os estudantes recebem. Os empregos no corpo docente das universidades, como a maioria dos empregos, se tornaram instáveis e precários. Os salários estão estagnados. Em 1970, quase 80% dos professores universitários trabalhavam em período integral; atualmente, esse número caiu para menos da metade. As universidades, competindo pelos dólares das mensalidades, gastam seu dinheiro em estádios, academias de última geração e refeitórios sofisticados — custos que se refletem nos valores cobrados. A necessidade que a instituição tem de sobreviver no mercado, em outras palavras, acaba prejudicando a capacidade do aluno de fazer o mesmo depois de se formar. E, na medida em que proteções, benefícios e segurança são constantemente retirados do mercado de trabalho, torna-se cada vez mais difícil pagar esse tipo de dívida.

Em 2005, 30% dos trabalhadores americanos eram trabalhadores contingentes — funcionários com contratos temporários, funcionários de meio período ou trabalhadores autônomos. Agora, essa categoria representa 40%, e segue crescendo. De 2007 a 2016, o número de pessoas que trabalhavam involuntariamente em um emprego de período parcial (o que significa que prefeririam um trabalho de período integral) aumentou 44%. Nos anos posteriores à recessão, ouvi muitas vezes o pequeno factoide de que as pessoas de minha idade mudariam de carreira em média quatro vezes na primeira década depois da formatura. Histórias sobre como os *millennials* "preferem" ser freelancers ainda abundam. A mensagem desejada parece ser: "*Millennials* são espíritos livres! Nós somos flexíveis! Trabalharemos em qualquer lugar onde houver uma mesa de pingue-pongue! Topamos qualquer coisa e estamos prontos para nos conectar!".

Mas uma geração não começa a viver uma trajetória errática de forma definitiva por razões de personalidade. É apenas mais fácil, como argumenta Malcolm Harris em seu livro *Kids These Days*, pensar que *millennials* flutuam de um trabalho a outro porque são preguiçosos, mimados ou apaixonados por seus empregos do que considerar que o mercado de trabalho — para pessoas de todas as gerações — torna-se, a cada dia, mais instável e cruel. Eu trabalho em vários empregos simultaneamente desde que tinha dezesseis anos. Tive uma sorte incrível em minha vida profissional, mas, como muitos americanos, ainda penso que um emprego que oferece seguro-saúde é um luxo: uma regalia quase divina que, aos trinta, tive apenas durante dois anos — os dois anos que trabalhei no Gawker, que foi processado até a falência por Peter Thiel, o homem que odeia o sufrágio universal, adora os que largam os estudos e é um eleitor de Trump.

Na economia de hoje, as universidades não têm como oferecer, para a maioria dos estudantes, nada que possa valer o investimento de centenas de milhares de dólares. Os salários não estão aumentando, ainda que os lucros corporativos tenham disparado. Um CEO com um salário médio agora ganha 271 vezes o salário de um trabalhador americano médio. Em 1965, a proporção era de vinte para um. Os custos relativos à saúde são impressionantes — o valor per capita desses gastos aumentou *29 vezes* nas últimas quatro décadas —, e os custos com educação infantil estão subindo tanto quanto os custos universitários, enquanto as pessoas que trabalham em creches e hospitais continuam recebendo, em geral, salários muito baixos. Um diploma universitário não é garantia de estabilidade financeira. Hoje, desconsiderando a possibilidade de uma herança familiar, essas garantias quase não existem. (É claro, como vimos no escândalo revelado pela operação Varsity Blues, que muitos pais exorbitantemente ricos valorizam tanto a educação universitária a ponto de cometerem fraudes descaradas no já um tanto fraudulento sistema de admissão, para assim proporcionarem a seus filhos uma educação da qual esses jovens seriam os últimos a precisar.) E, ainda assim, as universidades se vendem como a provação definitiva pela qual todos os jovens devem passar se quiserem ter a chance de alcançar o sucesso. Nesse reino da incerteza, uma nova ideia surgiu: a de que o caminho para a estabilidade poderia se dar pela construção de uma marca pessoal.

O golpe das redes sociais

O *millennial* mais bem-sucedido do mundo é certamente Mark Zuckerberg, 35 anos, cujo patrimônio líquido flutua ao redor das dezenas de bilhões de dólares. Se considerarmos, por baixo, que são 55 bilhões, isso significa que Zuckerberg tem *5 milhões de vezes* mais dinheiro do que a família americana média, cujo patrimônio líquido é de 11 700 dólares. Ele é a oitava pessoa mais rica do mundo. Como fundador do Facebook, Zuckerberg de fato controla um Estado-nação: com um quarto da população mundial usando seu site mensalmente, ele pode influenciar as eleições, mudar a maneira como nos relacionamos uns com os outros e controlar amplas definições sociais do que é aceitável e verdadeiro. A característica mais evidente de Zuckerberg é a falta de uma personalidade discernível. Em 2017, ele fez um tour pelos Estados Unidos, semeando rumores sobre uma possível candidatura presidencial enquanto emitia a aura de alguém de outro planeta tentando aprender a passar por um de nós. A dissonância no âmago do Facebook vem do fato, pelo menos em parte, de que foi *esse* homem, dentre todas as pessoas possíveis — ele, que uma vez declarou que ter diferentes identidades revelava uma "falta de integridade" —, que compreendeu melhor do que ninguém, no século XXI, que a personalidade se tornaria uma mercadoria como o algodão ou o ouro.

A ascensão de Zuckerberg ao reino dos possíveis candidatos presidenciais começou em uma noite de outubro de 2003, quando ele estava em seu segundo ano em Harvard. Ele se sentia entediado, escreveu em seu blog, e precisava tirar da cabeça a "putinha" de sua ex. Às 21h49:

Estou um pouco bêbado, confesso. E daí que não são nem dez horas da noite de uma terça-feira? E daí? O catálogo de fotos dos moradores do dormitório Kirkland está aberto no meu computador, e algumas delas são horríveis. Tenho vontade de pôr alguns desses rostos perto de animais de fazenda e fazer com que as pessoas votem em quem é mais atraente.

Às 23h10, ele estava mudando de direção:

O.k., vai rolar. Não sei como exatamente os animais de fazenda vão se encaixar na coisa toda (nunca podemos saber quando se trata de animais...), mas eu gosto da ideia de comparar duas pessoas.

"Que a invasão comece", ele escreveu, um pouco antes da uma da manhã.

Zuckerberg criou um site chamado Facemash, que trazia lado a lado fotografias de estudantes de Harvard e pedia para que você votasse em uma delas. Não era uma ideia original: o site Hot or Not foi fundado em 2000 por dois recém-formados que haviam discutido sobre o fato de certa mulher que viram na rua ser "comível" ou não. (Esses jovens eram homens, obviamente, assim como os fundadores do YouTube, que também disseram que sua intenção era criar sua própria versão do Hot or Not.) Mas, quando o Facemash entrou no ar, 450 pessoas visitaram o site nas primeiras quatro horas; as fotos foram votadas mais de 22 mil vezes. Zuckerberg se complicou na universidade, e alguns alunos protestaram contra o site alegando que ele era invasivo, mas muitos deles gostavam da *ideia* de um diretório online que permitiria que você se comparasse com seus colegas de uma maneira mais aceitável. O *Crimson*, o jornal estudantil de Harvard, escreveu que o Facemash "mostra claramente que um catálogo de retratos [facebook] de todo o campus é algo desejado". Zuckerberg, sabendo que poderia criar em um dia o que Harvard levaria muito mais tempo para fazer, lançou sua primeira versão do Facebook em fevereiro de 2004. Nas primeiras duas semanas, 4 mil pessoas se inscreveram no site.

Quando criei um perfil no Facebook no fim de meu último ano no ensino médio, senti que tinha entrado em um sonho narcisista maravilhoso. Na época, estava no auge de meu interesse em mim mesma, extremamente focada em tentar descobrir quem eu me tornaria quando não estivesse mais confinada em um ambiente cheio de republicanos e aulas diárias de religião. Meus amigos e eu já estávamos acostumados a criar avatares digitais — tínhamos Myspace, Xanga, LiveJournal e AOL Instant Messenger —, e o Facebook parecia tornar o conceito mais claro e oficial; era como se estivéssemos indo a uma prefeitura virtual e registrando nosso novo eu protoadulto. (Na época, o Facebook era restrito aos estudantes universitários, mas, em 2006, iria se tornar acessível a qualquer pessoa com mais de treze anos que tivesse um endereço de e-mail.) Quando comecei a faculdade, as pessoas achavam engraçado chegar em casa bêbadas e ficar olhando para suas próprias páginas no Facebook — um precursor do ato de, hoje em dia, olhar nossa infinita *timeline*. O conceito era fascinante desde o início: um site genuíno e esteticamente não constrangedor, aparentemente dedicado a uma versão melhor de você mesmo.

Naquele tempo, parecia que todos nós estávamos usando um produto novo e incrível. Agora, passada mais de uma década, tornou-se uma verdade incontestável que nós, os usuários, é que somos o produto. Mesmo que Zuckerberg não tenha tentado conscientemente dar um golpe nas pessoas que se inscreveram no Facebook, todos que estão lá — mais de 2 bilhões de usuários mensais, um número que não para de crescer — são vítimas, sim, de um golpe. Nossa atenção está sendo vendida aos anunciantes. Nossos dados pessoais estão sendo vendidos para empresas que fazem pesquisa de mercado, e nossa animosidade política sem limites está sendo comprada por grupos de interesse especial. O Facebook enganou completamente o público em diversas ocasiões: o fato mais grave é de que ele teria inflado as estatísticas de audiência de seus vídeos em até 900%, fazendo com que quase todas as empresas de comunicação mudassem suas estratégias — e demitissem funcionários — para imitar uma tática de lucro do Facebook que nem sequer existia. Nos meses que se seguiram às eleições de 2016, o Facebook alegou que não houvera interferência russa significativa na rede social, embora um comitê interno do próprio Facebook, designado para investigar o assunto, já tivesse encontrado provas dessa interferência. (E *então* o Facebook contratou uma empresa de pesquisa de oposição republicana com o propósito de desacreditar a oposição crescente que a companhia vinha sofrendo.) O Facebook havia permitido que outras companhias, como a Netflix e o Spotify, visualizassem as mensagens privadas dos usuários. Ele havia enganado as crianças e feito com que gastassem o dinheiro de seus pais nos jogos oferecidos pelo site, utilizando táticas que a companhia chamava internamente de "fraude amigável".

Mas, mesmo quando o Facebook não está deliberadamente explorando seus usuários, ele está explorando seus usuários — essa é uma exigência de seu modelo de negócios. E, mesmo que você se distancie dele, ainda vai seguir vivendo em um mundo moldado pelo Facebook. Usando nosso narcisismo natural e nosso desejo de conexão com outras pessoas, o Facebook capturou nossa atenção e as informações sobre nosso comportamento, e então as usou para manipular nosso comportamento, a ponto de que quase metade dos Estados Unidos passou a confiar na rede social como sua fonte de notícias. Então, com a mídia dependendo do Facebook como um intermediário para alcançar seus leitores e, ao mesmo tempo, totalmente impotente diante da capacidade da plataforma em sugar a receita da publicidade digital — como um entregador de jornal que embolsa todo o dinheiro da assinatura —, o Facebook distorceu o modelo econômico da mídia de maneira que ele se adequasse a suas próprias práticas: para ser vistas, as publicações precisavam captar a atenção de forma rápida e desencadear respostas altamente emocionais. O resultado, em 2016, foi um fluxo interminável de histórias sobre Trump, originadas tanto dos grandes veículos de comunicação quanto das publicações obscuras que eram impulsionadas pelos algoritmos da rede social. O que começou, para Zuckerberg, como uma maneira de unir a misoginia universitária e o interesse próprio, tornou-se o combustível para todo o nosso pesadelo contemporâneo, neste mundo que, fundamental e sistematicamente, deturpa as necessidades humanas.

Em um nível fundamental, o Facebook, como a maioria das outras redes sociais, funciona com uma linguagem dupla; ele se vende como uma ferramenta de conexão, mas cria isolamento; ele promete felicidade, mas incute o medo. O idioma do Facebook agora domina a cultura, e as mudanças estruturais mais preocupantes de nossa era aparecem em manchas isoladas e enganadoras de emoções que viralizam. Vemos o desmantelamento dos direitos trabalhistas em uma postagem celebratória de blog sobre uma motorista do Lyft que continuou pegando passageiros enquanto estava em trabalho de parto. Vemos a loucura de um sistema de saúde privatizado no otimismo forçado de uma campanha do Kickstarter para pagar a quimioterapia de um estranho. No Facebook, nossa humanidade básica é transformada em um ativo viral passível de ser explorado. Nosso potencial social se une à nossa capacidade de chamar a atenção do público, o que, por sua vez, se torna indissociável da sobrevivência econômica. No lugar de salários e benefícios justos, temos nossas personalidades, histórias e relacionamentos, e é melhor aprendermos a apresentá-los de forma satisfatória ao público no caso de não termos um plano de saúde e então sofrermos um acidente.

Mais do que qualquer outra entidade, o Facebook solidificou a ideia de que nossa individualidade existe sob a forma de um avatar público que realiza uma boa performance. Mas Zuckerberg, ao se aproveitar do fato de que nós venderíamos nossa identidade em troca de simplesmente nos tornarmos *visíveis*, estava surfando em uma onda que já vinha crescendo havia muito tempo. O reality show *The Real World* começou a ser exibido quando Zuckerberg tinha oito anos; *Survivor* e *The Bachelor*, quando estava no ensino médio. O Friendster foi fundado em seu primeiro ano da faculdade. Logo depois do Facebook, surgiu o YouTube em 2005, o Twitter em 2006, o Instagram em 2010, o Snapchat em 2011. Agora crianças estão viralizando no TikTok e acumulando seguidores no Musical.ly; gamers ganham milhões transmitindo suas *lives* no Twitch. As duas famílias mais proeminentes na política e na cultura — os Trump e os Kardashian — subiram ao topo da cadeia alimentar devido à sua compreensão aguçada de quão pouca substância é necessária para apresentar o eu na forma de um ativo infinitamente monetizável. Na verdade, substância pode até ser um anátema nesse jogo. E, assim, os aplausos soam, as câmeras dos iPhones começam a fotografar e a palestrante da conferência sobre empoderamento feminino surge no palco.

As *girlbosses*

A superficialmente relutante e autointitulada ícone Sophia Amoruso nasceu em 1984, mesmo ano que Mark Zuckerberg. Ela está na capa de seu livro de memórias de 2014, *#GIRLBOSS*, usando um vestido preto com um profundo decote em V e ombros estruturados, cabelos curtos soprados para trás por uma máquina de vento e mãos plantadas nos quadris. Sophia era a CEO da Nasty Gal, uma varejista de moda online que ela fundou em 2006 quando era uma anarquista que furtava lojas e vendia roupas de brechó na frente de seu apartamento em San Francisco. Oito anos mais tarde, a Nasty Gal estava faturando milhões de dólares, e Amoruso, que, de forma impressionante, tinha conseguido construir aquele negócio sem contrair dívidas, era saudada como a "Cinderela da tecnologia".

#GIRLBOSS é um exercício prolongado de autopropaganda motivacional, no qual Amoruso se esforça para idealizar a si mesma enquanto nega que está interessada em tal coisa. "Eu não quero ser colocada em um pedestal", escreve.

> De qualquer forma, sou hiperativa demais para ficar parada ali em cima. Eu prefiro fazer bagunça, e fazer história enquanto faço isso. Eu não quero que você olhe para cima, *#GIRLBOSS*, porque olhar muito para cima pode fazer com que você continue embaixo. A energia que você vai gastar ao focar na vida de outra pessoa pode ser mais bem aproveitada se você depositá-la na sua.

O livro foi divulgado com a linguagem do feminismo pop — Amoruso alcançou o sucesso, suas leitoras queriam alcançar o sucesso, e alcançar o sucesso era um projeto feminista —, mas Amoruso rejeita o rótulo: "Será que, em 2014, entramos em uma nova era do feminismo, uma era em que não precisamos falar sobre ele? Eu não sei, mas quero fingir que chegamos lá".

#GIRLBOSS presta um tributo agradável e genuíno ao valor dos subempregos: durante sua fase *crust punk*, Amoruso trabalhou em uma loja de plantas, uma loja de sapatos ortopédicos, uma livraria Borders, um shopping outlet e um Subway. Por um breve período, também trabalhou como paisagista. Mas ela encarava os trabalhos como se fossem uma "grande e divertida experiência", escreve; no fundo, sabia que havia algo especial no horizonte esperando por ela. A história tem realmente um estranho aspecto de Cinderela, com o dinheiro substituindo a magia. "Entrei na idade adulta acreditando que o capitalismo era uma fraude, mas descobri, na verdade, que ele é uma espécie de alquimia", escreve Amoruso. (Fraudes, é claro, também são uma espécie de alquimia, transformando bosta de cavalo em ouro.) Por um tempo, ela roubou para se sustentar, porque seu éthos político "não estava muito de acordo em trabalhar para o sistema". Sua primeira venda no eBay foi de um item que ela havia roubado. Que mágica! A venda se transformou em mais uma dúzia, depois centenas, depois milhares, e então logo ela parou de ver o dinheiro como uma "busca materialista para pessoas materialistas. [...] O que percebi ao longo do tempo é que, em muitos aspectos, o dinheiro significa liberdade".

Depois do lançamento, *#GIRLBOSS* recebeu aclamações reflexivas. Amoruso foi perfilada pelo *New York Times*. Outdoors e táxis estampavam a propaganda do livro com um slogan bonitinho: "Se este é um mundo feito para os homens, quem se importa?". Alguns meses depois, a empresa de Amoruso demitiu vinte funcionários. Em janeiro, ela deixou o cargo de CEO. Em 2015, um punhado de ex-funcionárias processou Amoruso e a Nasty Gal; várias alegaram que tinham sido demitidas porque estavam grávidas, e uma mulher disse que fora demitida porque estava com uma doença renal. Em junho de 2016,

Amoruso entrou na segunda lista anual da *Forbes* das mulheres empreendedoras mais ricas dos Estados Unidos. Em novembro de 2016, a Nasty Gal entrou com um pedido de falência. Em 2017, a adaptação televisiva de *#GIRLBOSS* estreou na Netflix. Amoruso achava que a série seria uma propaganda gratuita para sua marca e sua empresa, disse à *Vanity Fair*. Ela esclareceu: "É claro que me beneficia, de qualquer maneira". *#GIRLBOSS* foi cancelada durante a primeira temporada. Àquela altura, Amoruso já tinha saído da Nasty Gal, afastando-se como um ônibus espacial que se desprende de uma estação em chamas. Ela fundou uma nova empresa chamada Girlboss, cujo slogan era "redefinindo o sucesso para nós mesmas".

A Girlboss é "uma comunidade de mulheres fortes, curiosas e ambiciosas", anuncia o site — uma empresa que "não pede desculpas por nossas crenças e nossos valores, apoiando as garotas e as mulheres que correm atrás de sonhos, grandes ou pequenos, em um ambiente à prova de vergonha e de chatice". O site estampa posts do tipo "Quatro coisas que aprendi sendo uma *millennial* viciada em trabalho" e "Como Rupi Kaur construiu uma carreira através da busca incansável pela criatividade", mas a Girlboss está realmente direcionada aos eventos: a empresa realiza conferências, ou "Encontros Girlboss", com ingressos VIP por setecentos dólares e acesso digital por 65 dólares. "Parte conferência, parte país das maravilhas empírico", proclama o site, "o Encontro Girlboss virou de pernas para o ar o mundo das conferências monótonas, criando um espaço para a nova geração de empreendedoras, intraempreendedoras e líderes de pensamento se encontrarem, traçarem planos e crescerem juntas."

A ideia básica aqui é que, para as mulheres, a confiança pessoal fotogênica é a chave para desbloquear as riquezas do mundo. Em seu livro, Amoruso escreve: "Da mesma maneira que, nos últimos sete anos, as pessoas se projetaram nos estilos que vendi na Nasty Gal, eu quero que você possa usar o

#*GIRLBOSS* para se projetar em uma vida fantástica na qual você pode fazer tudo o que quiser". Os Encontros Girlboss foram criados para funcionar da mesma maneira: você paga para fazer networking e para ser fotografada em cenários de neon e rosa *millennial*, o primeiro passo para se tornar o tipo de pessoa que seria convidada para falar no palco. Isso tudo pretende ser visto como uma batalha profundamente feminista, o que em geral acontece, ao menos entre as participantes, as quais, por muitos anos, foram bombardeadas por espúrios, constrangedores e ilimitados discursos de venda que dizem que o feminismo significa, acima de tudo, a demonstração pública do sucesso. (Mais tarde, o The Wing, o bem-sucedido espaço de coworking meticulosamente focado no público feminino, fundado por Audrey Gelman e Lauren Kassan, colheria essa energia performativa enquanto tentava se tornar imune a críticas graças a sua coletividade autoconsciente, experiência de marca e compromissos declarados em relação a espaços seguros, inclusão e comunidade. Em dezembro de 2018, o The Wing, que operava naquele momento em cinco diferentes locais, recebeu um investimento de 75 milhões de dólares, elevando seus recursos para 117,5 milhões de dólares. Muitas das financiadoras eram mulheres — investidoras em capitais de risco, atrizes, atletas. "Isso é uma prova de que as mulheres podem estar dos dois lados da mesa", disse Gelman.)

A história cada vez maior do feminismo Girlboss começa realmente com *Faça acontecer*, o manifesto de 2013 de Sheryl Sandberg, escrito em coautoria com Nell Scovell. *Faça acontecer* é afiado, sensível e eficaz, e incita as mulheres a assumirem suas ambições. Sandberg era chefe de operações do Facebook e, tendo escrito o livro anos antes das reações negativas que a rede social despertou, ela ainda possuía uma impecável credibilidade: era uma mulher branca poderosa, interessante, casada, rica e dedicada dizendo que o feminismo estava centrado em esforço individual e trabalho duro. No início do livro, ela reconhece que sua abordagem apresenta uma solução parcial e privada para um enorme problema coletivo. Ela acredita que as mulheres devem exigir o poder como forma de derrubar as barreiras sociais; outros acreditam que as barreiras devem ser derrubadas para que, então, as mulheres possam exigir o poder. Ambas as abordagens são "igualmente importantes", escreve Sandberg. "Estou incentivando as mulheres a pensar na galinha" — as soluções individuais — "mas apoio totalmente aquelas que estão focadas no ovo."

Infelizmente, acontece que o frango tem um sabor melhor. Munidas de uma práxis feminista cujo núcleo é o crescimento e a satisfação individual — dois conceitos que facilmente se confundem com autopromoção e egocentrismo —, as mulheres alegremente morderam a isca. Uma política construída em torno de ganhar e gastar dinheiro é mais sexy do que uma política construída em torno de política. E então, numa época de liberdade e poder feminino sem precedentes, numa época em que estamos mais preparadas do que nunca para enxergar nossa vida sob um viés político, nós temos, em vez de mais direitos reprodutivos, igualdade de salários, licença de assistência familiar obrigatória, creches subsidiadas e um aumento no salário mínimo, apenas o tipo de empoderamento feminista autocongratulatório que as empresas podem apoiar, o tipo que vem com as mercadorias — canecas com as palavras "Lágrimas Masculinas", camisetas com as palavras "Feminista Fodástica". (Em 2017, a Dior vendeu por 710 dólares uma camiseta que dizia "Sejamos todos feministas".) Temos conferências, conferências sem fim — uma conferência feminina da *Forbes*, uma conferência feminina de Tina Brown, uma conferência das Mulheres Corajosas e Divertidas promovida pela *Cosmopolitan*. Temos a empresa Thrive Global de Arianna Huffington, que busca acabar com a "epidemia de estresse e esgotamento" vendendo seminários online corporativos, e uma estação de recarga de celular forrada de veludo que custa 65 dólares e a ajuda a manter o telefone longe de sua cama. Temos a completa charlatã Miki Agrawal, que era regularmente lambida pela mídia por causa de sua linha de calcinhas para menstruação chamada Thinx, até ser revelado que Agrawal, que se chamava com orgulho de "She-E-O", era abusiva com suas funcionárias, não sabia muito sobre feminismo e nem sequer se importava com isso. Temos, em vez de apoios estruturais e redes de segurança que realmente fariam as mulheres se sentirem melhor de forma sistemática, uma cornucópia sem fundo de não soluções privatizadas: sérum facial, saunas infravermelhas e gurus de bem-estar como Gwyneth Paltrow, famosa por sugerir que se colocasse ovos de pedra dentro da vagina, ou Amanda Chantal Bacon, cuja empresa Moon Juice vende frascos de 45 mililitros de "Brain Dust" por 38 dólares.

Carregada pelo feminismo que flerta com o mercado, a ideia de que o crescimento pessoal é uma forma subversiva de progresso político foi aceita como um evangelho. O aspecto mais complicado dessa ideia é que ela é incompleta e insuficiente, mas não está de todo errada. A golpista feminista raramente pretende enganar alguém, e com certeza argumentaria que não pertence a essa categoria. Ela quer apenas obter sucesso, conquistar a influência que os homens reivindicam com tanta facilidade, viver o tipo de vida que deseja. Ela deveria poder ter essas coisas, não deveria? O problema é que um feminismo que privilegia o indivíduo sempre estará, em sua essência, em desacordo com um feminismo que prioriza o coletivo. O problema é que, hoje, é muito fácil para uma mulher se apossar de uma ideologia na qual ela acredita e então explorá-la ou difundi-la de uma maneira que acaba, na verdade, por ir contra essa mesma ideologia. De fato, isso é *exatamente* o que, hoje, o ecossistema do sucesso incentiva uma mulher a fazer.

Sei disso porque minha própria carreira dependeu, em certo sentido, da monetização do feminismo. Isso quer dizer que vivo muito perto dessa categoria de golpes, ou mesmo talvez dentro dela, tentando permanecer no lado ético, se é que ele existe, definido por uma linha borrada entre "a mulher que leva o feminismo a sério" e "a mulher que vende sua marca pessoal feminista". Eu evitei as mercadorias: os livros ilustrados fofinhos sobre mulheres duronas da história, os espaços de coworking e painéis corporativos e as conferências sobre empoderamento, mas sou parte desse mundo — e me beneficio dele — mesmo quando declaro que ele é vazio. Sou cúmplice, não importa o que eu faça.

Os realmente óbvios

Que alívio, nesse mundo de situação fraudulentas limítrofes ou inadvertidas ou quase invisíveis, a existência de uma categoria tão flagrante: a dos golpes óbvios e inconfundíveis. Um desses golpes veio à tona no breve interesse do Vale do Silício por "água bruta", que é uma água de nascente não tratada e não filtrada — repleta de bactérias e livre de todos os minerais que fortalecem os dentes encontrados na água que sai da torneira. Em 2017, a seção "Styles" do *New York Times* publicou um artigo sobre os entusiastas da água bruta em San Francisco e nos arredores:

> O sr. Battle serviu um copo. "A água de torneira não tem um sabor assim tão refrescante", disse. "Mas será que é porque eu a vi sair do telhado, e qualquer coisa vinda do telhado parece especial? Talvez."

Seguiu-se uma torrente de ridículo. Histórias como essa — e o desprezo bem-humorado que geram — são uma espécie de profilaxia para os golpes. Esses idiotas, pensamos, que bebem água com tênia: *nós* nunca seríamos tão burros a ponto de cair em *uma coisa dessas*. Essas histórias surgem com frequência no setor dos alimentos, em que é fácil para os empresários capitalizar o poço infinito de pensamentos mágicos em torno da saúde e da autenticidade em nosso ambiente profundamente insalubre e inautêntico. Então, quando elas cruzam os limites do absurdo ou da incompetência, podemos tirar sarro dos idiotas que caíram no conto.

Antes da água bruta, tivemos a Juicero, a empresa que levantou 120 milhões de dólares para fabricar máquinas de suco de setecentos dólares. O modelo da Juicero previa que frutas e vegetais fossem embalados em pacotes individuais em Los Angeles e enviados para os clientes da companhia, que enfiariam os pacotes na máquina Juicero, a qual, por sua vez, escanearia as embalagens e as verificaria consultando um banco de dados; então, finalmente, faria um copo de suco. Um dos sócios da Google Ventures disse ao *New York Times* que a companhia era "o negócio mais complicado que já financiei". O fundador da empresa se gabava do fato de que seus espremedores eram feitos do alumínio que se usa em aeronaves, que eles continham dez placas de circuitos, que eles poderiam usar centenas de quilos de força. Mas, logo depois que as máquinas Juicero foram colocadas no mercado, a Bloomberg informou que, na verdade, você não precisava delas. Se você espremesse manualmente o conteúdo das embalagens, poderia fazer o suco ainda *mais rápido* do que o aparelho. A empresa se tornou imediatamente motivo de chacota e, em poucos meses, encerrou as atividades.

Pode parecer difícil, é claro, traçar uma linha exata entre uma fraude e um produto com argumentos de venda exagerados. Uma das únicas maneiras de fazer isso é encontrar uma deturpação concreta — como o dono de um blog sobre comida fez com Rick e Michael Mast em 2015. Os Mast eram dois irmãos barbudos que moravam no Brooklyn, vestidos como se fizessem parte da banda Mumford & Sons, e que fabricavam barras de chocolate artesanal de dez dólares. Os irmãos Mast sempre se propagandearam como chocolateiros "do grão à barra", que processavam eles mesmos as sementes de cacau. Mas então um blogueiro de Dallas chamado Scott Craig revelou que os irmãos Mast eram "rederretidores", o que significa que, durante anos, eles simplesmente derreteram chocolate industrial vendido a granel, remodelaram-no e o embrulharam em papel italiano. A história toda descambou em outro enorme tsunami de *schadenfreude*, com as pessoas primeiro tirando sarro dos irmãos Mast e depois, como sempre, dos bobos que haviam comprado seu produto. *É isso que vocês ganham, gentrificadores, com suas ereções por lixo artesanal!*, gargalhavam os tuítes e os posts de blog. *É isso que vocês ganham, viciadinhos em Instagram, quando decidem pagar o valor de três meses de aluguel por um festival que ninguém nunca ouviu falar! É isso que vocês ganham por serem tão ricos a ponto de precisarem de um código QR para fazer um copo de suco!*

Logo depois desse momento satisfatório e perverso no ciclo das notícias sobre um golpe, a identificação popular com frequência começa a se inclinar na direção do golpista, que, uma vez identificado, pode ser reconfigurado como um extraordinário herói americano — um desenlace bastante lógico, levando em conta nossa fixação nacional por reinvenção e ascensão meteórica. Histórias sobre vigaristas flagrantes nos permitem ver os dois lados da fraude: temos o prazer de ver o fraudador exposto e humilhado, mas também sentimos uma emoção retrospectiva e de segunda mão ao vê-lo enganar as pessoas. Os golpistas descarados fazem o golpe parecer, ao mesmo tempo, glorioso e insustentável. (Na verdade, os fraudadores realmente bem-sucedidos, como os profetas do movimento antivacinação, podem continuar agindo indefinidamente, mesmo depois de serem pegos.) Em 2016, surgiu na mídia a história de um adolescente da Flórida chamado Malachi Love-Robinson, que havia sido preso ao tentar se passar por médico e abrir sua própria clínica, depois ao apresentar documentos falsos quando tentou comprar um Jaguar, e finalmente por *se fingir de médico mais uma vez*. Em 2018, Jessica Pressler escreveu na revista *New York* a história definitiva de Anna Delvey, a famosa Trambiqueira do Soho, uma jovem mulher quebrada com um misterioso sotaque europeu que convenceu facilmente hotéis, companhias de jatos particulares e uma porção de gente vazia do mundo das artes de que era uma herdeira milionária precisando apenas de alguns milhares de dólares. No mundo de hoje, figuras como Malachi Love-Robinson e Anna Delvey são altamente inspiradoras. Como as conferências femininas poderiam ter me mostrado, caso eu as frequentasse, é exatamente esse tipo de autoilusão — decidir, para além do bom senso, que você deveria ter algo, e então tentar buscar esse algo — o que faz você chegar a algum lugar nesse mundo.

Essa foi, de qualquer maneira, a tática escolhida por Elizabeth Holmes, a CEO de 35 anos de idade que fundou a Theranos, uma empresa de tecnologia da área da saúde avaliada em certo momento em 9 bilhões de dólares, apesar do fato de que seu exame de sangue revolucionário, na verdade, não existia. Uma disciplinada e maníaca loira de cabelo espigado, obsessão de Steve Jobs e dona de uma voz que parecia estar sendo disfarçada para preservar seu anonimato, Holmes era obcecada desde os dezenove anos pela ideia de uma máquina que pudesse realizar uma série de exames de sangue a partir de uma picada de alfinete. (Ela sempre teve medo de agulhas: isso era um fato importante para seu mito pessoal.) Ela fundou a Theranos em 2004, conseguiu um financiamento de 6 milhões de dólares até o final daquele ano, e começou a empilhar nomes famosos em seu conselho administrativo: Henry Kissinger, James Mattis, Sam Nunn, David Boies. Rupert Murdoch e Betsy DeVos eram alguns dos investidores. Sua palestra no TED viralizou.

Ela ganhou um perfil na *New Yorker* e o prêmio de Mulher do Ano na *Glamour*. Falou em Davos e no Aspen Ideas Festival. A *Forbes* a declarou a empreendedora bilionária mais jovem do mundo. E então, em 2005, John Carreyrou publicou um artigo no *The Wall Street Journal* comparando a Theranos ao truque dos três copos. A companhia, que, àquela altura, havia sido contratada pelas farmácias Walgreens e a rede de supermercados Safeway, estava realizando a maioria de seus exames de sangue com o maquinário de outras empresas. A tecnologia do alfinete nunca funcionou conforme fora anunciado. Seus executivos haviam adulterado os testes de proficiência.

Holmes, num primeiro momento, negou a história. Em uma reunião da empresa, ela tentou gerar simpatia ao revelar que havia sido agredida sexualmente em Stanford. Ela foi à CNBC e disse: "Primeiro eles acham que você é louca, depois brigam com você, depois, de uma hora para a outra, você muda o mundo". Mas Carreyrou tinha razão a respeito de tudo. Durante anos, Holmes e seu namorado, Sunny Balwani, demitiram ou silenciaram todos que sabiam da verdade. Em 2016, os programas federais de assistência à saúde Medicare e Medicaid removeram por dois anos o direito de Holmes de possuir ou operar um laboratório. Em março de 2018, ela foi processada pelo governo americano. Em um acordo, Holmes devolveu suas ações da Theranos, abriu mão do controle de votos e acatou a proibição de atuar na diretoria de qualquer empresa pública pelos próximos dez anos. Em maio de 2018, Carreyrou publicou *Bad Blood*, um livro que investiga a ascensão e a queda da Theranos, no qual fica evidente que a visão de Holmes em relação a sua própria significância beira o extremismo sociopata: em certo ponto, durante uma festa da empresa, ela afirma que "o miniLab é a coisa mais importante que a humanidade já criou". Em junho de 2018, Holmes foi indiciada por um júri federal por nove acusações de fraude.

Diferentemente de Billy McFarland e Anna Delvey, Holmes nunca foi alvo de celebração irônica. Isso, em parte, se deve ao fato de que ela fez mais do que enganar um bando de idiotas ricos. (Os americanos gostam quando isso acontece, em parte porque muitos de nós sentimos, instintivamente e com razão, que os idiotas ricos se beneficiaram das fraudes que empurraram o resto do país para baixo.) Holmes foi além: ela conscientemente brincou com a saúde de estranhos em prol de sua própria riqueza e fama. A dimensão da fraude de Holmes é horrível demais para ser engraçada. No fim, ela foi derrubada, mas, por muitos anos, sua história foi uma das maiores histórias de sucesso *do mundo*. O tempo absurdo que demorou para Holmes ser desmascarada expõe uma verdade sombria e definitiva de nossa era: os vigaristas estão sempre mais seguros no topo.

Os disruptores

A Amazon, uma companhia que vale hoje 1 trilhão de dólares, originalmente teria o nome de Relentless [Implacável]. Um amigo de Jeff Bezos lhe disse que a palavra soava agressiva demais, mas de qualquer maneira ele a colocou na URL — se você digitar relentless.com, será redirecionado para a Amazon, onde você pode comprar quase tudo que puder imaginar: uma edição da Bíblia de 1816 (2 mil dólares); um exemplar de capa dura de *#GIRLBOSS* (15,43 dólares); um exemplar da edição de bolso de *#GIRLBOSS* (2,37 dólares); romances água com açúcar paranormais publicados pela própria Amazon (os preços variam); um *dispenser* automático de papel-toalha da Georgia-Pacific (35 dólares para assinantes do Prime); mais de 100 mil tipos de capas de celular por menos de dez dólares; 5 mil canetas personalizadas com seu nome e logotipo (1926,75 dólares); um pote de máscara facial feita de placenta e embriões de ovelha (49 dólares); um cacho de bananas (2,19 dólares); um saco de dezoito quilos de comida de cachorro Diamond Naturals Adult Real Meat (36,99 dólares); um aparelho da Amazon com controle de voz que lhe dá a previsão do tempo, toca Tchaikóvski e entrega evidências à polícia, caso seja necessário (de 39,99 a 149,99 dólares); o filme *Casablanca*, de 1942, em streaming (3,99 dólares a locação); duas temporadas da série da Amazon *Maravilhosa sra. Maisel* (grátis se você for assinante do Prime, o que é o caso de mais da metade das famílias americanas); uma ampla variedade de serviços de armazenamento de dados e computação em nuvem (os preços variam, mas a qualidade é imbatível — a Amazon é usada pela CIA). Minha página inicial da Amazon agora anuncia entregas de supermercado em um prazo de duas horas. E 56% das pesquisas por produtos de varejo online começam na Amazon.

A Amazon é um polvo: ágil, fluido, tentacular, brilhante, venenoso, atraente e flexível o suficiente para espremer por pequenas brechas uma enorme quantidade de produtos. Ela mastigou o varejo físico: cerca de 8600 lojas fecharam as portas em 2017, um aumento significativo diante das 6200 lojas que fecharam em 2008, no auge da recessão. A Amazon dizimou as lojas de material de escritório, de brinquedos, eletrônicos, material esportivo e, sendo agora proprietária do supermercado Whole Foods, os armazéns e as mercearias provavelmente serão os próximos. Depois de passar anos sofrendo prejuízos assumidos pelos investidores, e assim poder baixar os preços o suficiente e acabar com toda a concorrência, a Amazon é agora sem dúvida o primeiro monopsônio ilegal. (Em um monopsônio, um único comprador obtém mercadorias da vasta maioria dos vendedores; em um monopólio, o que ocorre é o oposto.) E tudo isso começou quando Bezos trabalhava em um fundo de cobertura durante os anos 1990, e então teve a ideia de vender livros pela internet.

Bezos escolheu os livros porque eles apresentavam uma oportunidade única de mercado: enquanto as livrarias físicas podiam estocar e vender apenas uma pequena fração de todas as obras que estavam no mercado, uma livraria online poderia trabalhar com um estoque ilimitado. Os livros também ofereceram a Bezos uma maneira de rastrear os hábitos de "compradores ricos e instruídos", escreveu George Packer em 2014 em um artigo da *New Yorker* que discorria sobre o domínio da Amazon na indústria dos livros. Com esses dados, a Amazon poderia descobrir o que mais seria capaz de vender da mesma maneira que vendia os livros — a preços artificialmente baixos, com margens minúsculas. Enquanto a empresa continuasse crescendo, "os investidores despejariam dinheiro nela, e a Wall Street não prestaria muita atenção nos lucros". A Amazon saiu do vermelho apenas em 2001, sete anos depois de Bezos abrir a empresa — momento em que a convergência do instinto humano com a interface do consumidor já estava encaminhada. Comprar algo na Amazon, escreveu Packer, parecia instintivo, um reflexo, algo muito parecido com o ato de se coçar.

A eficiência em larga escala requer extrema desvalorização. Usar a Amazon — o que fiz com frequência durante anos, com pleno conhecimento de suas práticas trabalhistas — é aceitar e abraçar um mundo onde tudo vale o mínimo possível, inclusive, e talvez especialmente, as pessoas. A cultura corporativa da Amazon é notoriamente infernal. Em 2015, o *New York Times* publicou uma matéria que dizia que a Amazon estava "conduzindo um experimento pouco conhecido para ver até que ponto os trabalhadores de colarinho-branco poderiam ir, redesenhando assim o limite do que é aceitável". Um ex-funcionário disse ao jornal: "Vi praticamente todas as pessoas com quem trabalhei chorarem em sua mesa". O tratamento é muito pior no nível dos depósitos e, até recentemente, o salário era inaceitável: Bezos é o homem mais rico do mundo, mas os funcionários de seus depósitos costumam ganhar apenas um pouco acima da linha de pobreza estabelecida pelo governo federal. (Obviamente, ele é o homem mais rico do mundo em parte por isso.) Os funcionários dos depósitos da Amazon, diferentemente da maioria desse tipo de trabalhador, não são protegidos por sindicatos, e em geral são classificados como temporários, o que por anos permitiu que a empresa não oferecesse benefícios ou contornasse os pedidos de indenização de pessoas que haviam sofrido acidentes, por vezes graves, em seu ambiente de trabalho. Eles passam por detectores de metais e ficam o dia presos a equipamentos de monitoramento patenteados pela Amazon, andando apressadamente em círculos em um galpão enorme, abafado e com luzes fluorescentes, empacotando um produto a cada trinta segundos. (Os novos rastreadores da Amazon até vibram para avisar os funcionários que eles estão muito devagar.) Como detalhou Mac McClelland em sua matéria investigativa publicada na revista *Mother Jones* em 2012, os gerentes cronometram o tempo que os funcionários passam no banheiro — há muitas histórias de pessoas fazendo xixi em garrafas d'água para evitar punições — e, no caso de alguém não aderir ao que McClelland descreveu como "um ritmo em que o cumprimento de uma meta e o suicídio se encontram", ele será certamente demitido.

Antes de a empresa se tornar alvo de críticas procedentes em relação às suas práticas trabalhistas — o que aconteceu em grande parte graças a greves promovidas pelos trabalhadores —, os depósitos da Amazon costumavam ser frios no inverno e sufocantes no verão: durante uma onda de calor na Pensilvânia, em vez de instalar aparelhos de ar-condicionado, a Amazon escolheu a solução mais eficiente em termos de custos, estacionando ambulâncias na frente dos galpões para as pessoas que eventualmente se sentissem mal. Trabalhadores exaustos às vezes desmaiavam no meio do depósito, e então eram demitidos. Foi por causa dessa atitude — que trata tudo, inclusive a força do trabalho, como algo totalmente descartável — que a Amazon obteve tanto sucesso; era como a Walmart, exceto que amada também pelos ricos, em grande parte porque as condições degradantes que a companhia cria, e da qual depende, estão convenientemente escondidas atrás das telas dos computadores. Quando, em 2018, a empresa finalmente respondeu à pressão da opinião pública e aumentou o salário mínimo de seus funcionários para quinze dólares por hora, ela fez tais mudanças às custas desses mesmos trabalhadores, retirando os incentivos de bônus de férias e as potenciais concessões de ações. No mesmo ano, depois de realizar uma competição pública agonizantemente longa, na qual 238 cidades americanas encheram a empresa com informações urbanas e generosas promessas de favores econômicos na esperança de se tornar o local da segunda sede da Amazon, a empresa anunciou que implantaria seu QG de número 2 nos subúrbios de Washington, DC, e também no bairro de Long Island City, em Nova York. Desta última — por se estabelecer ali, com o heliporto de Bezos, em uma cidade como Nova York, onde moradias acessíveis e transporte público são ostensivamente subfinanciados —, a Amazon receberia 1,7 bilhão de dólares do estado de Nova York.

O acordo de Nova York acabou sendo anulado, sugerindo que os cidadãos haviam finalmente se cansado do modelo de sucesso nos negócios da era *millennial*, esse que desmonta estruturas sociais para sugar dinheiro de qualquer canto da vida que ainda possa ser explorado. A Uber e o Airbnb foram igualmente "disruptivos". Enquanto a Amazon ignorou os impostos estaduais sobre vendas, a Uber ignorou a legislação local sobre transporte, e o Airbnb ignorou as leis municipais contra hotéis não regulamentados. No caso da Uber e do Airbnb, a estética da inovação rápida — e, é claro, a sensação de alívio que essas experiências baratas dão aos consumidores que também estão sendo espremidos de maneira parecida — obscurece o fato de que os maiores feitos dessas companhias foram: ter monetizado as tensões inflexíveis do capitalismo tardio; ter transferido, da empresa para o indivíduo desprotegido, a necessidade de concorrência; ter normalizado um paradigma segundo o qual, no lugar da empresa, são os trabalhadores e os consumidores que assumem as responsabilidades e os riscos. O Airbnb não disse aos seus hóspedes que eles estavam infringindo a lei ao alugarem apartamentos em Nova York. Assim como a Amazon, a Uber tem mantido artificialmente os preços baixos com a intenção de dominar o mercado, e depois, com quase toda a certeza, esses preços irão subir. Enquanto isso, o dinheiro que os motoristas recebem está em acentuado declínio. "Estamos vivendo em uma era de barões ladrões", disse John Wolpert no livro *As Upstarts*, de Brad Stone. (Wolpert era o CEO da Cabulous, uma empresa do tipo Uber que tentou trabalhar com a comissão de táxis de San Francisco, e não contra ela.) "Se você tiver dinheiro suficiente e puder dar o telefonema certo, pode quebrar qualquer regra que seja, e então usar esse fato para conseguir mídia."

Na outra ponta do espectro do abalo causado pelo capital de risco estão várias companhias que arrecadam um monte de dinheiro para não fazer absolutamente nada. Uma empresa chamada Twist recebeu 6 milhões de dólares de investimento para criar um aplicativo que enviaria uma mensagem aos seus amigos quando você estivesse atrasado. Uma rede social para pessoas com cabelos cacheados chamada NaturallyCurly conseguiu 1,2 milhão de dólares. A DigiScents, que prometeu criar um dispositivo que perfumaria sua casa com aromas sintonizados com sua navegação na internet, arrecadou 20 milhões de dólares. A Blippy, que tornava públicas todas as suas compras feitas com cartão de crédito — isso era tudo —, conseguiu 13 milhões de dólares. A Wakie, que acordava pessoas com despertadores humanos — estranhos telefonando a qualquer hora que você quisesse — arrecadou 3 milhões de dólares. Talvez o mais infame de todos tenha sido o aplicativo Yo, cuja única função era permitir que seus usuários mandassem a palavra "Yo" uns aos outros; em 2014, ele obteve 1,5 milhão de dólares. Essas empresas representam uma versão socialmente aceita do golpe na era *millennial*: o sonho de ser o "fundador" que tem uma ideia idiota, consegue uma tonelada de dólares em financiamento e vende a empresa antes que tenha de trabalhar demais.

Configurado dessa maneira, o sucesso é uma loteria — assim como a sobrevivência nos dias de hoje também pode se parecer com uma. Se você tiver muita sorte, se todo mundo gosta de você, se você fizer uma infinidade de coisas ao mesmo tempo, pode acabar ganhando milhões. Da mesma forma, se você tiver muita sorte, se todo mundo gostar de você, se você conseguir fazer com que aquele seu GoFundMe viralize, conseguirá pagar sua insulina, a cirurgia na perna por causa de um acidente de bicicleta ou a conta de 10 mil dólares do hospital depois do nascimento de seu filho. De qualquer maneira, tudo é tão caro que você pode acabar lendo sobre uma recente onda de suicídios de taxistas em Nova York enquanto está usando o serviço, um pouco mais barato e subsidiado pelo capital de risco, da empresa que veio a destruir a indústria dos táxis. Você pode acabar se aproveitando de modo cotidiano dos trabalhadores nos depósitos que precisam mijar em garrafas d'água porque você quer uma caixa de saquinhos para cocô de cachorro entregue na porta de sua casa em dois dias, algo que é possível comprar na esquina. Pelo menos no meu caso, é assim que as coisas funcionam, mesmo que minha vida seja relativamente fácil: não tenho dependentes, não tenho nenhuma deficiência — nunca precisei confiar na Amazon para que ela fizesse o que nosso contrato social de hoje não fará.

Deixando de lado a sensação amarga de minha ética bamba, o que mais me incomoda nessa situação é a ideia de que nossa era de corte-o-intermediário fez, de alguma forma, todo mundo se tornar mais parecido — de que a falta de barreiras tecnológicas e um excesso de empenho tenham aberto caminho para um mundo mais justo. Mas o capital de risco é um capital social, cuja distribuição se dá com base em contatos, afinidade e conforto. Mas 76% dos investidores em capitais de risco são homens brancos. Apenas 1% deles é negro. Em 2017, 4,4% de todo o valor empregado em capitais de risco foi destinado a empresas fundadas por mulheres, a maior porcentagem desde 2006. Até agora, apenas os homens brancos foram capazes de avançar da mesma maneira intrépida da Amazon e da Uber — por meio de um modelo de negócios que contorna as regulamentações, corta os direitos, evita as responsabilidades e escoa o máximo de dinheiro possível das pessoas que realizam o trabalho físico. Se um dia isso mudar, se um dia as mulheres e as minorias puderem ter seus próprios Jeff Bezos, dificilmente isso será uma vitória para alguém.

A eleição

O golpe final e definitivo para a geração *millennial* foi, em 2016, a vitória de um vigarista escancarado na eleição presidencial. Donald Trump é um golpista de longa data, orgulhoso e aparentemente incontrolável. Por muitas décadas antes de entrar na política, Trump vendeu uma narrativa magnificamente fraudulenta sobre si mesmo, a de um bilionário empreendedor, que fala o que pensa e é um tanto populista, e o fato de que essa mentira sempre esteve visível se tornou parte central do fascínio que ele exerce. Em seu livro de negócios escrito por um *ghostwriter*, *A arte da negociação*, de 1987, Trump — cercado naquele tempo, como agora, por uma aura de brilho barato dos arranha-céus — cunhou a frase "hipérbole verdadeira", que ele disse ser uma "forma muito eficaz de promoção". Criticando o livro no programa *The Late Show with David Letterman*, ele se recusou a falar sobre a extensão real de seu patrimônio. Em 1992, ele fez uma participação especial em *Esqueceram de mim 2*, dando informações para Macaulay Culkin no saguão do Plaza Hotel, cercado por colunas de mármore e lustres de cristal. (Esta era a condição para filmar em um hotel de Trump: você era obrigado a escrever uma cena para ele.) Naquele mesmo ano, ele entrou em falência pela segunda vez. Em 2004, ano de seu terceiro pedido de falência, Trump começou a apresentar *O Aprendiz*, no qual ele, o brilhante empresário, ficava demitindo pessoas na frente das câmeras. Foi um sucesso gigantesco.

Mas os truques de Trump vão muito além da publicidade enganosa. Ele sempre obteve seus lucros através da exploração e do abuso. Nos anos 1970, Trump foi processado pelo Departamento de Justiça de Richard Nixon depois de criar uma série de medidas que pretendiam manter os negros afastados de seus projetos habitacionais. Em 1980, ele contratou duzentos imigrantes poloneses ilegais a fim de preparar o terreno para a Trump Tower, deixando-os trabalhar sem luvas ou capacete e, às vezes, fazendo-os dormir no local. Em 1981, ele comprou um imóvel no Central Park South, na esperança de converter apartamentos com aluguel controlado em um condomínio de luxo; quando os inquilinos se recusaram a ir embora, ele emitiu avisos ilegais de despejo, cortou o aquecimento e a água quente e publicou anúncios de jornal oferecendo abrigo para pessoas sem-teto naquele prédio. Trump tem uma longa história de ficar devendo a seus garçons, aos trabalhadores da construção civil, aos encanadores, aos motoristas. Certa vez, ele emprestou seu nome para o casal de golpistas Irene e Mike Milin, que dirigiam o Trump Institute, um "workshop de criação de riqueza" que usava materiais plagiados e que declarou falência em 2008. Ele gastou dezenas de milhares de dólares comprando seus próprios livros para aumentar os números de vendas. Sua fundação de caridade, que quase não deu dinheiro para a caridade, foi pega repetidas vezes violando as leis que proíbem a autonegociação. Suas táticas são hediondas, mesmo quando apresentadas em miniatura: em 1997, Trump fez papel de diretor de uma escola de ensino fundamental no Bronx, onde a equipe de xadrez estava tentando arrecadar 5 mil dólares para ir a um torneio. Depois de ter dado a eles uma nota falsa de 1 milhão de dólares e de ter tirado fotografias, ele enviou pelo correio aos alunos um cheque de duzentos dólares.

Antes de sua carreira presidencial, seu golpe mais atroz era a Universidade Trump, onde ele prometia ensinar às pessoas os segredos sobre como enriquecer rapidamente no ramo imobiliário. Em 2005, assim que a empresa começou a funcionar, o gabinete do procurador-geral de Nova York enviou uma notificação que dizia que a Universidade Trump, ao falsamente se autoproclamar como um "programa de pós-graduação", estava infringindo a lei. A companhia fez uma leve modificação na marca e continuou, em sua maneira alegre, persuadindo as pessoas a pagarem 1500 dólares por três dias de seminários, os quais prometiam inestimáveis truques de negócio, mas na verdade eram compostos de passeios até lojas da Home Depot, uma bobajada básica sobre *time-share* e apresentações sobre os programas *de verdade* da Universidade Trump, que custariam 35 mil dólares, a ser pagos adiantados. Em um dos eventuais processos judiciais coletivos, um ex-funcionário deu seu depoimento:

Enquanto a Universidade Trump afirmava que queria ajudar seus clientes a ganhar dinheiro no ramo imobiliário, na verdade ela só estava interessada em vender todos os seminários mais caros que podia. [...] Baseado em minha experiência pessoal e na que tive no emprego, acredito que a Universidade Trump era um esquema fraudulento, que escolhia como presa as pessoas mais velhas e sem estudos e então arrancava o dinheiro delas.

Três dias antes de sua posse, Trump pagou 25 milhões de dólares para encerrar os processos de fraude relacionados à Universidade Trump. A ordem veio de Gonzalo Curiel, um juiz que, segundo Trump, estaria conduzindo um julgamento injusto devido a suas crenças pessoais — Curiel era mexicano, Trump ressaltou, e portanto deveria guardar rancor contra ele, uma vez que ele estava planejando construir um muro.

Como presidente, Trump recebe seus briefings diários em cartões impressos com informações reduzidas e, como disse um assessor da Casa Branca, com uma sintaxe no estilo "Vovô viu a uva". Ele se tornou presidente sem realmente querer ser presidente e, enquanto uma névoa tóxica de nosso jovem-mas--rapidamente-em-declínio país levou-o ao Salão Oval, ele fez dezenas de promessas vazias e grotescas. Ele prometeu processar Hillary Clinton, jogar Bowe Bergdahl de um avião sem paraquedas, fazer a Nabisco produzir Oreos nos Estados Unidos, fazer a Apple produzir iPhones nos Estados Unidos, trazer de volta todos os empregos para os Estados Unidos, acabar com todas as zonas livres de armas nas escolas, punir com a pena de morte qualquer pessoa que matasse um policial, deportar todos os imigrantes sem documentos, espionar mesquitas, tirar os fundos da Planned Parenthood, "cuidar das mulheres", acabar com o Obamacare, acabar com a Agência de Proteção Ambiental, fazer todo mundo dizer "Feliz Natal", construir um "artisticamente lindo" muro entre os Estados Unidos e o México que seria o "maior muro que você já viu", fazer o México pagar pelo muro e — a mais engraçada de todas, quer dizer, mais ou menos — a promessa de *nunca tirar férias durante seu mandato*. (Em seus primeiros quinhentos dias no cargo, ele foi jogar golfe 122 vezes.) Trump fez tudo isso com um instinto maníaco e demente de comerciante, agarrando com força punhados de coisas que, em segredo, empolgavam sua base — violência, domínio, o repúdio ao contrato social — e então as jogando para as multidões que rugiam e rugiam. Quando, na noite das eleições, o mapa começou a ficar vermelho e o apavorante medidor do *Times* deslizou para a direção oposta, eu tive uma nauseante visão de como seria no fim do mandato de Trump, com famílias de imigrantes destroçadas, muçulmanos expulsos do país, refugiados com pedidos de asilo negados, pessoas trans sem os direitos que haviam conquistado recentemente, crianças pobres sem acesso à saúde, crianças deficientes sem apoio, mulheres de baixa renda que não têm acesso a abortos que salvam vidas — a nauseante visão de como seria quando as pessoas que inconscientemente não acham que essas coisas são *muito* importantes começassem a dizer, o que sem dúvida acontecerá, que a era Trump não foi tão ruim assim. Todos os políticos são bandidos. Qual é a diferença? Por que não emprestar nosso país a ele até amanhã, se tudo já está desmoronando? E, de qualquer maneira, mal sabemos o que acontecerá no dia de amanhã. E aqui uma das coisas mais esmagadoras da era Trump se revela: para vivê-la mantendo algum nível de estabilidade psicológica — para vivê-la sem cair cotidianamente em um abismo emocional —, a melhor estratégia é pensar em si mesmo. Enquanto a riqueza continua a fluir em direção ao topo, enquanto os americanos são cada vez mais excluídos de sua própria democracia, enquanto a ação política está restrita ao espetáculo online, muitas vezes senti que a escolha de nossa era se dava entre sermos destruídos ou nos comprometermos moralmente a fim de continuarmos funcionais — naufragar, ou continuar funcional por razões que contribuem com o naufrágio.

Em janeiro de 2017, Trump falou em uma conferência de imprensa cercado por enormes pilhas de papéis aparentemente em branco. Aqueles, ele disse, eram todos os documentos que assinara para se livrar de conflitos de interesse; aquela era toda a papelada que passava os negócios da família para seus filhos.

(Obviamente, não foi permitido que os repórteres analisassem os documentos.) Até janeiro de 2018, Trump havia passado um terço do primeiro ano no cargo em suas propriedades comerciais. Ele se referira a seus próprios negócios ao menos 35 vezes. Mais de cem membros do congresso e funcionários do poder executivo visitaram as propriedades de Trump; onze governos estrangeiros fizeram negócios com as empresas de Trump; grupos políticos gastaram 1,2 milhão de dólares nas propriedades de Trump. A receita do resort Mar-a-Lago aumentou em 8 milhões de dólares. O objetivo final de Trump, sua ambição singular, é o lucro. Ele não vai cumprir nenhuma de suas promessas — não pode atirar Bowe Bergdahl de um helicóptero, ou fazer o México pagar por um muro, ou trazer de volta o boom econômico do pós-guerra, ou reprimir a ideia não tradicional de que mulheres e minorias merecem direitos iguais —, mas nada disso importa. Desde que seja um homem, rico, branco, agressivo e fanático, ele vai continuar representando, para muitas pessoas, a forma mais quintessencialmente americana de poder e força. Ele foi eleito pela mesma razão pela qual as pessoas compram bilhetes de loteria. Você não paga pela possibilidade real de vitória; você paga pela visão fugaz da vitória. "Estamos vendendo um sonho irrealizável para o perdedor médio", Billy McCarland disse para as câmeras quando estava nas Bahamas filmando o vídeo de divulgação do Fyre Fest. O sonho irrealizável está se tornando a estrutura dominante de aspiração, e as sombras de seu estágio final — crueldade, indiferença, niilismo — estão seguindo logo atrás. Afinal, ao participarmos de um golpe, temos acesso a uma parte de sua glória hedionda: podemos observar, ou talvez realmente experimentar, a sensação de saquear um local e sair ileso.

Seria *melhor*, é claro, fazer as coisas certas, do ponto de vista moral. Mas quem hoje em dia tem capacidade ou tempo para fazer isso? Tudo, inclusive o próprio mundo físico, está superaquecendo.

A "margem da recusa", como afirma Jenny Odell, está diminuindo, e as apostas estão aumentando. As pessoas já estão ocupadas demais tentando recomeçar, ou tentando se proteger contra desastres, ou tentando se divertir, porque, afinal de contas, não podemos contar com muito mais do que isso — três tarefas que poderiam conter a maior parte do esforço humano, até que nosso planeta devastado finalmente termine com tudo. E, enquanto fazemos isso — *porque* fazemos isso —, os caminhos mais honestos se estreitam ou se relevam sem saída. Há cada vez menos opções de que uma pessoa sobreviva nesse ecossistema de maneira totalmente defensável.

Ainda acredito, em algum nível inalterável, que posso escapar daqui. Afinal de contas, foram necessários apenas sete anos açoitando meu eu na internet para que eu chegasse a uma posição em que posso me dar ao luxo de não usar a Amazon para economizar quinze minutos e cinco dólares por compra. Digo a mim mesma que esses pequenos fragmentos de alívio, conveniência e vantagem vão acabar se acumulando e criando algo transformador; que um dia subirei a um nível em que não vou precisar mais ir contra meus princípios, em que *realmente* poderei agir com consideração, em que algumas ações futuras imaginadas cancelarão toda luta movida por interesse próprio que veio antes. Essa é uma fantasia útil, acho eu, mas é uma fantasia. Nós somos o que fazemos, e fazemos o que estamos acostumados a fazer. Como tantas pessoas de minha geração, saí da adolescência e entrei nesta vida adulta frágil, frenética e instável, uma constante e implacável demonstração de que os golpes compensam.

7.
Viemos da velha Virgínia

Eu não planejava estudar na Universidade da Virgínia; me inscrevi principalmente em instituições da Nova Inglaterra e da Califórnia. Naquele tempo, depois de ter passado doze anos em um ambiente religioso, enclausurado e conservador, minha vontade era ficar o mais longe possível do Texas. Durante o inverno do último ano do ensino médio, fui aceita em Yale e senti que um futuro sério, e antes inconcebível, havia sido organizado para mim, um futuro em que eu usaria suéteres de lã e escreveria para um jornal. Mas então meu orientador educacional me indicou para concorrer a uma bolsa na Universidade da Virgínia (UVA), insistindo que seria um bom lugar para mim. Na primavera, peguei um avião até Charlottesville para a rodada final da disputa por bolsas, que começou com os atuais bolsistas nos levando a uma festa na casa de alguém, onde me sentei no balcão da cozinha, bebi chope de barril e comecei a me sentir ofuscada por todo o brilho ao meu redor. Parecia que fogos de artifício estavam explodindo lá fora, na escuridão; um traço sulino estava no ar, simples e sofisticado. No dia seguinte, quando entrei no campus, o sol era quente e dourado, e os prédios de tijolos com colunas brancas se ergueram em um céu azul tomado por pássaros. Os estudantes estavam jogados na grama, brilhando com sua beleza convencional. A oeste da cidade, as montanhas Blue Ridge elevavam o horizonte com camadas de crepúsculo e azul-marinho, e árvores rendadas estavam florescendo em todas as ruas. Eu pisei no Gramado, a peça central da universidade — uma planície exuberante alinhada a dormitórios estudantis de prestígio e pavilhões para professores —, e senti uma empolgação instantânea e avassaladora. Nessa faculdade, pensei, você cresceria como uma planta em uma estufa. Essa luz manchada, a sensação de longas tardes, portas abertas e drinques servidos por estranhos, a grande escadaria que levava à cúpula do Panteão na Rotunda — era ali que eu queria estar.

Charlottesville se vende dessa maneira, sem esforço, como uma espécie de Éden açucarado, uma cidade universitária com a simplicidade e o charme do sul, mas com ideais intelectuais liberais. O guia online da Universidade da Virgínia se abre com uma ilustração de um pôr do sol dourado e repleto de névoa, as montanhas ficando lilases com o último clarão do sol. "Um lugar como nenhum outro", afirma a ilustração. "Este é um lugar onde o mundo gira da maneira como deveria", diz o narrador de um vídeo promocional. Como explica o site da UVA, Charlottesville foi considerada a cidade mais feliz dos Estados Unidos de acordo com o Departamento Nacional de Pesquisas Econômicas, a melhor cidade universitária segundo o site Travelers Today, e a quinta melhor cidade do país segundo o índice de bem-estar da Gallup. O *Guia Universitário Fiske* diz que "os estudantes de todo o país piram pela UVA" e cita um estudante que considera Charlottesville "a cidade universitária perfeita". Outro estudante observa que "praticamente tudo aqui é uma tradição". Um comentário sobre a Universidade da Virgínia em um fórum do College Confidential declara que "as meninas aqui se vestem muito bem e são muito atraentes. A chave para conseguir essas meninas é o álcool".

Quando me mudei para Charlottesville, em 2005, tinha dezesseis anos, e nada nesse comentário teria parecido deplorável para mim. Passara minha vida inteira em uma minúscula escola evangélica onde o poder masculino branco era o padrão inquestionável, e o tradicionalismo da Universidade da Virgínia, em questões de gênero ou qualquer outra coisa, não foi imediatamente registrado por mim. (Na verdade, naquela primeira visita, tal tradicionalismo pareceu reconfortante. Escrevi em meu diário, em tom aprobatório, que a atmosfera política era "moderada, não extremamente liberal".) Claro, havia meninos se formando em história e economia que, meio de brincadeira, se referiam à Guerra da Secessão como "a Guerra da Agressão do Norte", mas isso ainda parecia um grande avanço comparado ao racismo escancarado que eu conhecia. A UVA era como um folder vivo de divulgação: todo mundo estava sempre "encontrando seu grupo", carregando pilhas de livros para gramados verdes, deslocando-se de piqueniques para festas no meio da tarde acompanhados de seus melhores amigos. As aulas tinham um grau de dificuldade mediano; as pessoas eram afiadas, mas geralmente básicas demais — eu inclusive — para ser pretensiosas. Nos fins de semana, estudantes usavam vestidos de verão e gravatas para se embebedarem durante os jogos de futebol, e eu gostava desse clima de etiqueta sulista debochada, a doce qualidade genérica da vida engomadinha do Médio Atlântico. Durante quatro anos, escrevi trabalhos mecanicamente na biblioteca; vivi ao redor de um namorado; fui voluntária e garçonete e cantei em um grupo *a capella* e fiz um juramento em uma irmandade e me sentei no telhado fumando maconha e lendo, enquanto, do outro lado da rua, as crianças da escola primária berravam. Eu me formei em 2009 e, depois disso, não pensei muito em Charlottesville. Adorei, de maneira fácil e automática, o tempo que passei lá. Então, em 2014, a *Rolling Stone* lançou sua bomba.

A reportagem, "Um estupro no campus", escrita por Sabrina Rubin Erdely, fazia um relato bastante visual de um estupro coletivo ocorrido na Phi Kappa Psi, a fraternidade da UVA cuja sede de colunas brancas repousa sobre um grande campo próximo à Rugby Road. "Bebendo de um copo de plástico, Jackie fez uma careta e, discretamente, derramou seu ponche no chão da casa da fraternidade", começa Erdely. Era a primeira vez que Jackie ia a uma festa de fraternidade, e a frase me levou a um túnel do tempo. Minha primeira festa em uma fraternidade tinha também sido na Phi Psi: eu podia me ver com cabelos compridos e bagunçados, usando chinelos de dedo, tomada por fortes emoções depois de um jogo de bebida, derramando no chão meu próprio copo de ponche. Fui embora um pouco depois disso, atravessando os trilhos do trem na esperança de encontrar uma festa melhor. Na matéria da *Rolling Stone*, Jackie foi empurrada para um quarto escuro, jogada sobre uma mesinha de centro, imobilizada e espancada. "'Segura a perna da filha da puta', ela ouviu uma voz dizer. E foi aí que Jackie soube que seria estuprada." Erdely escreveu que Jackie sofreu "três horas de agonia, durante as quais, segundo ela, sete homens se revezaram para estuprá-la". Um deles hesitou, e então enfiou uma garrafa de cerveja dentro dela, sob os aplausos dos demais. Depois do ataque, Jackie fugiu da casa, de pés descalços e com manchas de sangue no vestido vermelho. Ela ligou para as amigas, que a desencorajaram a fazer uma denúncia à universidade ou à polícia: "Nunca mais vão nos deixar entrar em uma festa de fraternidade". Mais tarde, Jackie contou sobre a agressão para a pró-reitora Nicole Eramo. Então, um ano depois, ela disse a Eramo que conhecia duas outras mulheres que haviam sofrido estupros coletivos na Phi Psi. Em ambas as vezes, de acordo com Erdely, Eramo expôs as opções de Jackie, que se recusou a ir adiante com o caso, e a universidade deixou as coisas assim. Na opinião de Erdely, isso era imperdoável, considerando o que a pró-reitora ouvira.

Havia um precedente na Universidade da Virgínia para tudo isso, tanto para esse crime específico quanto para a realidade da desconsideração institucional. Em 1984, uma caloura de dezessete anos chamada Liz Seccuro sofreu um brutal estupro coletivo na fraternidade Phi Psi e, segundo ela, um pró-reitor da universidade perguntou se Liz não tivera apenas uma noite difícil. Em 2005, Seccuro recebeu uma validação traumática de suas memórias quando um dos agressores lhe escreveu um pedido de desculpas como parte de um processo de recuperação dos Alcoólicos Anônimos. (A instituição na verdade havia dado a ele o endereço de Liz.) Erdely escreveu que o ciclo de estupro e indiferença da UVA era tal que apenas catorze pessoas foram consideradas culpadas por má conduta sexual em toda a história da universidade, e que *nem uma única pessoa* fora expulsa por agressão sexual. Além disso, o fetichizado código de honra da UVA — no qual atos isolados de mentira, trapaça e roubo desencadeariam uma expulsão — não considerava o estupro um crime relevante. Erdely observou que a universidade não começou a investigar a Phi Psi até que soubesse que ela estava escrevendo uma matéria.

Quando a matéria da *Rolling Stone* foi publicada, eu havia acabado de me mudar para Nova York para trabalhar como editora no site feminista Jezebel. Quando, naquela manhã, entrei em nossa escura fábrica de blogs com paredes de tijolos no Soho, minhas colegas estavam emitindo um silêncio estranho e pesado enquanto liam a matéria de Erdely na tela de seus computadores. Vi a foto da Phi Psi e entendi o que estava acontecendo. Sentei-me em minha cadeira giratória e abri o texto, sentindo uma náusea do tipo a-ligação-está-vindo-de-dentro-de-casa, essa que sentimos quando as notícias focam em algo que nos parece bastante pessoal. Quando terminei de ler, estava tonta, pensando em meus quatro anos em Charlottesville e nas coisas que eu tinha escolhido ver ou não ver. Eu me imaginei na faculdade, onde nunca me matriculava para as disciplinas de estudos femininos e canalizava todo o meu dinheiro de garçonete para as despesas com a irmandade. Eu me lembrei de que, sempre que uma colega de aula começava uma declaração com "Eu, como feminista", minha resposta interna era "Tudo bem, garota, *relaxe*". Eu nunca havia participado de uma marcha Take Back the Night. Ainda que Liz Seccuro tenha levado seu estuprador a julgamento enquanto eu estava na faculdade — não há prescrição para estupro na Virgínia —, isso mal passou por meu radar. (O estuprador foi condenado a dezoito meses, e acabou cumprindo seis.) Eu mesma tinha sido dopada por um aluno de Georgetown em meu primeiro semestre de faculdade, durante uma viagem de fim de semana com um grupo da UVA. Culpando-me por ter aceitado bebida de estranhos, e agradecendo pela sorte de ter começado a passar mal assim que ele me tocou, eu nem tinha conversado sobre aquele incidente depois, descartando-o como algo desimportante.

Essa era uma outra era. Nos cinco anos desde minha graduação, o feminismo se tornou uma perspectiva cultural dominante. A Title IX, a lei de direitos civis de 1972, inicialmente invocada em nome da igualdade de oportunidades nos esportes universitários, estava agora sendo aplicada a casos de agressão sexual e assédio. Em 2011, em uma carta do Departamento de Direitos Humanos, o governo Obama proclamou que "o assédio sexual de estudantes, incluindo a violência sexual, interfere no direito dos estudantes de receberem uma educação livre de discriminação e, no caso da violência sexual, constitui-se como um crime". Houve várias notícias amplamente divulgadas sobre agressões e assédios no ambiente acadêmico. Em 2010, a Yale suspendeu a fraternidade Delta Kappa Epsilon depois que suas cerimônias incluíram o canto "Não significa sim, sim significa anal!" na frente do Centro da Mulher. Em 2014, Emma Sulkowicz começou a carregar seu colchão pelo campus de Columbia como forma de protesto contra a administração da universidade, que considerou inocente seu suposto estuprador. (As estudantes continuaram carregando seus colchões até a graduação.) Em 2015, dois jogadores de futebol da Universidade Vanderbilt foram considerados culpados de estuprar uma mulher inconsciente. A luta para levar a julgamento casos de estupros nas universidades foi notícia em todo o país. O artigo da *Rolling Stone* viralizou em apenas uma hora depois da publicação, e acabaria se tornando a matéria mais lida na história da revista que não envolvia uma celebridade. Eu também havia mudado. Estava trabalhando no Jezebel. Sentada em minha cadeira de escritório, eu me sentia quase desencarnada pelo medo ao pensar em quantas mulheres leriam aquele texto e sentiriam a necessidade de comparar suas histórias com a de Jackie — para minimizar o mal que tinham enfrentado, ou para prefaciar suas próprias experiências, como nós já fazíamos, com um "não foi tão ruim assim".

Dentro da Universidade da Virgínia e entre as pessoas ligadas a ela, a história foi explosiva. A maioria das reações foi de apoio, mas havia uma mistura. O *feed* de meu Facebook foi inundado por mensagens de ex-alunos expressando indignação e reconhecimento; para meu namorado, ex-membro de uma fraternidade da UVA, vários conhecidos do tempo da faculdade expressaram descrença, ou uma distância dura e suspeita. Em Charlottesville, o departamento de polícia abriu uma investigação sobre o ataque sofrido por Jackie. A sede da Phi Psi foi vandalizada. Houve uma reunião de emergência do Conselho de Visitantes. Post-its brilhantes e cartazes — "Expulsem os estupradores", "Machucar uma é machucar todas" — cobriam as paredes de tijolos que cercavam o Gramado. Manifestantes percorreram a Rugby Road com cartazes que diziam "Queimem as fraternidades". ("Ninguém quer estuprar você!", algumas pessoas gritavam de volta.) O jornal do campus, *The Cavalier Daily*, transbordou com comentários de alunos e ex-alunos. Pessoas que escreveram cartas reconheceram a insidiosa liberdade dada às fraternidades e irmandades; eles criticaram a longa história do apagamento de vítimas e acusados na universidade; eles questionaram as intenções da *Rolling Stone* e de Erdely em escolher esse fato isolado ocorrido na Universidade da Virgínia. "É imensamente frustrante ser destacado assim quando a inação em casos de estupro e agressão sexual persiste em todo o país", escreveu um aluno. O conselho de administração do jornal publicou um artigo descrevendo o clima de "raiva, nojo e desespero".

Alguns dias depois de o texto ser publicado, Emma, minha editora-chefe, perguntou se a reportagem me parecia correta. Estão faltando alguns detalhes, eu disse, mas as pessoas que conhecem o lugar sabem do que Erdely está falando. Ela tinha razão quando dizia que a UVA possuía um problema sistêmico: a universidade via a si mesma como um idílio, um lugar de beleza refinada e cidadania, e essa crença era tão sedutora, tão meia verdade e tão amplamente propagada, que o cálculo social que mostrava outra realidade fora inteiramente suprimido.

Naquele ponto, eu jamais havia escrito uma reportagem ou editado uma. Estava em meu primeiro emprego na mídia quando Emma me levou para o Jezebel; trabalhava no The Hairpin, um pequeno blog em que eu basicamente editava e escrevia ensaios. Eu não entendia que *sim*, o fato de que os detalhes estavam incorretos importava: a epígrafe do texto viera do que Erdely chamou de "um tradicional canto de torcida da Universidade da Virgínia", do qual eu nunca ouvira falar e que, segundo ela, era entoada com frequência por um grupo *a capella* chamado Virginia Gentlemen, cujo repertório eu conhecia de cabo a rabo, uma vez que se tratava do grupo irmão de meu próprio grupo de canto. Se fosse mais experiente, eu saberia que parecia realmente suspeito, não apenas uma questão de floreio literário, o fato de que ela descrevera a Phi Psi como pertencendo a uma "camada superior". (A Phi Psi estava, na melhor das hipóteses, em algum lugar mediano no rígido e não descrito sistema de castas das fraternidades da UVA — um espinhoso fato social que seria fácil de ser verificado.) Eu teria notado a ausência de declarações e aspas que dissessem ao leitor como as pessoas da história — os sete homens que estupraram Jackie, ou a amiga que disse, como se lesse em voz alta um roteiro ruim de cinema: "E por que você não se divertiu com esse bando de gostosos da Phi Psi?" — haviam respondido às alegações. Eu teria percebido que, lendo a história, não havia como dizer exatamente de que maneira Erdely sabia o que sabia.

Aos 25 anos, eu estava mais perto de minha época na UVA do que da época em que estou agora; mais perto da ideia de ser o assunto do que da ideia de ser a escritora. Eu não sabia como ler a história. Mas muitas outras pessoas o fizeram.

Não demorou muito tempo para os jornalistas começarem a desmembrar "Um estupro no campus". No início, parecia possível que os descrentes tivessem alguma motivação ideológica. Richard Bradley, que já havia editado o fabulista Stephen Glass, escreveu que o lide "confundia a mente" e exigia que o leitor "satisfizesse seus preconceitos preexistentes" contra "fraternidades, contra homens, contra o Sul", assim como "sobre a prevalência — ou, de fato, a existência — da cultura do estupro". Robby Soave, um *blogger* no site libertário Reason, que havia dito anteriormente que o movimento contra o estupro nas universidades era uma criminalização em larga escala do sexo no campus, se perguntava se a história toda não seria uma farsa.

Então o *Washington Post* entrevistou Erdely, que se recusou a dizer se conhecia o nome dos agressores de Jackie ou se havia contatado "Drew", o homem que levara Jackie à Phi Psi. Erdely foi convidada para o podcast *Double X* da revista *Slate* e contornou as mesmas perguntas. Então ela e seu editor,

Sean Woods, confirmaram ao *Washington Post* que nunca haviam conversado com nenhum dos homens. "Estou satisfeito com o fato de esses caras existirem e serem reais", disse Woods. Erdely disse ao jornal que, ao se debruçar sobre esses detalhes, você "acaba se desviando".

Logo depois, o *Washington Post* informou que a Phi Psi não havia realizado uma festa na noite em questão. O jornal encontrou fortes evidências de que "Drew" não existia, ao menos não como a pessoa descrita por Jackie. A CNN entrevistou os amigos citados no artigo, que detalharam grandes discrepâncias entre o que Jackie havia contado a Erdely e o que Jackie contara a eles. Tarde da noite, no dia 4 de dezembro, Erdely recebeu um telefonema de Jackie e seu amigo Alex, que aparentemente conversara com Jackie sobre as inconsistências de sua história.

À 1h54 do dia 5 de dezembro, Erdely enviou um e-mail aos seus editores: "Vamos ter que fazer uma retratação. [...] Alex e eu não estamos mais acreditando em Jackie". Naquele dia, a *Rolling Stone* escreveu uma declaração explicando que Jackie pedira que eles não contatassem "Drew" ou qualquer um dos homens que a estupraram. A revista havia respeitado esse pedido, pois a consideravam confiável e levaram a sério seu aparente medo de retaliação. Mas "agora parece haver discrepâncias no relato de Jackie, e chegamos à conclusão de que não deveríamos ter confiado nela". (Mais tarde, esta última frase infeliz, sobre confiança, desapareceu.) Enquanto lia a nota, meus olhos continuavam voltando para uma frase que dizia que os amigos de Jackie "endossaram fortemente" sua história. Esses amigos a ajudaram emocionalmente; eles ofereceram apoio diante da experiência que ela lhes contara. Mas eles não *corroboraram* a história de Jackie nem a sustentaram da maneira que um jornalista deveria ser obrigado a sustentar — da maneira como as paredes sustentam uma casa.

Em março, a polícia de Charlottesville emitiu um comunicado declarando não haver evidências que confirmassem o depoimento de Jackie a respeito da suposta agressão sofrida. Posteriormente, a *Columbia Journalism Review* publicou um extenso relatório descrevendo em detalhes como Erdely e seus editores haviam errado. Jackie e Erdely prestaram seus depoimentos mais tarde em *Eramo vs. Rolling Stone*, um processo movido por Nicole Eramo, que fora retratada como alguém que desencorajara Jackie a denunciar a suposta agressão, e que, segundo a revista — baseada apenas nas palavras de Jackie —, teria declarado que ninguém iria querer mandar suas crianças para a "escola do estupro". (Em novembro de 2016, um júri declarou Erdely e a *Rolling Stone* culpadas por difamação. Eramo recebeu 3 milhões de dólares em indenizações compensatórias.) Através da análise da *Columbia Journalism Review* e dos documentos do tribunal, uma história por trás da história se montou sozinha.

Alguma coisa parecida com aquilo aconteceu com Jackie em 28 de setembro de 2012. Tarde da noite, ela ligou para os amigos, perturbada. Ela os encontrou diante dos dormitórios dos calouros, sem ferimentos visíveis, e disse que algo ruim havia acontecido. Logo depois, disse à colega de quarto que havia sido forçada a fazer sexo oral em cinco homens. No dia 20 de maio de 2013, contou à história à pró-reitora Nicole Eramo e se recusou a fazer uma denúncia formal. Um ano depois, em maio de 2014, ela voltou a procurar Eramo para denunciar um ato de retaliação — alguém havia jogado uma garrafa nela no The Corner, a principal zona de bares de Charlottesville —, e afirmou que conhecia duas outras mulheres que tinham sofrido estupros coletivos na mesma fraternidade. Eramo, segundo ela própria, incentivou Jackie a denunciar a suposta agressão às autoridades e providenciou um encontro entre Jackie e a polícia de Charlottesville; ela disse que Jackie teve duas dessas reuniões durante a primavera de 2014.

Erdely confirmou sua reportagem mais ou menos na mesma época. Ela era uma jornalista experiente de quarenta e poucos anos, que havia assinado um contrato de estrela com a *Rolling Stone*: receberia 300 mil dólares por sete reportagens a ser escritas ao longo de dois anos. Ela já escrevera sobre abuso sexual. Seu artigo publicado na revista *Philadelphia* em 1996 sobre uma mulher que fora estuprada pelo ginecologista foi indicado ao National Magazine Award e, na *Rolling Stone*, Erdely publicara recentemente duas reportagens importantes sobre abuso sexual na Igreja católica e na Marinha americana. (Em dezembro de 2014, a *Newsweek* escreveu que a reportagem de Erdely sobre a Igreja católica também era notavelmente falha.) Com essa nova matéria na *Rolling Stone*, sua intenção era acompanhar um único caso de agressão em um "campus particularmente complicado", ela escreveu em um memorando — Erdely não tinha certeza de qual campus seria. Mas ela conversou com mulheres que haviam sido estupradas em algumas faculdades da Ivy League e ficou insatisfeita com as histórias que surgiram. No verão de 2014, viajou a Charlottesville e ouviu falar de Jackie por uma ex-aluna chamada Emily, que havia conhecido Jackie num grupo de prevenção de agressões sexuais. "Obviamente", Emily disse a Erdely, "a memória dela pode não ser perfeita." Alguns dias depois, Erdely sentou-se com Jackie, cuja história havia mudado: em 28 de setembro, disse à repórter, ela encontrou os amigos na frente da Phi Psi, ensanguentada, machucada e descalça depois de escapar de um estupro coletivo de muitas horas perpetrado por sete homens. Jackie se recusou a dar o nome desses amigos, ou o nome do garoto que a levou até a fraternidade.

As duas continuaram conversando. Em setembro, Jackie e o namorado jantaram com Erdely, que perguntou sobre as cicatrizes deixadas pelo vidro quebrado. "Eu na verdade não vi nenhuma marca nas suas costas", disse o namorado. Jackie disse a Erdely: "Quando você vem de um ambiente em que sempre te dizem que você não vale nada [...] você se torna um alvo fácil. [...] Eu era facilmente manipulada porque não tinha autoestima pra... não sei". Uma semana depois, Jackie mandou uma mensagem para uma amiga: "Esqueci de dizer que a Sabrina [Erdely] é muito legal, mas você tem que escolher suas palavras com muito cuidado, porque ela tirou de contexto algumas coisas que eu disse e as distorceu um pouco". Ela tinha começado a vacilar. Em outubro, uma de suas amigas escreveu a Erdely: "Estou conversando com Jackie agora, e ela está me dizendo que tem cem por cento de certeza de que não quer o nome dela no artigo". Erdely respondeu que estava "disposta a discutir se ela quiser mudar o nome etc., mas preciso deixar uma coisa clara: no ponto em que estamos, não há como voltar". Erdely mandou um e-mail para seu editor de fotos dizendo: "É, infelizmente, eu diria que a Jackie não está em um bom estado mental agora, e assim vai ficar por um longo tempo". No final de outubro, Jackie parou de responder às ligações e mensagens de Erdely, mas a jornalista a persuadiu a voltar ao processo para a checagem dos fatos. Nas edições finais, duas observações importantes — que Jackie se recusara a dar o nome do garoto que a levara para a festa da fraternidade, e que a revista não havia contatado seus amigos para confirmar sua história — desapareceram.

A reportagem foi publicada em meados de novembro. Erdely deu suas entrevistas suspeitamente vagas para o *Double X* e o *Washington Post*. Na véspera do Dia de Ação de Graças, Erdely ligou para Jackie e a pressionou para que ela dissesse o nome do garoto que a levara à Phi Psi, e Jackie disse que não sabia ao certo como se escrevia o nome dele. Em público, a história começou a desmoronar. No início de dezembro, Jackie mandou uma mensagem a um amigo: "Estou com tanto medo. Nunca quis participar desse artigo desde que ele se tornou algo sobre meu estupro. Tentei desistir, mas ela disse que eu não podia". Alguns dias depois, Jackie e Erdely conversaram naquela ligação da madrugada que levou a *Rolling Stone* a emitir uma nota do editor. Mais ou menos uma semana depois disso, Erdely enviou um e-mail a Jackie, finalmente pedindo que ela explicasse as mudanças de sua história. Ela também pediu a Jackie o nome de alguém que já tivesse visto as cicatrizes em suas costas.

No depoimento prestado sob juramento, Jackie não admite totalmente que mentiu. Ela é uma narradora não confiável, assim como a própria Erdely, até certo ponto. (E, uma vez que estou aqui escolhendo certas coisas e descartando outras, como faz qualquer pessoa que conta uma história, tampouco eu sou confiável.) Mas, ao ler o testemunho das duas mulheres, o que me impressiona é como a estrutura da violação original, a linguagem de força e traição, influencia o modo com que uma age em relação à outra — do mesmo jeito que os procedimentos da Lei Title IX acabam muitas vezes por replicar os padrões de invasão que a própria lei se propôs a tratar e impedir. Jackie se lembra de Erdely dizendo a ela que "não havia como [...] voltar atrás agora". Ela diz ao tribunal: "Eu tinha a impressão de que [os detalhes da minha agressão] não seriam publicados, eu não era... sabe, eu tinha vinte anos. Eu não sabia a diferença entre o que ficaria entre nós e o que se tornaria público. Eu... eu era ingênua". Em seu depoimento, Erdely declarou: "Quero dizer, a Jackie sabia que querer ou não participar dependia inteiramente dela".

O que deveria acender um alerta em um repórter foi também ignorado e tomado como uma parte normal da recuperação de uma vítima de estupro. Quando Erdely pediu para conversar com as duas mulheres que, segundo Jackie, também haviam sofrido estupros coletivos na Phi Psi, Jackie insistiu em agir como intermediária. (É muito provável que Jackie tenha inventado os textos atribuídos a elas, os quais eventualmente acabou mostrando para Erdely.) Erdely acreditou, o que parecia plausível, que Jackie queria apenas proteger as garotas de mais traumas. Ela não estava muito preocupada com o fato de a história de Jackie ter mudado. "Eu sei que as histórias [das vítimas de estupro] às vezes se transformam ao longo do tempo, à medida que elas processam aquilo que lhes aconteceu", Erdely disse em seu depoimento. Ao fazer isso, ela replicou o mecanismo de autoilusão incorporado na Universidade da Virgínia: agiu como se a história em que acreditava, e na qual ela pensava estar trabalhando, já fosse algo real.

Tenho simpatia pela experiência de ser enganado pelo que você quer acreditar. Em geral, as boas intenções produzem pontos cegos. É difícil culpar Erdely por acreditar que a memória de Jackie tenha sido inicialmente obscurecida pelo trauma. É fácil entender como uma administradora de uma faculdade pode acreditar no progresso moral de sua instituição apesar das evidências contrárias, ou como uma repórter poderia acreditar que as histórias tendem a mudar na direção da verdade. Foi isso o que aconteceu, afinal, com Liz Seccuro, a mulher que sofreu um estupro coletivo na Phi Psi em 1984. Quando o estuprador, William Beebe, escreveu um pedido de desculpas 21 anos depois, ela lhe perguntou — tendo sido assombrada por um sentimento inexplicável — se ele havia sido o único a estuprá-la. Sim, respondeu. Ele não se lembrava daquela noite da mesma maneira que ela. Na carta original, William não usou a palavra "estupro". Ele escreveu: "Querida Elizabeth: em outubro de 1984, eu machuquei você. Mal posso começar a entender até que ponto, aos seus olhos, meu comportamento a afetou depois do que aconteceu". Na carta que enviou a Seccuro depois, ele escreveu: "Não houve luta e tudo acabou em pouco tempo".

"Acordei nua enrolada em um lençol com manchas de sangue", Seccuro escreveu em sua resposta.

"Sou sincero em minha lembrança", Beebe replicou, "embora essa possa não ser toda a verdade sobre o que aconteceu a você naquela noite."

Em seu livro de memórias, *Crash Into Me*, Seccuro diz que era virgem quando foi agredida, e que o pró-reitor lhe disse: "Bem, você sabe que essas festas podem sair do controle... Tem certeza de que você não fez sexo com esse jovem e está agora arrependida? Essas coisas acontecem". Sua história foi esmagada pela universidade, pelo departamento de polícia e pela época em que ela vivia — não havia kits de estupro no hospital da UVA quando ela se arrastou para lá depois de ter sofrido a agressão. Sem opções, Seccuro acabou encontrando um repórter e contou sua história usando um pseudônimo: um homem a estuprara em uma fraternidade certa noite, disse.

Duas décadas mais tarde, depois de ela receber a carta de Beebe, a polícia de Charlottesville reabriu a investigação e conversou com testemunhas. Um policial ligou para ela um dia. "Liz, você tinha razão", disse. "Beebe foi um de três. Três homens estupraram você naquela noite, e Beebe foi o último. Sinto muito ser a pessoa a estar dizendo isso." Um dos homens "supostamente foi visto me estuprando com os dedos", escreveu Seccuro, "com quatro homens observando e vibrando enquanto ele levantava meu suéter e minha saia". Outro a deixou sangrando e inconsciente, e caminhou para os chuveiros da fraternidade "nu, exceto pela toalha, cumprimentando amigos pelo caminho". Beebe foi visto arrastando Seccuro para o quarto dele enquanto ela gritava; depois, ele arrastou seu corpo até o banheiro e tentou limpá-la. A história *dele* foi se tornando menos verdadeira com o tempo, e de um modo monstruoso: ele passara a acreditar que "não houvera briga", que havia muita ambiguidade, que aquela tinha sido apenas uma noite confusa e desagradável.

Parece possível que Beebe, refinando a trajetória de sua vida durante a recuperação, tenha se convencido genuinamente disso nas décadas seguintes, e que tenha entrado em contato com Seccuro em parte para validar sua narrativa alterada. Por outro lado, sempre achei que Jackie, em algum nível profundo e bizarro, deve ter acreditado na verdade de sua história imaginada. Caso contrário, ela nunca seria capaz de enganar Erdely e o checador de fatos com tanta consistência. Eu me pergunto se Jackie achava que um registro escrito, uma grande matéria na *Rolling Stone*, consagraria como verdade a narrativa na qual ela queria acreditar.

Seccuro publicou seu livro de memórias em 2012, cinco anos depois da conclusão do processo judicial. No livro, ela sugere que estuprar coletivamente uma caloura pode ter sido um rito de passagem na Phi Psi, "uma espécie de tradição". Isso foi o que Jackie sugeriu a seus amigos, assim como Erdely — quando Jackie relatou as semelhanças entre sua história e a de Seccuro, Erdely respondeu, de acordo com as transcrições das fitas lidas em voz alta em seu depoimento: "Puta merda. Todos os pelos do meu braço estão arrepiados. Parece mais do que uma coincidência". Em seu depoimento, Jackie afirma que uma professora escolheu *Crash Into Me* como leitura de uma disciplina que ela cursou em 2014. A garota disse que leu apenas uma parte do livro — a que descrevia o ataque sofrido por Seccuro.

A maneira mais generosa de descrever o senso de realidade de Jackie é dizer que ele era poroso. Ela era capaz de mentir loucamente, mesmo quando não tinha muito o que ganhar com isso. Um de seus amigos, Ryan, recebeu certa vez um e-mail de um cara chamado Haven Monahan — o cara que, mais tarde, Jackie diria que a levou para sair na noite de seu estupro. (Na *Rolling Stone*, Haven é a pessoa identificada como Drew.) "Haven", uma figura montada cuja suposta conta de e-mail era provavelmente controlada por Jackie, encaminhou a Ryan um e-mail que Jackie teria lhe enviado. Era uma carta de amor falando sobre Ryan, e foi retirada, quase palavra por palavra, de um episódio de *Dawson's Creek*. Tudo isso — a falsa persona, a falsa conta de e-mail, a carta plagiada — era a maneira desequilibrada que Jackie encontrou para expressar que estava interessada em alguém.

Durante uma de suas entrevistas, Jackie também contou a Erdely sobre um episódio de *Law & Order: Special Victims Unit* que, segundo ela, mostrava uma situação parecida com seu estupro. Erdely admitiu no depoimento que nunca assistiu ao episódio. Chamava-se "Garota desonrada", um advogado disse a ela. No episódio, uma jovem mulher é estuprada por membros de uma fraternidade, e um dos agressores diz: "Segura a perna dela".

Em algum ponto durante o processo, Erdely leu em voz alta uma declaração, escrita na manhã em que a *Rolling Stone* postou seu mea culpa, que dizia que "o caso de Jackie parecia ter chegado ao cerne da história maior que eu queria contar".

"Você estava sendo sincera quando escreveu essas palavras?", perguntou o advogado.

"Se eu estava sendo sincera?", ela responde.

"Você estava inventando, ou estava sendo sincera quando escreveu essas palavras?", pergunta o advogado.

"Eu não invento nada", diz Erdely.

"Então você estava sendo sincera quando escreveu essas palavras? Você acreditava nessa declaração quando a escreveu?", o advogado pergunta.

Erdely diz que sim. Mas a escolha nem sempre se dá entre ser sincero ou mentir. É possível ser os dois: sincero e iludido. É possível — e, em alguns casos, muito fácil — acreditar em uma declaração ou em uma história que não passa de uma mentira.

Em abril, depois que a *Rolling Stone* tirou a matéria do ar, a reitora da Universidade da Virgínia, Teresa Sullivan, emitiu um comunicado em que criticava a revista por ter publicado a reportagem. "O jornalismo irresponsável prejudicou injustamente a reputação de muitos indivíduos inocentes e da Universidade da Virgínia", escreveu.

A violência sexual é um problema sério para nossa sociedade, e requer o foco e a atenção de todos em nossas comunidades. Muito antes de a *Rolling Stone* publicar seu artigo, a Universidade da Virgínia estava trabalhando para enfrentar a violência sexual. E continuaremos a implementar reformas substanciais para melhorar a cultura, prevenir a violência e responder a atos violentos quando eles ocorrerem.

Assim, voltamos à velha história. A *Rolling Stone* era o problema, e o problema havia sido anulado, e a UVA poderia continuar como estava. Lembro-me de uma madrugada alguns anos antes. Nos fundos de um bar, depois de uma festa de casamento, uma mulher me disse que conhecia alguns dos garotos que jogavam lacrosse na Universidade Duke durante o escândalo de 2006. Os garotos foram machucados para sempre, ela disse — têm cicatrizes permanentes, assim como seus familiares, por causa da mentira repugnante de uma prostituta. Sua raiva era crua, palpável, explosiva. Aquilo me intimidou, e também me fez lembrar que a maioria das pessoas ainda acha que as falsas acusações são mais repugnantes do que o estupro. Em 1988, o *Cav Daily* publicou o artigo de um aluno, que dizia: "Não peça punições maiores para acusações de estupro até que mulheres que acusam homens falsamente por estupro ou tentativa de estupro sejam investigadas com intensidade semelhante, processadas com igual vigor e presas por um período maior".

Na Bíblia, a esposa de Potifar tenta seduzir José — escravizado por seu marido rico —, e alega que foi estuprada depois de ele resistir aos seus avanços. Na mitologia grega, Fedra, esposa de Teseu, faz o mesmo com Hipólito. Essas histórias, e muitas outras como elas, são enquadradas como anomalias obscenas. O próprio estupro, no entanto, é sancionado nos mesmos textos. No Livro dos Números, Moisés ordena que seu exército mate todos os homens e as mulheres não virgens, e fiquem com todas as mulheres virgens para si. No mito grego, Zeus estupra Antíope, Deméter, Europa e Leda. Poseidon estupra a Medusa. Hades estupra Perséfone. Durante séculos, o estupro foi visto como um crime contra a propriedade, e os infratores eram frequentemente punidos pela imposição de uma multa, paga ao pai ou ao marido da vítima. Até a década de 1980, a maioria das leis de estupro nos Estados Unidos especificava que os maridos não podiam ser acusados de estuprar suas esposas. O estupro, até muito recentemente, era apresentado como uma norma.

Essa visão se estendia à Universidade da Virgínia, que, por muitas décadas, expulsou estudantes por plágio, mas se recusou a considerar o estupro um crime grave. De 1998 a 2014, 183 estudantes foram mandados embora da universidade por violações ao código de honra: um deles, por exemplo, copiou três frases da Wikipédia quando estava estudando no exterior. Quando, no fim dos anos 1990, um aluno foi considerado culpado por agredir sexualmente uma aluna chamada Jenny Wilkinson, a UVA o puniu com uma carta de reprimenda em seu histórico, a qual podia ser removida depois de um ano caso ele concluísse um programa educativo sobre abuso sexual. Por causa das leis de privacidade dos estudantes, Wilkinson não pôde protestar em público contra esse resultado. "Na verdade, é muito maluco, mas a universidade podia mover um processo caso eu falasse sobre o assunto", ela escreveu no *Times* em 2015. Enquanto isso, seu agressor pôde manter uma das principais honras da UVA: ele morava num dos dormitórios do Gramado.

Nas décadas que se seguiram, as coisas melhoraram microscopicamente. Depois que a história de Erdely foi publicada, entrevistei uma antiga colega da UVA para o Jezebel, referindo-me a ela com o pseudônimo Kelly. Em 2006, Kelly entrou com uma acusação contra o estudante que a agrediu sexualmente. Depois de dez meses, a universidade o considerou culpado. (Mais uma vez, um veredito tão raro tem uma importância crucial: na época em que entrevistei Kelly, apenas treze pessoas haviam sido consideradas culpadas — uma das quais era o homem que agrediu Wilkinson.) Kelly sofreu abuso, como muitas mulheres da faculdade, no outono de seu primeiro semestre: ela foi a uma festa em uma fraternidade, onde um cara que ela conhecia lhe serviu bebidas até que ela desmaiasse. Durante a investigação da universidade, descobriu-se que uma testemunha vira o corpo inerte de Kelly sendo carregado para o andar de cima. Uma enfermeira que visitava seu irmão mais novo na fraternidade naquela noite testemunhou que a pulsação de Kelly estava "baixa, ao redor de vinte ou trinta". Na audiência, um funcionário da universidade perguntou a Kelly se ela já tinha traído seu namorado. Mas o agressor foi considerado culpado e foi suspenso por três anos.

Considerando o longo histórico de apatia e falta de ação da UVA, essa foi uma história de extremo sucesso. No ano anterior à reportagem da *Rolling Stone*, 38 alunas procuraram Nicole Eramo e disseram que haviam sofrido abusos sexuais. Apenas nove desses incidentes viraram queixas formais, e apenas quatro levaram a audiências de má conduta. E como na maioria das universidades, esses 38 relatórios eram a fração aparente de um vasto e invisível iceberg. Embora eu raramente me dobre em situações difíceis, tenho certeza de que, se tivesse sofrido abuso durante a faculdade, não teria tido coragem — ou o vigor necessário diante da inevitável humilhação burocrática — de fazer uma denúncia.

Em seu artigo, Erdely observou que "a elegante Universidade da Virgínia não tem uma cultura feminista radical que procura derrubar o patriarcado". E é verdade que a escola está longe de ser radical. Mas, embora eu nunca tenha pensado em aprender sobre isso enquanto estava no campus, as mulheres da UVA têm se movimentado para mudar a instituição desde que ela foi criada. "O fato de que nenhuma de nós tem medo de buscar a verdade, não importa onde ela nos leve", escreveu uma mulher no *Cav Daily* em 1975, fazendo referência à célebre citação de Thomas Jefferson, "empalidece com o fato de que muitas de nós têm boas razões para temer uma refeição à meia-noite no Corner." Naquele outono, um comitê da cidade se debruçou sobre as estatísticas locais — o estupro era quase duas vezes mais frequente na cidade do que no estado da Virgínia como um todo — e classificou Charlottesville como "a cidade do estupro" em um relatório amplamente divulgado. Ao mesmo tempo, o Minories English Pub, bar com o tema Jack, o Estripador, localizado no Corner, afixou um letreiro que ostentava o corpo de uma mulher nua pendurado num poste de luz. No *Cav Daily*, outra aluna escreveu: "Agora as pessoas estão cansadas do assunto estupro estar sendo mencionado a toda hora, e também na imprensa. Bom, eu também estou cansada; mais do que você jamais poderá imaginar". Ela fora estuprada, escreveu, seis semanas antes. Naquele ano, o reitor da UVA, Frank Hereford, enviou uma carta a um delegado da Virgínia lhe assegurando que não havia nenhum problema de estupro no campus. Ele forneceu dez evidências de que a escola estava sendo proativa. O número seis dizia que o conselho estudantil vendia às mulheres "dispositivos de alarme" a um valor "bem abaixo do custo". O número nove dizia que as mulheres eram trancadas dentro de seus dormitórios à meia-noite.

Durante esse período, a suposição-padrão da UVA de domínio masculino sobre as mulheres se tornou mais estridente em resposta ao surgimento de dois grupos demográficos de estudantes que desafiavam essa ideia: as mulheres e os homens gays. Em 1972, o *Cav Daily* publicou um "texto de humor" nojento imaginando uma nova fraternidade chamada Gamma Alpha Yepsilon, ou GAY. No mesmo ano do relatório da "cidade do estupro", a Autoridade de Controle de Bebidas Alcoólicas da Virgínia aprovou uma decisão "proibindo homossexuais de frequentarem restaurantes que servem álcool", e a Universidade da Virgínia usou a regra para barrar gays em um dos pavilhões do Gramado. Hereford, enquanto reitor, removeu um aluno chamado Bob Elkins do cargo de assistente de residências porque ele era um "homossexual declarado". Em 1990, uma publicação estudantil escreveu um texto satírico cujo título era "Que maravilha ser hétero", gerando uma semana de celebrações de orgulho heterossexual que incluíam a marcha "Tome os banheiros de volta". Quando eu ia a jogos de futebol na faculdade, as pessoas cantavam a "The Good Old Song" da Universidade da Virgínia com a melodia de "Auld Land Syne" depois de cada *touchdown*. Depois do verso "*We come from old Virginia, where all is bright and gay*", grande parte da multidão sempre gritava: "*Not gay!*".*

Nos anos 1990, a discussão dos estudantes começou a girar em torno do papel que as fraternidades — uma fonte de violência contra mulheres, contra gays e contra seus próprios membros — desempenhavam nas altas estatísticas de agressão sexual dentro da universidade. "A única atividade social da primeira semana de aula é participar de festas de fraternidade na Rugby Road", escreveu um editor do *Cav Daily* em 1992. "Intimidadoras para uns e perigosas para outros, as atividades da Rugby não são uma resposta adequada às necessidades

* A palavra *gay* também significa "alegre" em inglês: "Viemos da velha Virgínia, onde tudo é brilhante e alegre". [N. T.]

sociais dos alunos do primeiro ano." Naquele mesmo ano, na Pi Lambda Phi, outra fraternidade da UVA, uma jovem de dezoito anos foi presa num depósito, imobilizada sobre um colchão, estuprada e espancada.

Em seu livro de 2009 sobre a história das fraternidades brancas, *The Company He Keeps*, Nicholas Syrett escreve:

> As fraternidades atraem homens que valorizam outros homens mais do que valorizam as mulheres. A intimidade que se desenvolve dentro dos círculos fraternos entre homens que se importam uns com os outros exige uma vigorosa performance de heterossexualidade para assim combater a aparência de homossexualidade.

(A diretora do departamento de estudos femininos da UVA fez uma declaração semelhante depois do estupro de 1992 em Pi Lamb: "Fraternidades e irmandades reforçam a posição subordinada que, em geral, as mulheres ocupam", disse. "Os homens criam um senso de identidade abusando das mulheres e dando trotes uns nos outros.") Syrett diz que os membros das fraternidades provam sua heterossexualidade através de uma "homofobia agressiva e da difamação das mulheres" — fazendo uso de rituais de trotes homoeróticos para humilhar um ao outro e considerando o sexo com mulheres como algo feito para "um consumo comunitário entre irmãos".

Historicamente, a existência das fraternidades brancas tem como objetivo solidificar o poder e o direito masculino da elite. No século XIX, os homens ricos se separaram de seus colegas mais pobres por meio do sistema de fraternidades. No século XX, os homens usavam casas de fraternidade para preservar um espaço exclusivamente masculino em um "mundo cada vez mais misto, em termos de gênero", escreve Syrett. Quando o idealismo das primeiras fraternidades foi, no século xx, acoplado a uma ideia mutável de masculinidade que permitia cada vez mais que o status de classe e o comportamento de classe baixa coexistissem em um único indivíduo, os membros das fraternidades passaram a

> usar seus status de cavalheiros autoproclamados como justificativa para suas palhaçadas menos saborosas. [...] Ao demonstrarem seu cavalheirismo em público, eles justificavam sua existência. O que eles faziam por trás das portas era então considerado algo que não dizia respeito a ninguém.

As universidades tendem a ignorar a violência das fraternidades em parte porque elas são uma fonte significativa de capital institucional. Elas canalizam um enorme volume de dinheiro de ex-alunos de volta para as universidades, assim como libertam as universidades da obrigação de fornecer moradia para seus alunos mais privilegiados. Em troca, as fraternidades ganham uma grande margem de manobra. A maioria dos garotos que ingressa em fraternidades hoje tem consciência de que quer boas festas, amigos engraçados e garotas gostosas todos os finais de semana. Por trás disso, está o prazer da imunidade do grupo, a sensação inocente de poder jogar uma pia pela janela sem ser autuado por destruição de propriedade. Olhando para o lado não inocente do espectro, as fraternidades fornecem cobertura para que seus membros se engajem em uma extraordinária violência interpessoal através dos trotes; para que comprem e consumam a quantidade de álcool e drogas que quiserem; e para que organizem festas nas quais todos estão presentes para responder às vontades dos "irmãos" — sobretudo as garotas.

Syrett escreve que, já na década de 1920, a cultura das fraternidades começou a invocar explicitamente a coerção sexual. "Se uma menina não está sendo carinhosa, o homem pode imaginar que não a atacou da maneira certa", diz o membro de uma fraternidade no romance *Town and Gown*, publicado em 1923. Em 1971, William Inge escreveu um romance chamado *My Son Is a Splendid Driver*, baseado em sua experiência em uma fraternidade da Universidade do Kansas nos anos 1920. As personagens saem com garotas de irmandades, levam-nas para casa, e então saem de novo para fazer sexo com prostitutas. Certa noite, eles participam de um estupro coletivo no porão da fraternidade. "Achei que recusar", pensa o narrador, "lançaria dúvidas sobre minha masculinidade, algo incerto, na melhor das hipóteses, e eu me sentia temeroso em relação a fugir de qualquer desafio." A mulher no centro da ação grita, resignada e agressiva: "Bem, continue então e me coma. [...] Eu estou aqui para isso".

Na Universidade da Virgínia, 35% dos alunos pertencem a fraternidades ou irmandades. Quando eu estava na faculdade, as pessoas de fora do sistema grego eram chamadas de "malditos independentes", ou GDI [*god damn independents*]. Uma vez que os alunos do primeiro ano vivem em dormitórios, e a maioria deles não pode fazer festas ou comprar álcool, muitas festas da UVA acontecem nas casas das fraternidades. (Devido à aderência obstinada do sistema grego ao tradicionalismo de gênero, as irmandades não podem organizar festas.) Há tanta variação entre indivíduos no sistema grego quanto em qualquer outro contexto: eu fui aceita dentro dele, apesar do fato de ser abertamente contra muitas de suas ideias principais, e Andrew, meu companheiro de uma década, morou em sua fraternidade na Universidade da Virgínia por dois anos, era voluntário na creche do outro lado da rua às terças e quintas, e continua sendo uma pessoa mais doce e mais sincera do que eu. Mas está bem documentado que os homens das fraternidades cometem mais delitos do que os universitários em geral. Um estudo recente da Universidade Columbia mostrou que eles também são vítimas com mais frequência. O ambiente das fraternidades não cria estupradores, mas os disfarça perfeitamente: todo final de semana é organizado em torno de homens dando álcool a mulheres, todo mundo ficando o mais bêbado possível, o sexo como o objetivo final da performance, e um quarto com uma fechadura a apenas alguns passos de distância.

Nesse contexto, a falsa acusação de Jackie aparece como uma espécie de quimera — uma criação grotesca e incongruente; uma maneira falsa de tornar visível um problema real. Em 2017, em um lindo artigo na *n+1*, Elizabeth Schambelan escreveu sobre sua longa obsessão pela história de Jackie, que, segundo Schambelan, parecia guiada por uma espécie de inevitabilidade de contos de fada: uma garota de vestido vermelho entrou numa floresta e encontrou um bando de lobos. "Em retrospecto, as falhas desse naturalismo parecem tão claras", escreveu. "A câmara escura, as silhuetas dos agressores. [...] Mas, acima de tudo, é a mesa, a pirotecnia cristalina da quebra. Esse é o ponto em que a narrativa luta com mais força contra o realismo, querendo mudar completamente o registro." Jackie havia tecido uma outra versão de Chapeuzinho Vermelho, a história que Susan Brownmiller chamou de "parábola do estupro": uma menina numa jornada é interceptada por um lobo, um sedutor violento, que então se disfarça, agarra a menina e a devora.

Schambelan cita dois antropólogos, Dorcas Brown e David Anthony, que em 2012 escreveram um artigo que traça paralelos entre a simbologia do lobo e os "bandos de guerra juvenis" da antiga Europa "que operavam às margens da sociedade e ficavam juntos por alguns anos, depois do que eram dissolvidos quando seus membros atingiam certa idade". Esses bandos de guerra eram "associados à promiscuidade sexual", escrevem Brown e Anthony. Eles "vinham de famílias ricas [...] suas atividades eram centradas nos combates e nas invasões [...] eles moravam 'no meio da natureza', longe de sua família". Na mitologia germânica, essa organização é chamada de Männerbund, uma palavra que significa "liga masculina". Os homens se disfarçavam com peles de animais, o que lhes permitia quebrar as restrições sociais sem culpa até que seu tempo no Männerbund terminasse. "Depois de quatro anos", escrevem Brown e Anthony, "havia um sacrifício final para transformar os cães guerreiros em adultos responsáveis, prontos para retornar à vida civil. Eles descartavam e destruíam as roupas velhas e as peles caninas. Voltavam então a ser humanos." Em seu artigo, Schambelan se pergunta: depois que você forma ligas masculinas, com indivíduos isolados de suas famílias ricas, treinados para a selvageria coletiva, "depois que, como sociedade, você escolhe criar essa instituição, como você mantém o caos à distância? Como garante que ele nunca se virará contra *você*?".

Schambelan sugere que Chapeuzinho Vermelho poderia ser uma "parábola de estupro, sim, de estupro e assassinato e a transgressão mais extravagante que se possa imaginar".

Mas provavelmente era menos um aviso do que um mnemônico ritualizado. Talvez sua função, ou uma delas, fosse garantir que ninguém esquecesse ou negasse o preço que haviam concordado em pagar, o preço de manter um Männerbund, uma instituição de lobos.

Não há uma teleologia sombria e romântica nisso, nenhuma cadeia contínua de herança histórica ligando os meninos lobos aos meninos das fraternidades, assim como não há uma fonte de violência masculina primordial que força os meninos lobos a matarem ou os meninos das fraternidades a cometerem estupros. Há duas instituições, duas ligas de jovens, uma que pertence a um passado arcaico e semimítico, a outra prosperando aqui e agora. Instituições, por definição, não são naturais ou primordiais. Não são o que acontece quando você deixa meninos agirem como meninos. Instituições são criadas e sustentadas por uma razão. Elas funcionam.

O estupro é uma função inevitável de um mundo que foi projetado para dar aos homens uma quantidade máxima de liberdade sem lei, argumenta Schambelan. "Logicamente, ele não pode ser apenas uma anomalia vil em um sistema ético igualitário e humano." Tendo escrito esse texto seis meses antes das revelações envolvendo Harvey Weinstein e tudo o que se seguiu, ela continua:

ainda não há nada e ninguém que nos faça perceber [a injustiça do estupro], nada para torná-lo conhecimento público, conhecimento esse que todas nós compartilhamos e que *reconhecemos* que compartilhamos. Para criar esse tipo de conhecimento, você deve ter mais poder do que quaisquer forças que estejam trabalhando para manter o esquecimento.

Ela sugere que talvez Jackie tenha contado sua mentira numa tentativa equivocada de reivindicar esse poder.

Em janeiro de 2015, depois da história publicada na *Rolling Stone*, voltei a Charlottesville para escrever sobre o recrutamento nas fraternidades. Era minha primeira reportagem e eu estava nervosa, olhando para a Universidade da Virgínia e sentindo que meu ponto de vista mudara de participante para observadora. Em minha primeira noite, sentei-me em uma mesa no Virginian e bebi cerveja com meu amigo Steph para acalmar meus nervos enquanto ouvia o burburinho da conversa em um mar de empolgação fraterna cor cáqui e repleto de logotipos da North Face, com as candidatas às irmandades usando botas de cano longo e cabelos ondulados.

Logo ficou claro que havia uma história muito maior e mais profunda do que aquilo que Erdely havia capturado. A matéria da *Rolling Stone* chegara no meio de uma temporada de brutalidade local chocante, marcada pela morte de uma jovem chamada Yeardley Love em 2010 e pelo fatal comício da supremacia branca em 2017. Love, que eu conheci durante as iniciações da irmandade, foi assassinada em seu quarto pelo ex-namorado, George Huguely, que arrombou a porta e a agrediu até que o coração dela parasse. Em 2014, uma aluna do segundo ano chamada Hannah Graham desapareceu no centro da cidade. Mais tarde, um motorista de táxi chamado Jesse Matthew foi acusado de assassinar Graham. Ele também havia matado Morgan Harrington, uma garota que desaparecera cinco anos antes. Assim como Huguely, Graham também tinha um histórico de violência. Em ambos os casos, ele se declarou culpado de assassinato e de "sequestro com intenção de desonra".

Charlottesville é um lugar pequeno: são necessários apenas quinze minutos no bonde histórico para ir da capela da UVA até o centro comercial da cidade. Esses crimes reverberaram. Uma de minhas melhores amigas da faculdade — uma garota chamada Rachel, loira, branca e linda, como todas essas garotas eram — foi a última passageira que Matthew pegou em seu táxi antes de sequestrar e assassinar Morgan Harrington, um fato que ela descobriu com a polícia muito mais tarde, no meio da intensa investigação sobre a morte de Hannah Graham. E no entanto, ao mesmo tempo, outras jovens desapareceram sem que quase ninguém percebesse. Quando Sage Smith, uma mulher trans negra, desapareceu no outono de 2012, a polícia levou onze dias para solicitar apoio externo. Por outro lado, como Emma Eisenberg observou em um artigo para o site Splinter, quase todas as agências policiais da Virgínia sabiam o nome e o rosto de Graham em 48 horas, com o FBI e uma série de grupos voluntários de busca acompanhando de perto.

As notícias sobre Graham eram inevitáveis; a cobertura sobre Smith era inexistente. (Eisenberg me contou que entrou em contato com 28 veículos antes de encontrar algum que publicasse seu artigo.) Alexis Murphy, uma garota negra de dezessete anos que desapareceu perto de Charlottesville em 2013, também recebeu uma cobertura mínima da imprensa. Quando um branco chamado Randy foi considerado culpado pelo assassinato de Alexis, seu rosto pálido e abatido quase não apareceu na imprensa. Mas Matthew — com a pele escura, os lábios carnudos, os dreads — estava em todos os lugares possíveis.

A história de violência de gênero de Charlottesville e sua história de violência racial, há muito tempo entrelaçadas, estavam emergindo. Uma vasta corrente subterrânea de trauma ganhava a superfície. Os corpos das mulheres sempre foram locais de teste nos quais as hierarquias do poder são divididas e reiteradas. No século XIX, os negros condenados por estupro na Virgínia recebiam a pena de morte, enquanto os brancos eram presos por dez a vinte anos. Na primeira metade do século XX, os cidadãos da Virgínia ficaram muito preocupados com os casos de estupro de mulheres brancas — mas quase exclusivamente com aqueles em que os acusados eram negros.

A violência contra as mulheres está fundamentalmente ligada a outros sistemas de violência. Embora Erdely tenha tentado, não é possível capturar a realidade do estupro na UVA — ou mesmo a realidade das fraternidades — sem escrever sobre raça. Quando deixei Charlottesville naquele mês de janeiro, continuei pensando em algo que uma aluna de graduação chamada Maya Hislop havia me contado, um fato que não aparecera nem na *Rolling Stone* nem na cobertura exaustiva que se seguiu: a primeira agressão sexual na Universidade da Virgínia da qual se teve notícia havia ocorrido em 1850, quando três estudantes subjugaram uma garota, levaram-na para um campo e a estupraram.

A UVA foi fundada em 1819 por Thomas Jefferson, então com 76 anos, que tinha trocado a vida política por sua plantação em Monticello, na Virgínia, e pelo que na época parecia uma ideia radical: a fundação de uma universidade pública secular acessível a todos os homens brancos, independentemente de serem ricos ou pobres. Hoje, o culto a Thomas Jefferson é intrínseco à experiência na UVA. Jefferson é com frequência, de forma assustadora, chamado de "TJ" ou de "sr. Jefferson". Minha bolsa integral na UVA veio da Jefferson Scholars Foundation. A universidade celebra com entusiasmo a engenhosidade, a integridade, a rebeldia e o vocabulário de Jefferson. Quando eu estava na faculdade, folhetos com as silhuetas de Jefferson e de sua escrava Sally Hemings cobriam o campus no Dia dos Namorados, estampando o slogan fofo "TJ ♥ Sally".

Sally Hemings era trinta anos mais nova do que Jefferson e apenas uma criança quando se tornou sua propriedade, uma cortesia de Martha, esposa de Jefferson. Hemings era escrava de Martha, e também sua meia-irmã; ela era três quartos branca. Quando tinha catorze anos, foi encarregada de acompanhar uma das filhas de Jefferson numa viagem ao exterior. Ele encontrou as duas em Paris e, quando deixou a cidade, Hemings, então com dezesseis anos, estava grávida. (Naquela época, a idade de consentimento na Virgínia era de dez anos.) Hemings considerou a possibilidade de ficar em Paris, onde os princípios de liberdade francesas a haviam emancipado. Mas, de acordo com seu filho Madison, Jefferson convenceu-a a voltar, prometendo-lhe "privilégios extraordinários" e assegurando-lhe que libertaria seus filhos assim que completassem 21 anos.

Em suas "Notas sobre o estado da Virgínia", Jefferson conclui que os negros são "muito inferiores" aos brancos em sua capacidade crítica, e que a óbvia inferioridade dos negros "não é meramente um efeito de sua condição de vida". Pode ter sido *em razão* dessas opiniões, e não *a despeito* delas, que Hemings, uma criada de pele clara, parecia-lhe especialmente atraente. O relacionamento era um segredo de polichinelo. Em 1818, o *Richmond Recorder* escreveu: "É sabido que o homem a quem as pessoas adoram honrar mantém, e por muitos anos manteve, uma de suas próprias escravas como sua concubina. Seu nome é SALLY". Mas Jefferson nunca comentou o assunto, e a história foi suprimida. (Um de seus netos escreveu em uma carta: "Vou deixar para as mentes justas decidirem se um homem tão admirável em seu caráter doméstico quanto o sr. Jefferson [...] criaria uma raça de mestiços. [...] Ainda existem coisas, afinal, que são impossibilidades morais".) Ele libertou os filhos de Hemings antes de morrer, mas não a própria Hemings, que teve sua liberdade concedida apenas em 1834 pela filha de Jefferson. Hemings morreu em 1835, e foi enterrada numa cova sem identificação que provavelmente repousa hoje sob um estacionamento perto do Hampton Inn, no centro de Charlottesville. Jefferson, é claro, está enterrado em Monticello, junto com seus descendentes — os descendentes brancos.

Em 1987, Monticello foi designada, juntamente com o campus da Universidade da Virgínia, como Patrimônio Mundial da Unesco. A propriedade continua sendo um popular destino turístico em Charlottesville, e sua programação vem sendo alterada a fim de reconhecer a realidade dos escravos de Jefferson. Em 2018, Monticello finalmente montou uma exposição sobre Hemings, que a retratou em forma de silhueta — não há registro de como ela era fisicamente — e observou: "As mulheres escravas não tinham o direito legal de consentir. Seus senhores eram donos de seu trabalho, seus corpos e seus filhos". Annette Gordon-Reed, cujo livro publicado em 1997 sobre Jefferson e Hemings consolidou a verdade sobre o relacionamento dos dois, observa que Martha tampouco tinha o direito legal de recusar seu marido. (O estupro conjugal foi criminalizado na Virgínia somente em 2002, e o senador estadual Richard

Black ainda está lutando para descriminalizá-lo.) Um artigo do *New York Times* sobre a exposição em Monticello menciona a inevitável reação contrária, citando uma mulher da Thomas Jefferson Heritage Society, grupo que se dedica a negar a narrativa de que Jefferson era pai dos filhos de Hemings. "Algumas noites, eu apenas me deito na penumbra e fico lendo suas cartas", diz a mulher. "Ele simplesmente não parece o tipo de pessoa que faria isso."

Essa tensão entre aparência honrosa e realidade desagradável está presente na própria fundação da UVA. "A universidade era nova e experimental, com dúvidas a respeito do apoio público e incerta sobre seu futuro", escreveram Rex Bowman e Carlos Santos em *Rot, Riot, and Rebellion*, livro de 2013 que conta a história dos primórdios da UVA. "Nenhuma denominação cristã poderosa apoiava a universidade, nenhum grupo de ex-alunos influentes estava pronto a defendê-la. Seus líderes sabiam que a embriaguez dos estudantes, a violência e a rebelião poderiam causar a ruína da universidade." No entanto, os estudantes provenientes das famílias escravagistas do Sul eram incontroláveis. Em sala de aula, eles exibiam um "senso exagerado de autoimportância". Fora da sala, bebiam e brigavam. Um professor de Fredericksburg chamou a universidade de "um berçário de maus princípios". Um aluno escreveu: "Nada é mais comum aqui do que ver alunos tão bêbados a ponto de serem incapazes de andar". Bowman e Santos observaram que Jefferson acreditava que "orgulho, ambição e moralidade levariam os alunos a ter um bom comportamento. [...] A honra dos estudantes tornaria as rigorosas regras desnecessárias". Mas o conceito de honra, sobretudo no que diz respeito aos homens brancos e ao Sul do país, está inextricavelmente ligado à violência. A maior virtude da UVA, proclamada por ela mesma, serviu, desde o início, como cobertura e combustível para seus maiores pecados.

Mesmo nos primórdios da instituição, seus administradores consideravam a violência estudantil, antes de tudo, como um problema de imagem. "Um aluno assassinado traria uma atenção indesejada ao comportamento fora da lei dos estudantes em geral", escrevem Bowman e Santos, bem como "má publicidade a uma instituição empenhada em proteger sua frágil imagem de "cidadezinha universitária tranquila". A universidade escondeu informações comprometedoras: depois de um surto de febre tifoide que vitimou três alunos em 1828, a UVA não registrou oficialmente as mortes nem as reportou ao estado, conforme exigido por lei. Depois do ressurgimento da doença no ano seguinte, os estudantes começaram a abandonar a universidade. Dunglison, primeiro professor de medicina da UVA, sugeriu que esses estudantes estivessem espalhando "um alerta em todo o país, algo altamente calculado com o objetivo de ferir a instituição".

Tudo isso foi varrido para trás da cortina da reputação de Thomas Jefferson. Os entusiastas da UVA alegam que ele escreveu uma legislação que se opunha à escravidão, mesmo que também tenha levado escravos à Casa Branca e os usado como garantia para as dívidas que se acumularam enquanto transformava Monticello em um futuro patrimônio da Unesco. No dia da inauguração da Universidade da Virgínia, os escravos — trabalhadores da construção civil, cozinheiros, lavadeiras — eram mais numerosos do que os alunos. Restam pouquíssimos traços da vida das escravas na UVA mas, ainda assim, foi sobre a falta de individualidade atribuída a essas mulheres que a individualidade dos estudantes da UVA se estabeleceu. A primeira agressão sexual registrada no campus ocorreu sete meses depois de sua abertura: dois estudantes invadiram a casa de um professor e arrancaram as roupas de uma escrava. Os homens que estudaram medicina sob a supervisão de Robley Dunglison deviam sua educação, em parte, ao trabalho de uma escrava chamada Prudence, que limpava o sangue do chão no Anatomic Hall.

A UVA só se tornou uma instituição para homens e mulheres em 1970. Antes disso, segundo as regras da universidade, as mulheres eram fundamentalmente o outro. Elas eram proibidas de andar no Gramado durante o período de aulas — uma "regra não escrita", observa o *Cav Daily*, que foi aplicada até os anos 1920. Em 1954, respondendo à proposta de que *house moms* fossem instaladas nos dormitórios, um aluno brincou: "Acho que *house moms* seria algo legal se elas forem surdas, burras e cegas, com os braços e pernas cortados, e ficassem satisfeitas com pão e água, acorrentadas à caldeira do porão". Em abril do mesmo ano, uma menina de dezenove anos sofreu um brutal estupro coletivo em um quarto do Gramado. Ela fora levada até lá um pouco antes das duas da manhã por um sujeito que a convidara para sair; às dez da manhã, ela deixou o quarto, atordoada e machucada.

A garota, que era de uma família importante, contatou seus pais logo depois, que foram diretamente falar com Colgate Darden, o reitor da universidade na época. Darden expulsou ou suspendeu todos os doze rapazes envolvidos no estupro, uma ação que provocou revolta no campus. Três dos acusados escreveram uma carta ao *Cav Daily* dizendo que haviam sido "acusados apenas por não interromper as ações de outras pessoas". Darden manteve suas convicções, e os estudantes se indignaram, apresentando à universidade uma queixa formal de dezesseis páginas. Cem homens apareceram para protestar em uma reunião da faculdade. Logo depois, os alunos fizeram lobby para mudar a estrutura da administração da universidade. Eles formaram um comitê judiciário estudantil que, segundo o *Cav Daily*, "devolveria ao corpo discente o poder disciplinar do Gabinete do Reitor, com uma estrutura bastante distinta da dos anos anteriores". A autogovernança estudantil é um ideal jeffersoniano, e continua sendo uma das práticas da qual a UVA mais se orgulha. A Pró-Reitoria dos Estudantes lista esse princípio como o primeiro de um conjunto de tradições que fazem da instituição um "lugar especial".

Um mês depois do estupro coletivo de 1954, a Suprema Corte anunciou o julgamento *Brown vs. Conselho de Educação*. Harry F. Byrd, o senador que controlava a política da Virgínia, começou a promover o programa conhecido como Resistência Massiva — um conjunto de leis que oferecia benefícios aos estudantes que se opusessem à integração racial e que fecharia as escolas públicas que aderissem a ela. Em 1958, Charlottesville preferiu fechar suas escolas por cinco meses a admitir alunos negros. Em 1959, um juiz federal anulou essa decisão, ordenando que nove estudantes negros fossem admitidos na Venable Elementary — a escola na 14th Street cujo recreio estridente eu costumava observar tomando uma cerveja no telhado. As filhas de minha amiga Rachel, aquela que pegou o táxi de Jesse Matthew pouco antes de ele matar Morgan Harrington, agora estudam nessa mesma escola. As meninas são gêmeas, lindas, engraçadas e brilhantes; Andrew e eu somos seus padrinhos. Alguns dias, me sinto louca de esperança e certeza de que o mundo em que elas crescerão será irreconhecivelmente diferente. E, no entanto, no dia da manifestação Unite the Right, David Duke e seu bando de supremacistas passaram em frente à casa de Rachel.

As cidades universitárias, que mudam sua população a cada quatro anos, possuem um raro, e possivelmente necessário, tipo de amnésia. Se você conhece a história, tem de refazê-la, ou pelo menos acreditar que é possível refazê-la. É preciso acreditar que haja uma razão para *você* estar lá agora, e não as pessoas que entenderam tudo tão errado antes. O mais provável, no entanto, é que você se sinta como a única pessoa que já pisou no campus. O mais provável é que você não tenha qualquer noção de violações históricas. A feiura e o trauma dos últimos cinco anos da UVA estão ligados, principalmente, ao fato de a universidade ter insistido tanto em suprimir a ideia de que ela poderia ser horrível ou traumática. (O mesmo se aplica aos Estados Unidos sob o governo Trump.) A ideia que a instituição faz de si mesma nunca será completamente verdadeira até que ela admita que essa ideia sempre foi falsa: que seu fetichizado campus foi construído por trabalhadores escravos; que ela tem, de fato, uma longa história de estupros coletivos; que a Biblioteca Alderman, onde passei tantas noite escrevendo artigos terríveis, foi batizada em homenagem a um leal geneticista que, como reitor da universidade, agradeceu à Ku Klux Klan por uma doação com as palavras finais "Fielmente seu".

Anos se passaram desde a reportagem da *Rolling Stone*. Muitas das coisas que Erdely queria alcançar com suas matérias realmente aconteceram nos últimos dois anos. A opinião pública ficou em choque com relatos de agressões sexuais, vidrada em histórias de abuso e indiferença institucional. Às vezes me pergunto: se a *Rolling Stone* não tivesse estragado aquela reportagem de maneira tão espetacular, será que a onda que veio depois seria, em comparação, tão impecável? Na cobertura das acusações contra Bill Cosby, começando com a inovadora capa de 2015 da *New York Magazine*, e na história de Harvey Weinstein e tudo o que se seguiu, os repórteres evitaram apresentar a experiência de uma mulher como amplamente representativa. Eles exigiram muito das pessoas que entrevistaram e, ao fazerem isso, fortaleceram as posições dessas pessoas. Eles mostraram aos leitores o que, como repórteres, eles sabiam ou não sabiam.

As coisas também começaram a mudar na Universidade da Virgínia. Os alunos pararam de gritar "*Gay não!*" durante a música da universidade. (Agora elas gritam "*Tech, vai se foder!*", uma referência da rivalidade entre a Virginia Tech e o restante da UVA.) Ninguém mais se refere aos alunos que não pertencem a uma fraternidade como "GDI". As jovens prontamente se autodenominam feministas. Existe uma discussão sobre rebatizar a Biblioteca Alderman e, em Charlottesville, há uma sede dos Socialistas Democráticos da América. A prevenção de agressões sexuais agora é uma parte importante da nova orientação aos alunos — mesmo que a eficácia desse tipo de programa, em qualquer escola, se baseie principalmente no fato de que ele aumenta a conscientização sobre o problema. A porcentagem de alunos da UVA que dizem confiar na capacidade da instituição em lidar com uma queixa de agressão sexual dobrou, ainda que o total permaneça abaixo dos 50%. E, durante o ano que se seguiu às denúncias envolvendo Weinstein, o ano que terminou com a confirmação de Brett Kavanaugh à Suprema Corte, alunas da UVA continuaram me escrevendo, contando, com frequência, que haviam sido agredidas e então descartadas.

Recentemente, conversei com uma jovem que chamarei por seu nome do meio, Frances — uma figura de olhos brilhantes e extraordinariamente indomável, o tipo de pessoa que você esperaria ver andando de bicicleta com tulipas na cestinha em uma rua ensolarada. Frances entrou na UVA no outono de 2017 e, logo no início do primeiro semestre, ela me disse que foi sexualmente agredida em seu dormitório. Na manhã seguinte, pediu a uma amiga que tirasse fotos dos machucados em seu pescoço, pois o agressor havia tentado sufocá-la. Ela denunciou o abuso naquele dia, e o agressor, dentro de uma semana, foi suspenso por tempo indefinido. "Eu me senti muito apoiada pelo corpo discente", ela me disse, bem como pelo departamento de polícia, que acusou o agressor de abuso sexual, estrangulamento e, posteriormente, perjúrio. (Sobre a opinião positiva a respeito de sua interação com a polícia, ela reconheceu, de fato: "Sou, além de tudo, uma garota branca".)

Nos meses posteriores ao ataque, ela tentou se manter ocupada com a burocracia do processo de denúncia; começou a ir a uma terapeuta, com quem conversava sobre seus sonhos recorrentes com o agressor. Em um desses sonhos, Frances estava sozinha em um quarto com ele e não conseguia desbloquear seu celular para pedir ajuda.

Frances e eu passamos muito tempo falando sobre como a Universidade da Virgínia se vende. Ela cresceu no noroeste do Pacífico, e visitou a UVA pela primeira vez no outono do primeiro ano do ensino médio. "Fiquei imediatamente apaixonada desde o momento em que estive no Gramado à noite", contou. "Era perfeito." Depois dessa visita, ela colocou fotos da Rotunda e de Charlottesville como fundo de tela do computador e do celular. "Eu queria tudo aquilo, as canções natalinas no Gramado à luz de velas, esse bastião da 'liberdade ilimitada da mente humana'", disse, citando Jefferson. Frances tinha treze anos quando a matéria da *Rolling Stone* foi publicada. Ela nunca leu a história. Ela sabe que o texto foi desacreditado. E pensou que talvez a UVA ainda pudesse ser tudo aquilo que dizia ser.

Depois de meses de investigação, a UVA considerou o agressor de Frances inocente. Ele estava livre para voltar ao campus. (Ela me escreveu durante o outono de seu segundo ano — de fato, ele havia retornado.) A universidade escreveu um relatório de 127 páginas que conclui que o relato de Frances não é confiável. "Eles me pintaram como uma garota festeira bêbada que estava por aí flertando, e as coisas saíram do controle e eu fiquei com vergonha e não consegui lidar com as consequências", ela me contou. Eu li o relatório inteiro e, ao final, me sentia fisicamente debilitada. Em uma declaração por escrito, o agressor admitiu que houve um encontro sexual, e que ele e Frances entraram em um conflito físico porque ela queria terminar aquele encontro. Ele afirmou que havia interrompido o ato em um momento apropriado. O relatório apontava que — compreensivelmente — havia incongruências significativas entre o comportamento de Frances em relação ao agressor antes do incidente e suas declarações depois do incidente. A partir disso, e da obrigação da universidade de supor a não culpabilidade, o encontro foi essencialmente considerado aceitável: a conclusão tácita foi a de que Frances estava ou mentindo, ou enganando a si mesma, ou então era legitimamente culpada. Fui tomada de desespero anestesiante ao pensar que a própria experiência dela era o produto de uma enorme mudança. Frances fora levada a sério pelos amigos e pelo departamento de polícia. A UVA suspendera seu agressor e conduzira uma investigação correta. Mas, ainda assim, ela havia sido agredida depois de uma festa no primeiro semestre. Ainda assim, a escola decidira que não seria justo responsabilizar o agressor. As coisas que definiam sua personalidade — seu entusiasmo, sua confiança, seu fervor — haviam sido devastadas no momento em que atingiam seu pico. Todo mundo estava tecnicamente fazendo o que deveria e, no entanto, parecia que uma estrutura de vidro estava sendo construída em torno de uma podridão insondável.

A recente mudança na forma de a sociedade perceber a agressão sexual tem sido tão dramática e tão atrasada que acabou obscurecendo o fato de que nosso sistema continua falhando nesse tópico em particular — que, como demonstra a burocracia kafkiana da Lei Title IX, esse sistema trata de forma desigual um crime que nossa cultura ativamente fabrica. Nenhum crime é tão confuso e punitivo como o estupro. Nenhum outro delito vem com um álibi embutido que pode instantaneamente absolver o criminoso e colocar a responsabilidade na vítima. Nenhum comportamento pessoal glorificado pode ser usado para explicar assaltos ou assassinatos da maneira com que o sexo pode ser usado para explicar estupros. O melhor que pode acontecer para uma vítima de estupro em termos de adjudicação é o pior que pode acontecer a ela em termos de experiência: para as pessoas acreditarem que você merece justiça, você precisa ser destruída. O fato de o feminismo estar cada vez mais sendo aceito e em evidência não muda nada disso. O mundo em que acreditamos, e que estamos tentando tornar real e tangível, ainda não é o mundo que existe.

Comecei a pensar que não há espaço para escrever sobre agressões sexuais dentro de uma perspectiva de anomalia. A verdade sobre o estupro é que ele não é excepcional. Ele não é anômalo. E não há como fazer disso uma história satisfatória.

Durante a escrita deste ensaio, encontrei a lista de presentes do casamento de Jackie na internet, há muito desativada. Enquanto bisbilhotava, imaginei a casa onde ela mora com um novo sobrenome — sua cozinha alegre, com maçãs vermelhas esmaltadas no suporte de toalha de papel; a palavra na entrada que diz: "A gratidão transforma o que temos em suficiente". Senti um terrível desprezo me invadindo. Mais cedo naquele mesmo dia, li seu verbete na Encyclopedia Dramatica, a Wikipédia da trollagem: "Isso significa que Jackie, a prostituta mentirosa [...] nos deve agora um estupro coletivo grátis?", perguntava. "E Sabrina Rubin Erdely? ELA merece uma boa foda com estrangulamento, não?" Eu havia recuado, em parte por causa da linguagem e em parte por um sentimento chocante de reconhecimento: eu também me ressentia das duas. Há uma parte de mim que sente que Jackie e Erdely sem querer me sentenciaram a uma vida de escrita sobre violência sexual — como se eu tivesse aprendido a escrever reportagens a partir de um assunto tão pessoal que isso tivesse deixado uma marca em mim, como se eu sempre fosse sentir alguma compulsão irracional de tentar desfazer ou resgatar os erros de duas estranhas.

Mas sei com que facilidade a raiva é deslocada nesse tópico em particular. Sei que o que me deixa verdadeiramente ressentida é a própria violência sexual. Eu me ressinto dos garotos que não pensaram nem por um segundo que estavam fazendo algo errado. Eu me ressinto dos homens que eles se tornaram, do poder que acumularam por meio da subordinação, do autoquestionamento que eles ostensivamente mantêm à distância. Eu odeio o rio sujo onde estou navegando, não a jornalista e a estudante que caíram nele. Entendo que, de alguma forma, todas compartilhamos o mesmo projeto. Schambelan escreve, em seu ensaio na *n+1*:

> Esta é a história que inventei sobre a história que Jackie contou: ela fez isso por raiva. Ela não sabia que estava com raiva, mas estava. Algo havia acontecido, e ela queria contar para as outras pessoas, para que assim elas soubessem o que acontecera e como ela se sentia. Mas quando ela tentou contar — talvez para outra pessoa, talvez para si mesma —, a história não tinha força. No ato de contar, a história não soava nem um pouco como o que parecia ser na vida. Ela soava comum, mundana, eminentemente esquecível, como um milhão de coisas que haviam acontecido a um milhão de outras mulheres — mas, para ela, não parecia nada disso.

Ao final de seu artigo, Schambelan tenta adivinhar o que Jackie poderia estar querendo dizer. "Não pode ser dito de forma razoável", escreve.

> Precisa ser dito de forma melodramática. Algo como: veja isso. Nem pense em não olhar para isso. [...] Você saberá o que achamos que vale a pena sacrificar, que preço estamos dispostos a pagar para manter essa liga de homens e, dessa vez, você vai se lembrar.

Quando penso em Jackie agora, penso no ano em que fiquei a uma distância impressionante dessa desordem febril — não na

UVA, mas depois que me formei, quando servi no Corpo da Paz e me mudei para o Quirguistão, uma república pós-soviética obscura, bonita e ilógica. Uma semana depois de nossa chegada, em março, o governo foi derrubado em um conflito que matou 88 pessoas e feriu quase quinhentas. Mais tarde, naquele mesmo verão, houve uma onda de violência genocida contra a população uzbeque do país: 2 mil pessoas foram mortas e 100 mil pessoas foram relocadas. Fui evacuada duas vezes para a base militar americana, agora fechada, perto da capital do Quirguistão, a qual organizara missões da força aérea no Afeganistão. Na terceira vez, fui mandada para a fronteira com o Cazaquistão. Entre esses períodos agitados, eu morava em um vilarejo de 1,5 quilômetro escondido nas montanhas nevadas, ensinava inglês a estudantes do ensino médio e estava enlouquecendo completamente.

O Quirguistão, segundo algumas estatísticas oficiais, estava muito à frente dos Estados Unidos em termos de igualdade de gênero. A presidência interina pós-revolução de 2010 foi assumida por uma mulher. No parlamento, as mulheres estavam introduzindo ondas de legislação progressista. A constituição do país, ao contrário da nossa, assegurava direitos iguais. Mas, na vida cotidiana, o país era governado por normas que pareciam surpreendentemente masculinas e constritivas. Em público, eu me certificava de que meus joelhos e ombros estivessem cobertos. Logo depois que conheci minha irmã anfitriã, uma pré-adolescente, ela me disse para tomar cuidado com os homens que tentariam me agarrar no ônibus. Uma antiga tradição quirguiz é o "sequestro da noiva", na qual homens pegam mulheres em locais públicos e as mantêm reféns até que concordem em se casar com eles. Hoje, essa tradição é sobretudo encenada, e feita em consenso, mas não desapareceu completamente. A violência doméstica era onipresente. As voluntárias eram assediadas o tempo todo — sobretudo as asiáticas, uma vez que apresentávamos alguma semelhança com as locais. Eu me acostumei com motoristas de táxis que faziam longos desvios e se engajavam em conversas extraordinariamente invasivas antes de enfim desistirem e me levarem para casa. Quando Andrew foi me visitar, um homem lhe perguntou — de brincadeira, mas reiteradamente — se ele tinha levado uma arma, e se estaria disposto a lutar para continuar com sua esposa.

Uma claustrofobia começou a surgir nas ruas poeirentas, em longas viagens de ônibus, sob o amplo céu extraterrestre. Restrições rigorosas de segurança nos foram impostas devido à situação de conflito do país, mas é claro que eu as quebrei, porque me sentia sozinha e queria sair e me manter ocupada, e achava que tinha o direito de fazer o que quisesse. Como esse não era exatamente o caso, passei vários meses "de castigo" em meu vilarejo, quando então comecei a me sentir ainda mais nervosa, olhando para trás quando passeava pelas montanhas, sem nunca ter certeza se os homens que via estavam me seguindo ou se eu estava ficando louca. Um dia, meu pai anfitrião, bêbado, se inclinou para o que eu achava que seria um beijo na bochecha, me agarrou e me beijou na boca. Eu corri para longe e liguei para um amigo, depois liguei para o administrador do Corpo da Paz, perguntando se eu poderia ficar na capital por um tempo. Ele sugeriu que, considerando minha reputação no escritório, eu estava apenas procurando uma desculpa para fazer festa com meus amigos. Na verdade, eu queria *mesmo* fazer festa com meus amigos, porque precisava me distrair do fato de que meu pai anfitrião havia me beijado. O incidente me deixou bastante confusa. Durante a faculdade, coisas piores tinham acontecido comigo, e um beijo não é grande coisa, e eu não entendi por que aquilo de repente parecia uma grande questão. Sempre achei fácil, ou até mesmo algo automático, rejeitar o tipo de assédio sexual que eu já havia vivenciado. Sempre acreditei que a agressão sexual indesejada era um sinal da humilhante fraqueza dos agressores; sempre me enxerguei como uma pessoa melhor do que qualquer uma que tentasse me coagir ou me dominar. Mas, naquela situação, eu deveria ser humilde. Eu não era melhor do que ninguém. Eu deveria — e desejava — aderir às normas de outras pessoas.

Mais tarde, um ano depois de ter deixado o Quirguistão, ficou claro para mim que eu estava deprimida. Eu tinha 21 anos, e tentava ao máximo ser permeável e permanecer atenta ao sofrimento de outras pessoas, mas não sabia como deixar de ser permeável quando aquilo não fazia sentido, quando era apenas um traço de narcisismo ou quando, de fato, não fazia bem para ninguém. Senti, assustadoramente, que não havia limites entre minha situação e a situação maior, entre minhas minúsculas injustiças e as injustiças que todos enfrentavam. Eu era tão ingênua, e a violência parecia estar por toda parte: um ônibus em disparada passou por meu vilarejo certa noite, atropelou uma pessoa e seguiu viagem; um homem bêbado jogou uma criança contra uma parede. Foi a primeira vez que me senti completamente inserida em um sistema social injusto, brutal e punitivo; que as mulheres sofriam porque os homens tinham domínio sobre elas, os homens sofriam porque se esperava que exercessem esse domínio, e o poder tinha sido acumulado de forma tão desigual, e por tanto tempo, que não havia muito que pudesse ser feito.

Isso me deixou em um estado de espírito que parecia ilusório, paradoxal e submerso, tanto que ainda não tenho certeza do que aconteceu exatamente: se eu estava superestimando ou subestimando o perigo envolvido em qualquer situação, se eu estava imaginando os meninos do mercado que me agarravam quando eu passava por eles em uma estrada lateral, ou os vinte minutos extras que eu passava pedindo ao taxista que me levasse para casa — ou se, nos quinze segundos posteriores ao meu pai anfitrião ter me beijado e eu ter telefonado ao meu amigo, eu tinha de alguma forma imaginado ou, pior ainda, *provocado* tudo aquilo. Fiquei furiosa quando meu coordenador me xingou, mas enterrei minha raiva porque entendi que eu tinha direitos: eu poderia encerrar meus serviços a qualquer momento; era mais privilegiada do que qualquer mulher local que eu conhecia. Mas até mesmo a sugestão de que eu estava exagerando me fez pensar se eu estava, de fato, exagerando. Comecei a *querer* que as coisas acontecessem comigo, como se para provar a mim mesma que eu não era louca, que não estava tendo alucinações. Cheia de ressentimento, eu encarava os homens que me olhavam de muito perto, desafiando-os a me dar outro episódio para eu anotar em meu pequeno arquivo secreto de incidentes, desafiando-os a tornar visível a crescente sensação que eu tinha de que as mulheres viviam em um constante estado de violação, desafiando-os a me ajudar a perceber que eu não estava inventando nada disso. Gostaria de ter me dado conta — durante meu estágio no Corpo da Paz ou na faculdade — de que a história não precisava ser limpa, tampouco precisava ser satisfatória; de que, de fato, ela nunca seria limpa ou satisfatória, e, uma vez que eu percebesse isso, poderia, enfim, enxergar a verdade.

8.
O culto da mulher difícil

Ao longo da última década, acompanhamos uma mudança radical que parece épica e, ao mesmo tempo, pouco reconhecida: para uma mulher, passou a ser completamente normal compreender sua vida, e a vida de outras mulheres, sob uma ótica feminista. Enquanto antes era padrão chamar qualquer mulher difícil de lidar de "louca" ou "barraqueira", "louca" e "barraqueira" agora são consideradas palavras que mascaram visões sexistas. Em outros tempos, os meios de comunicação escrutinavam a aparência física das mulheres; agora, eles continuam fazendo isso, mas de um *jeito feminista*. Tachar alguém de vadia, uma prática popular no início dos anos 2000, transformou-se em um chavão a ser evitado ainda no fim dessa mesma década, e depois, em 2018, num grande tabu cultural. A jornada, que foi de Britney Spears sem calcinha nas capas dos tabloides até a consagração de Stormy Daniel como heroína política adorada, tem sido tão acidentada e vertiginosa que é fácil não percebermos a profundidade dessa mudança.

A reconfiguração da dificuldade feminina, de uma responsabilidade a um produto, foi resultado de décadas e décadas de pensamento feminista que, de uma hora para outra, floresceu de forma muito persuasiva no espaço ideológico aberto da internet. Isso foi solidificado por uma espécie de engenharia narrativa conduzida retrospectivamente ou em tempo real: a vida das celebridades está sendo reescrita como textos feministas. O discurso feminista relativo às celebridades opera da mesma maneira que a maioria da crítica cultural na era das redes sociais: como disse Hua Hsu na *New Yorker*, ele segue a linha do "reconhecimento de padrões ideológicos". Os escritores pegam a vida de uma celebridade e sua narrativa pública, iluminam-nas com luz negra e apontam para o sexismo quando ele começa a brilhar.

As celebridades têm sido a principal ferramenta didática por meio da qual o feminismo online identifica a força deformadora do julgamento patriarcal, e então resiste a ela. Britney Spears, inicialmente pintada como uma ingênua sem graça hipersexualizada que virou psicopata, agora parece alguém com quem devemos simpatizar: o público exigia que ela fosse sedutora, inocente, perfeita e rentável, mas Britney desmoronou diante da impossibilidade dessas demandas contraditórias. Vivas, Amy Winehouse e Whitney Houston eram frequentemente retratadas como monstros viciados; mortas, passaram a ser consideradas pessoas que haviam sido geniais ao longo de toda a sua vida. Monica Lewinsky não era uma vagabunda burra, mas uma garota comum de vinte e poucos anos que de repente se viu em meio a um caso de exploração com o chefe mais poderoso dos Estados Unidos. Hillary Clinton não era um vácuo de carisma estridente incapaz de conquistar a confiança das pessoas comuns, mas sim uma funcionária pública superqualificada cujas ambições foram frustradas devido ao fanatismo e à raiva de seus oponentes.

Analisar o sexismo pelo viés das celebridades femininas é um método pedagógico *catnip*: pega-se um passatempo cultural adorado (calcular o valor exato de uma mulher) e adiciona-se a ele uma importância política progressista. Trata-se também de uma questão pessoal, uma vez que, quando recuperamos as histórias que cercam as celebridades femininas, recuperamos também as histórias das mulheres comuns. Nos últimos anos, a cobertura feminista — cobertura justa, em outras palavras — tornou-se cada vez mais comum na mídia. O escândalo envolvendo Harvey Weinstein, e todos os seus desdobramentos, veio à tona em grande parte porque as mulheres finalmente podiam contar com uma base de interpretação narrativa feminista. As mulheres sabiam que suas histórias de vítimas seriam compreendidas do jeito que queriam — não por todas, mas por muitas pessoas. Annabella Sciorra podia confessar que o estupro fizera com que ela fosse banida da indústria do cinema; Asia Argento podia confessar que aceitara sair com Weinstein depois de ter sido estuprada por ele. Sob essa nova atmosfera, ambas as mulheres podiam acreditar que tais fatos não as tornariam suspeitas ou patéticas. (A cobertura do terrível epílogo da história de Argento — a alegação de que, mais tarde, ela teria agredido sexualmente um ator muito mais jovem do que ela — também foi relativamente complexa e calculada, com veículos condenando o comportamento de Argento e declarando que abuso gera abuso.)

Dessa maneira, apresentadas as histórias em que mulheres famosas eram *sujeitos*, não objetos, muitas mulheres comuns puderam se reconhecer naquilo que viam. As mulheres foram capazes de articular fatos que, com frequência, não eram verbalizados: que ter um relacionamento com alguém não impedia que elas se tornassem vítimas — muitas vezes, uma coisa era consequência da outra —, e que o assédio e a agressão sexual podiam arruinar sua carreira. Por meio de Hillary Clinton, as mulheres podiam ver o quanto os Estados Unidos desprezam uma mulher que quer o poder; por Monica Lewinsky, enganada pelos dois Clinton, podiam ver com que facilidade nos tornamos vítimas da ambição de outras pessoas; pela cobertura do colapso de Britney Spears, podiam ver como o sofrimento feminino é transformado em piada. Qualquer mulher cuja história tenha sido alterada e distorcida pela força do poder masculino — portanto, qualquer mulher — pode ser considerada uma heroína complicada, sepultada pelo patriarcado, depois ressuscitada do reino dos mortos pelas feministas.

Mas, quando o valor de uma mulher se baseia, em parte, na injustiça que ela sofre, as coisas podem se tornar escorregadias, sobretudo porque a internet expande até o infinito o alcance do ódio e do escrutínio injusto — algo que continua acontecendo, mesmo que as ideias feministas tenham se tornado preponderantes. Toda mulher enfrenta crítica e reações negativas. Mulheres extraordinárias enfrentam muito mais. E essa crítica sempre vem dentro de um contexto sexista, assim como tudo na vida de uma mulher. Esses três fatos se misturaram de tal maneira a ponto de criarem a ideia de que críticas duras feitas a uma mulher são sempre sexistas e, além disso, de forma mais sutil, de que o fato de receber críticas sexistas, por si só, demonstra o valor de uma mulher.

Quando as ferramentas do discurso das celebridades pop feministas são aplicadas a figuras políticas como Kellyanne Conway, Sarah Huckabee Sanders, Hope Hicks e Melania Trump — como de fato são, e cada vez mais —, os limites desse tipo de análise começam a se revelar. Eu me pergunto se estamos entrando num período no qual a fronteira entre valorizar uma mulher que sofreu maus-tratos e valorizar uma mulher *porque* ela sofreu maus-tratos está se tornando difusa; se a necessidade legítima de defender as mulheres de críticas injustas se metamorfoseou em uma necessidade ilegítima de defender as mulheres de qualquer crítica; como se fosse possível exaltar uma mulher justamente porque ela é criticada — e apenas por esse fato inexpressivo.

A situação subjacente é simples. Todos nós somos definidos por termos e condições históricas, e esses termos e essas condições foram escritos sobretudo por homens e para homens. Qualquer mulher cujo nome tenha sobrevivido à História alcançou sua posição em um cenário de poder masculino. Até muito recentemente, sempre fomos apresentadas às mulheres sob uma perspectiva masculina. Sempre é possível reformular a vida de uma mulher a partir de uma visão feminina.

Você poderia fazer isso — e as pessoas o fizeram — com a Bíblia inteira, começando por Eva, a quem podemos enxergar não como uma pecadora covarde, mas como uma exploradora radical em busca de conhecimento. A esposa de Ló, transformada num pilar de sal por ousar se virar para trás para ver Sodoma e Gomorra queimando, poderia exemplificar não a desobediência, mas a punição desproporcional dada às mulheres. Afinal de contas, foi Ló quem ofereceu suas duas filhas virgens para um bando de estranhos as violentarem e, mais tarde, Ló engravidou ambas no período em que os três viveram em uma caverna. Meus professores da Escola Dominical falavam de Ló com carinho; tratava-se de um homem que tivera de fazer escolhas difíceis. Na arte, ele é retratado como um homem comum que foi vencido pelas tentações da jovem carne feminina. Enquanto isso, tudo o que sua esposa fez foi virar o pescoço, sendo então punida para sempre, de forma nada glamourosa. E as sedutoras, é claro, imploram por uma nova versão: Dalila, retratada como uma prostituta mentirosa que entrega seu amante aos filisteus, parece hoje apenas mais uma mulher buscando o prazer e uma maneira de sobreviver em um mundo complicado. Em uma perspectiva bíblica, as histórias dessas mulheres trazem lições. Em uma perspectiva feminista, elas demonstram os limites de um padrão moral que exige a subserviência das mulheres. Em ambos os casos, o fascínio que exercem é intrínseco. "É claro que a persona da vadia nos parece atraente. É a ilusão da libertação", escreve Elizabeth Wurtzel em seu livro *Bitch*, de 1998, precursor da onda de crítica cultural feminista que agora se tornou padrão. Dalila, escreve Wurtzel, "foi uma demonstração de vida. Eu vivia em um mundo de mães solteiras exaustas à mercê de homens que as faziam trabalhar duro e as pagavam mal. [...] Nunca na minha vida tinha encontrado uma mulher que havia derrotado um homem. Até conhecer Dalila".

Dalila é um exemplo útil, uma vez que o poder que ela captou é indissociável da expectativa de que ela não teria poder nenhum. Sansão era um colosso: na adolescência, rasgara um leão ao meio. Ele matou trinta filisteus e deu as roupas deles aos seus padrinhos. Matou mil homens usando apenas o maxilar de um burro. Dalila, portanto, parecia inofensiva aos olhos de Sansão, mesmo quando insistia em saber de onde vinha a força dele e, de brincadeira, o amarrava com uma corda durante a noite. Sansão lhe disse a verdade — que sua força estava no cabelo, que nunca fora cortado —, depois adormeceu em seu colo. Dalila, seguindo as instruções dos filisteus, pegou uma faca.

É depois disso que Sansão ascende à sua verdadeira grandeza. Os filisteus o capturam, arrancam seus olhos e o acorrentam na pedra de um moinho, fazendo-o moer milho como uma mula. Em certo momento, eles o arrastam para um ritual de sacrifício, e Sansão, enfraquecido, ora a Deus, que então lhe concede um último lampejo divino. Ele quebra os pilares do templo, matando assim milhares de captores e tirando a própria vida. Ao fazer isso, Sansão triunfa sobre o mal, desafiando a crueldade dos filisteus e sua imoral e sedutora representante, Dalila, a quem Milton descreve no poema "Sansão agonista" como "intestino espinhoso". "A efeminação suja me manteve preso/ seu servo escravizado", brada o Sansão de Milton. A admissão de ódio é um reconhecimento do poder de Dalila. Wurtzel escreve: "Para mim, Dalila era claramente a estrela".

Por natureza, as mulheres difíceis causam problemas, e esses problemas quase sempre podem ser reinterpretados como algo positivo. Mulheres reivindicando o poder que, historicamente, pertence aos homens estão tanto na origem da história do mal feminino quanto na origem da libertação feminina. Para trabalhar por esta última, você deve estar disposta a invocar a primeira: à medida que ocorre, a libertação é muitas vezes confundida com o mal. Em 1905, Christabel Pankhurst iniciou a fase militante do movimento sufragista inglês ao cuspir em um policial durante um encontro político, sabendo que isso levaria à sua prisão. A partir daí, as militantes da União Social e Política das Mulheres foram arrastadas para fora de lugares exclusivamente masculinos, encarceradas, alimentadas à força. Elas quebraram janelas e atearam fogo em edifícios. As sufragistas eram descritas como animais selvagens, o que rapidamente acabou por destacar a injustiça que sofriam. Em 1906, o *Daily Mirror* escreveu com simpatia: "De que maneira, a não ser gritando, batendo e se rebelando, os próprios homens conquistaram o que tiveram a satisfação de chamar de seus direitos?".

Historicamente, a condenação acompanha a maioria das ações femininas que fica de fora dos estritos limites da obediência. (Até a Virgem Maria, a mulher mais venerada da História, enfrentou situação semelhante: de acordo com o Evangelho segundo Mateus, José descobriu sua gravidez e pediu o divórcio.) Mas, às vezes, as mulheres desobedientes também são louvadas. Em 1429, Joana d'Arc, uma menina de dezessete anos que tinha visões espirituais, convenceu o delfim Carlos a colocá-la à frente do exército francês; ela foi para o campo de batalha e o ajudou a conquistar o trono na Guerra dos Cem Anos. Em 1430, ela foi presa e, no ano seguinte, acusada de heresia e *cross-dressing*, e então queimada na fogueira. Mas, ao mesmo tempo, Joana d'Arc foi exaltada. A poeta e teórica Christine de Pizan — autora de *The Book of the City of Ladies*, uma fantasia utópica sobre uma cidade imaginária onde as mulheres são respeitadas — escreveu que, durante o período em que estava na prisão, Joana era uma "honra para o feminino".

O homem que a executou disse que "temia imensamente ser amaldiçoado".

Em 1451, vinte anos depois de sua morte, o processo de Joana d'Arc foi revisto e ela passou a ser considerada uma mártir virtuosa. As duas histórias — sua desobediência, sua virtude — seguiram entrelaçadas. "As pessoas que foram atrás dela nos cinco séculos [que se seguiram] à sua morte tentaram transformá-la em tudo", escreveu Stephen Richey em seu livro *Joan of Arc: The Warrior Saint*, publicado em 2003. "Fanática demoníaca, mística espiritual, ingênua e tragicamente manipulada pelos poderosos, criadora e ícone do nacionalismo popular moderno, heroína adorada, santa." Joana d'Arc era amada e odiada pelas mesmas ações, pelas mesmas características. Quando foi canonizada, em 1920, ela ingressou em uma sociedade de mulheres — santa Luzia, santa Cecília e santa Ágata — que foram martirizadas por causa de sua pureza, da mesma maneira que agora canonizamos as santas da cultura pop que foram martirizadas por seus vícios.

Reescrever a história de uma mulher significa, de maneira inevitável, envolver-se com as regras masculinas que anteriormente definiram essa história. Para se posicionar contra uma ideologia, você deve reconhecê-la e articulá-la. Nesse processo, é possível que você inadvertidamente repita os argumentos da oposição. Esse é um problema que sempre me angustia, um problema que talvez defina o jornalismo na era Trump: quando você escreve contra algo, você concede força, espaço e tempo a esse algo.

Em 2016, a escritora Sady Doyle publicou um livro chamado *Trainwreck: The Women We Love to Hate, Mock, and Fear... and Why*. A obra analisava a vida e as narrativas públicas de famosas mulheres problemáticas: Britney Spears, Amy Winehouse, Lindsay Lohan, Whitney Houston, Paris Hilton, assim como figuras mais antigas da história — Sylvia Plath, Charlotte Brontë, Mary Wollstonecraft, e até mesmo Harriet Jacobs. O livro faz uma "análise abrangente e ponderada", segundo a *Kirkus*, e oferece, de acordo com a *Elle*, "uma interpretação brilhante e feroz que é leitura obrigatória". Seu subtítulo indica uma incerteza subjacente, do tipo que elucida uma ambivalência central do discurso feminista. Quem é o "nós" que adora odiar, zombar e temer essas mulheres? Será o público de Doyle? Ou será um dever das escritoras feministas assumir todo o ódio, o medo e a zombaria que existe no cérebro de outras pessoas?

Doyle descreve seu livro como uma "tentativa de recuperar as mulheres desastre, não apenas como a voz de todas as partes do feminino sobre as quais nós preferimos nos calar, mas também como garotas que rotineiramente pintam fora dos contornos da sociedade sexista". O "nós" nessa frase quase exclui, necessariamente, tanto Doyle quanto suas leitoras e, ao longo do livro, esse "nós" se torna um amálgama impossível de misóginos e feministas — ambos, por razões opostas, interessados em mergulhar nas profundezas da dor e da degradação femininas. Em um capítulo sobre Amy Winehouse, Whitney Houston e Marilyn Monroe, Doyle escreve: "Com a morte, essas mulheres finalmente nos dão a única declaração que queríamos ouvir delas: que mulheres como elas não conseguem vencer, e que não deveriam ser incentivadas a tentar". Ao final de um capítulo sobre sexo — que traz a "boa-moça--agora-LGBTQ Lindsay Lohan, a mãe solteira divorciada Britney Spears, Caitlyn Jenner com suas poses voluptuosas, Kim Kardashian tendo a ousadia de aparecer na capa da *Vogue* com seu namorado negro", todas "amarradas aos trilhos e alegremente atropeladas" —, Doyle escreve: "Nós mantemos o corpo das mulheres sob controle, e as próprias mulheres sob um estado constante de medo, imolando publicamente qualquer pessoa sexual que seja ou pareça feminina". Será que *nós* fazemos mesmo isso? É sempre difícil fazer generalizações usando a primeira pessoa do plural, mas o uso nesse caso é bastante sintomático: em nossas tentativas de reconhecer a persistência da desigualdade estrutural, *nós* às vezes somos incapazes de ver a atual cultura popular como ela realmente é.

O claro projeto de *Trainwreck* é identificar os maus-tratos que as mulheres famosas sofreram no passado para assim evitá--los no futuro; seu objetivo é evitar os danos causados às mulheres comuns em uma cultura que adora assistir às celebridades femininas derreterem. Doyle costura essa causa usando hipérboles fatalistas e maliciosas, um tom que, durante anos, foi um dos pilares do discurso feminista da internet. Em um capítulo sobre *Atração fatal*, Doyle diz que "uma mulher que deseja que você a ame está perigosamente perto de se tornar uma mulher que exige a atenção do mundo inteiro". As mulheres desastre são "loucas, porque todas nós somos loucas — porque, em uma cultura sexista, ser mulher é uma doença para a qual não há cura". A sociedade transforma Miley Cyrus em "uma stripper, o demônio, e a personificação da luxúria predatória". Quando chegamos à internet, o *trending topic* número 1 ainda é um debate entre "Rihanna é um modelo ruim para as mulheres" e "a opinião sobre Rihanna nunca é favorável". Valerie Solanas é lembrada como um "bicho-papão" das "mulheres sujas, raivosas, fodidas e jogadas fora", enquanto o violento Norman Mailer é lembrado como um gênio. (Suponho que muitas mulheres de minha bolha *millennial* venerem Solanas de maneira semi-irônica, e conheçam Mailer sobretudo como o misógino que esfaqueou sua esposa.) Doyle é motivada, escreve ela, por

uma vida inteira vendo as mulheres mais belas, sortudas, ricas e bem-sucedidas do mundo sendo reduzidas na mídia a bruxas idiotas e deformadas, e então voltando ao silêncio e à obscuridade pela força incontornável do desprezo público.

É possível dizer que, para combater uma força tão antiga quanto o patriarcado, isso é o que precisa ser feito; que, para erradicá-lo, você tem de reconhecer seu poder, e precisa verbalizar e confrontar seus piores insultos e efeitos. Mas o resultado quase sempre cai no cinismo deliberado. "A distância entre Paris Hilton e Mary Wollstonecraft pode parecer longa", escreve Doyle. "Mas, na prática, é apenas um pulo." Ela está se referindo ao fato de que a vida sexual de Wollstonecraft ofuscou, por algum tempo, sua obra canônica *Reivindicação dos direitos da mulher*, e que William Godwin publicou as obscenas cartas de Wollstonecraft depois de sua morte. É possível traçar uma linha bem clara entre esse fato e o fato de Rick Salomon ter vendido uma *sex tape* de Paris Hilton sem sua permissão. Mas as mudanças ocorridas entre 1797 e 2004 não devem ser subestimadas ou simplificadas, e tampouco as que aconteceram entre 2004 e 2016. Atrevo-me a dizer que nossa realidade não é a de um mundo no qual as mulheres mais lindas, sortudas e bem-sucedidas são transformadas em "bruxas idiotas e deformadas". As mulheres estão à frente da indústria das celebridades, e mandam nela; elas são ricas e têm direitos, talvez não tantos quanto deveriam. O fato de as mulheres receberem uma quantidade imensa de críticas injustas não nega esses fatos, mas os *comunica*, e de maneiras muito complicadas. As celebridades femininas agora são veneradas por suas dificuldades — suas falhas, suas complicações, sua humanidade —, pois isso permite que nós, mulheres comuns, sejamos também imperfeitas, humanas e, possivelmente, também veneradas.

Tenho pensado nessa questão desde 2016 — e, especificamente, desde a semana em que, com uma diferença de poucos dias,

Kim Kardashian foi assaltada à mão armada e a identidade de Elena Ferrante foi revelada. Na internet, a indignação feminista transformou esses dois incidentes em uma única parábola. *Veja o que acontece com mulheres ambiciosas*, as pessoas escreveram. *Veja como as mulheres são punidas por ousarem viver do jeito que desejam.* Isso era verdade, disse para mim mesma, mas de uma maneira diferente da que todos pareciam estar pensando. O problema parecia mais profundo, enraizado no fato de que, para se tornarem bem-sucedidas, as mulheres precisam vencer tantos obstáculos que seu sucesso é para sempre refratado por esses obstáculos. O problema parecia se relacionar com o fato de que a vida das mulheres famosas é interpretada, na maioria das vezes, como uma espécie de referendo crucial sobre o que nós precisamos superar para simplesmente sermos mulheres.

Acredito que há um limite em ler a vida das celebridades como borra de café. A vida das mulheres famosas é determinada por saltos exponenciais de visibilidade, dinheiro e poder, enquanto a vida das mulheres comuns é governada principalmente por coisas mundanas: classe, educação, mercado imobiliário, práticas trabalhistas. As celebridades femininas sugerem *mesmo* as regras da autopromoção — o que é palatável e comercializável para o público geral em termos de sexualidade, aparência, psicologia e raça. No mundo de hoje, isso pode parecer uma questão essencial. Mas as mulheres famosas nem sempre existem no limite do que é possível. A atenção é, em muitos aspectos, constritiva. As celebridades femininas estão lidando com aprovação e reações negativas em níveis tão altos que, para elas, pode ser significativamente mais complicado conquistar o que todas nós buscamos — permissão social para vivermos a vida que quisermos.

Em 2017, Anne Helen Petersen publicou *Too Fat, Too Slutty, Too Loud: The Rise and Reign of the Unruly Woman*, um livro que usou como tese a faca de dois gumes das mulheres difíceis.

As mulheres indisciplinadas assumiram uma "importância exagerada na imaginação americana", escreve Petersen. Ser indisciplinada é algo lucrativo e, ao mesmo tempo, arriscado; uma mulher indisciplinada precisa andar sobre uma linha de aceitação sempre em movimento, mas, caso ela consiga fazer isso, pode acumular um enorme prestígio cultural.

O livro de Petersen se concentra nesse tipo de indisciplina louvada — "a indisciplina que conseguiu alcançar o grande público". Ela escreve sobre, entre outras, Melissa McCarthy, Jennifer Weiner, Serena Williams e Kim Kardashian — mulheres que superaram as tentativas da sociedade de categorizá-las como, respectivamente, gorda demais, arrogante demais, forte demais, grávida demais. "Será que o estrelato dessas mulheres contribuiu para uma mudança real em termos de comportamentos 'aceitáveis', corpos e a maneira de sermos mulheres hoje em dia?", ela pergunta. "[...] Essa resposta não depende tanto das mulheres em questão, mas sim da maneira com que nós, consumidoras culturais, decidimos falar delas e pensar sobre elas." Essas mulheres, em toda a sua indisciplina, *importam* — e a melhor maneira de mostrar sua seriedade, poder e influência é nos recusarmos a silenciar sobre o que elas fazem". Cada capítulo é dedicado a uma mulher que parece possuir em excesso uma das características contestadas, mas que, mesmo assim, alcançou o topo em sua área de atuação. Essas mulheres são difíceis e bem-sucedidas. A indisciplina, escreve Petersen, é "infinitamente elétrica", fascinante, bacana.

Como categoria, a indisciplina também é frustrantemente ampla e amorfa. Tantas coisas são consideradas nas mulheres como fora das regras, de maneira que uma mulher pode parecer indisciplinada por simplesmente existir sem ter vergonha de seu corpo; indisciplinada apenas por seguir seus desejos, não importando se esses desejos são libertadores ou comprometedores ou, mais provavelmente, uma combinação dos dois.

Uma mulher é indisciplinada se alguém tiver erroneamente decidido que ela tem alguma coisa em excesso e se ela, por sua vez, decidir acreditar que está bem do jeito que é. Ela é indisciplinada mesmo que seja *hipoteticamente* criticada: por exemplo, toda a narrativa de celebridade de Caitlyn Jenner existe em referência a uma onda maciça de reação negativa generalizada que, na verdade, nunca chegou a acontecer. As mulheres trans estão entre as pessoas que têm a vida mais difícil dos Estados Unidos, mas Caitlyn, desde o início, foi uma exceção notável. Ela foi protegida em um grau sem precedentes por sua riqueza, sua fama e sua pele branca (e talvez pelo fato de ser uma ex-atleta olímpica). Ela saiu na capa da *Vanity Fair* vestida com um espartilho; conseguiu seu próprio programa na TV; suas opiniões políticas — incluindo seu apoio a um presidente que logo em seguida reverteria as proteções legais da comunidade trans — viraram manchetes. O fato de que isso era possível enquanto, ao mesmo tempo, alguns estados aprovavam "legislações sobre banheiros", e enquanto a taxa de homicídios de mulheres negras transexuais continuava cinco vezes mais alta do que a taxa de homicídios da população em geral, era frequentemente apresentado como uma evidência da coragem de Caitlyn Jenner. Isso deveria ser, pelo menos, considerado como prova da distância entre as narrativas das celebridades e a vida cotidiana.

Em outro capítulo, Petersen escreve sobre a enteada de Caitlyn, Kim Kardashian. Kim desejava, como disse em seu programa, uma gravidez "fofa", na qual apenas a barriga aumentaria. Em vez disso, ela engordou em todas as partes do corpo. Kim continuou a usar roupas apertadas e saltos altos e, ao fazer isso, "ela se tornou o meio improvável no qual as fissuras na ideologia da 'boa' maternidade se tornaram visíveis". Kim usava "roupas com tiras de malha transparente, vestidos curtos que mostravam suas pernas, amplos decotes que revelavam substancialmente os seios, saias lápis de cintura alta

300

que, em vez de esconder, ampliavam sua circunferência. Ela continuou usando sapatos de salto e maquiagem completa [...] explorando a feminilidade e a sexualidade como sempre fez em sua carreira". Em resposta a isso, foi comparada a uma baleia e a um sofá; closes de seus tornozelos inchados em saltos transparentes se espalharam por toda a mídia. Kim, durante a gravidez, enfrentou críticas cruéis e sexistas. Mas o que está implícito nesse capítulo, ou deixado de lado, é o fato de que Kim não é tida como indisciplinada por causa do tamanho de seu corpo, mas, antes, por seu compromisso inabalável em erotizar e monetizá-lo. Sua adesão à prática da auto-objetificação é o instinto que a faz ser, como Petersen diz, uma "ativista acidental", mas uma "ativista, todavia".

Quando se trata de escrever sobre Kim Kardashian, o nível costuma ser incrivelmente baixo — muito menos no livro de Petersen do que em outros lugares —, como se ela fosse uma espécie de ícone de empoderamento deliciosamente distorcido. Kim se beneficiou da tendência feminista de considerar a coragem feminina como algo muito subversivo, quando, de fato, ela é com frequência *minimamente* subversiva. Para uma mulher, não é "corajoso", na verdade, fazer as coisas que a tornarão rica e famosa. Para algumas mulheres, é difícil e de fato perigoso viver como elas mesmas neste mundo, mas, para outras mulheres, como Kim e suas irmãs, isso não é apenas fácil, mas também extraordinariamente lucrativo. É verdade que o mundo disse a Kim Kardashian que ela estava grávida demais, além de "gorda demais, superficial demais, falsa demais, com curvas demais, sexual demais", e que esse policiamento, como observa Petersen, reflete uma ansiedade misógina mais ampla em relação ao sucesso e ao poder de Kim. Mas Kim é bem-sucedida e poderosa não apesar dessas coisas, mas *por causa* dessas coisas. Para ela, é conveniente ser superficial, falsa, curvilínea, sexual. Ela é a prova de um conceito que não é nem muito complicado nem muito radical: hoje, é possível que uma mulher bonita e rica, com um talento sobrenatural para a autovigilância, realize seus sonhos cada vez maiores de beleza e riqueza.

Petersen articula esse ângulo crítico com mais clareza no capítulo sobre Madonna, que foca em sua versão de cinquenta e poucos anos de bíceps-e-tendões-e-espartilhos. Ao abraçar essa performance de sexualidade extrema e condicionamento físico, Madonna "pode ter externamente recusado a vergonha da idade, mas o esforço que ela aplicou para combater o envelhecimento está impregnado com essa vergonha", afirma Petersen. No palco, ela pulava corda enquanto cantava; ela compareceu ao baile de gala do Metropolitan com um collant que deixava os peitos de fora e uma calça que deixava a bunda de fora. Ela estava afirmando o direito de ser uma pessoa sexual depois da idade considerada socialmente apropriada para isso, mas o rompimento desse tabu operava em um contexto bastante específico: Madonna não estava sugerindo que *todas as mulheres* de cinquenta ou sessenta e poucos anos devessem ser relevantes. Na verdade, ela acredita que as mulheres que *têm a aparência dela* podem ser relevantes". A mensagem efetiva era que as mulheres que fazem três horas diárias de exercícios físicos e mantêm uma dieta orientada por um profissional mal conseguem criar uma intersecção entre os conjuntos "envelhecimento" e "sexy" em um diagrama de Venn. Esse tipo de quebra de regras opera, por definição, no nível do indivíduo extraordinário. Ela não foi feita para ser aplicada à vida comum.

É verdade, claro, que as mulheres que se tornam famosas por empurrar os limites sociais, ao fazerem isso, demonstram o quão antiquados são esses limites. Mas o que acontece quando se torna do conhecimento de todos que esses limites são antiquados? Chegamos a uma nova era, na qual o feminismo nem sempre é o antídoto para a sabedoria convencional; o feminismo, em muitos sentidos, está se tornando sabedoria convencional. As mulheres nem sempre — eu diria que agora *raramente* — são mais interessantes quando rompem restrições desinteressantes. O talento de Melissa McCarthy é mais específico e peculiar do que as críticas tediosas que ela recebeu por ser gorda. Abbi Jacobson e Ilana Glazer, de *Broad City*, são mais complicadas do que o tabu da grosseria feminina que elas desprezaram em seu programa. As celebridades, repito, nem sempre definem a fronteira do que as pessoas acham atraente, ou até mesmo tolerável. Com frequência, os parâmetros das celebridades ficam muito atrás do que as mulheres realizam em sua vida pessoal todos os dias. *Broad City* e *Girls* — Lena Dunham é o tópico do capítulo "nua demais" de Petersen — inovaram na televisão porque representaram corpos e situações que, para muitas pessoas, já eram algo bom e comum.

Quando se analisa as celebridades dentro de uma perspectiva feminista, parece haver uma suposição geral de que a liberdade que concedemos a essas mulheres famosas chegará até nós. Por trás dessa suposição, há outra: a de que o objetivo final dessa discussão é o empoderamento. Mas o discurso sobre as mulheres difíceis parece muitas vezes estar levando a outro lugar. Em um nível significativo, as feministas desmontaram e rejeitaram a tradicional definição masculina do que vinha a ser uma mulher exemplar — doce, recatada, controlável e livre de defeitos humanos normais. Mas se, por um lado, os homens punham as mulheres em pedestais e se deliciavam em vê-las cair, o feminismo, até agora, teve sucesso principalmente em reverter a ordem das operações: juntou as mulheres caídas e as reposicionou como ídolos. As mulheres famosas ainda são constantemente testadas em função da ideia de que devem ser atraentes ao máximo, mesmo que esse apelo agora envolva qualidades "difíceis". As feministas ainda estão procurando ídolos — apenas as que são idolatradas segundo nossos critérios complicados.

Em outros lugares, para além do terreno da mulher difícil, reina um tipo diferente de celebridade feminina. Em *Too Fat, Too Slutty, Too Loud*, Petersen observa que as mulheres indisciplinadas "competem com uma forma de feminilidade muito mais palatável e, em muitos casos, mais bem-sucedida: as seguidoras do estilo de vida supermãe". Ela continua:

> Essas mulheres, entre as quais se incluem Reese Witherspoon, Jessica Alba, Blake Lively, Gwyneth Paltrow e Ivanka Trump, raramente ditam tendências no Twitter, mas criaram marcas tremendamente bem-sucedidas ao abraçar a "nova domesticidade", definida por consumo, maternidade e uma espécie de refinamento do século XXI. Elas têm corpos magros e disciplinados, e gestações adoráveis; nunca vestem uma peça equivocada ou falam de forma negativa ou se tornam cáusticas. É importante ressaltar que todas essas celebridades são brancas — ou, no caso de Jessica Alba, cuidadosa em suprimir qualquer conotação de etnia — e heterossexuais.

Esse tipo de mulher — a mulher que nunca seria difícil — inclui uma grande variedade de microcelebridades: blogueiras de estilo de vida, beldades saudáveis, influenciadoras genéricas com gostos previsíveis e longas legendas no Instagram. São mulheres tão incrivelmente bem-sucedidas que uma espécie de aversão feminista compensadora em relação a elas acabou surgindo — um descontentamento pela *falta* de indisciplina, uma decepção em vê-las aderindo às orientações mais previsíveis sobre o que uma mulher deveria ser.

Em outras palavras, assim como as mulheres difíceis, as mulheres desse outro tipo ficam igualmente aquém do ideal. Elas também são admiradas e odiadas de forma simultânea. A cultura feminista, em muitas ocasiões, excluiu ou menosprezou as blogueiras mórmons, as fábricas de conteúdo patrocinado, as "básicas", as Gwyneths e as Blakes. Às vezes — muitas vezes — essas mulheres são odiadas abertamente: fóruns como o Get Off My Internets hospedam grandes comunidades de mulheres que adoram criticar cada detalhe da vida de celebridades de Instagram. Há um momento significativo de *Trainwreck*, em que Doyle escreve: "As mulheres odeiam essas mulheres desastre [*Trainwreck*] na mesma medida que odeiam a si mesmas. Nós as amamos tanto quanto queremos que nossas próprias falhas e defeitos sejam amados. A questão, portanto, é escolher entre as duas coisas". Mas por que essas seriam nossas únicas opções? A liberdade que eu almejo está em um mundo onde não *precisaríamos* amar as mulheres, ou mesmo monitorar nossos sentimentos em relação às mulheres como se isso fosse algo significativo. Um mundo onde não precisaríamos analisar os contornos do valor e da libertação feminina, dedicando uma atenção meticulosa a qualquer uma dessas coisas.

Em 2015, Alana Massey escreveu um famoso ensaio para o BuzzFeed cujo título era "Sendo Winona em um mundo feito para Gwyneths". O texto começava com uma anedota de seu aniversário de 29 anos, quando um cara com quem ela estava saindo fez a irritante revelação de que sua parceira sexual ideal do mundo das celebridades seria Gwyneth Paltrow. "E, naquele momento", Massey escreve,

> cada pensamento ou devaneio que eu já tivera sobre nosso possível futuro, cheio de crianças de sorrisos largos, gatos adotados e sexo fenomenal, evaporou. Porque não há futuro com um homem Gwyneth quando você é uma mulher Winona, especialmente uma Winona em um mundo feito para Gwyneths.

O ensaio que se seguia expandia o espaço entre, como Massey apontou, "duas categorias distintas de mulheres brancas que são atraentes de uma maneira convencional, mas cujas imagens públicas são exemplos de estilos de vida e visões de mundo dramaticamente diversos". Winona Ryder era "inspiradora, alguém com quem poderíamos nos identificar", sua vida era "mais autêntica [...] emocionante e, ao mesmo tempo, um pouco triste". Gwyneth, por outro lado, "sempre representou uma coleção de reflexos de consumo — de bom gosto, mas pouco ousados — mais do que realmente refletiu uma personalidade verdadeira". A vida dela era "tão suficientemente decifrável a ponto de ser tanto invejável quanto mundana".

Para as mulheres, a autenticidade se encontra na dificuldade. Essa suposição feminista se tornou a lógica dominante, embora ainda seja vista como rara. As Winonas do mundo, argumenta Massey, têm as histórias que valem a pena ser contadas, ainda que o mundo seja construído para outro tipo de garota. (É claro que o mundo também é construído para as Winonas: embora Massey reconheça as limitações raciais de seu argumento, o fato de que um ensaio extremamente popular possa ter construído uma análise do espectro da identidade feminina representado por Gwyneth Paltrow e Winona Ryder indica tanto o domínio da branquitude nas discussões sobre celebridades quanto a maneira como a irregularidade das celebridades é avaliada em uma curva surpreendente.) Mais tarde, Massey escreveu sobre o período de sucesso que teve depois da publicação do ensaio, momento em que ela comprou uma casa, tornou-se uma loira platinada e atualizou seu guarda-roupa. Ela se olhou no espelho e viu "o cabelo loiro, escovado com habilidade, uma bolsa de grife, uma pele fresca e saudável graças aos ácidos e óleos que agora eu uso. Eu me tornei totalmente. uma porra de. Gwyneth". A hipercalibração de mulheres exemplares, por um lado, nunca foi tão importante e, por outro, nunca significou tão pouco.

Massey incluiu o texto sobre Winona e Gwyneth em seu livro de 2017 *All the Lives I Want: Essays About My Best Friends*

Who Happen to Be Famous Strangers, que discorreu sobre um conjunto conhecido de ícones femininos: Courtney Love, Anna Nicole Smith, Amber Rose, Sylvia Plath, Britney Spears. O conceito subjacente parecia ser o de que o mundo sob o patriarcado havia estetizado o sofrimento das mulheres de maneira negativa — e que talvez as mulheres agora pudessem estetizar esse sofrimento de maneira positiva, incandescente e oracular, uma maneira profunda, afirmativa, real e carregada de propósito. Como sugere o subtítulo, poderíamos *querer* os problemas delas, as dificuldades delas. Nesse livro, a vida das celebridades é configurada como símbolo de intimidade. Sylvia Plath é "uma versão literária precoce de uma jovem mulher que tira selfies sem parar e as publica com legendas cruéis, chamando a si mesma de gorda e feia". O corpo de Britney Spears é a pedra de Roseta através da qual Massey decodifica seu próprio desejo de ser magra e sexualmente irresistível. Courtney Love, uma "bruxa venenosa", é "a mulher que eu gostaria de ser, muito mais do que a garota desajeitada que tenho sido quase o tempo todo". Como uma sacerdotisa, Massey usa uma linguagem que invoca a glória através da perseguição, a divinização através da dor. Todo sofrimento que essas mulheres difíceis experimentaram era uma indicação de seu valor e humanidade. Elas foram isoladas — totalmente vivas, plenamente realizadas — de uma maneira que as mulheres insípidas nunca seriam.

Enquanto lia o livro de Massey, fiquei pensando: por tanto tempo, profundidade e significado foram negados às mulheres, que agora cada centímetro dessas coisas é absurdamente carregado. Se antes a dificuldade feminina parecia perversa, agora a *recusa* dessa dificuldade parece perversa. Toda a estrutura interpretativa está se tornando insustentável. Podemos analisar as mulheres difíceis de um ponto de vista tradicional e considerá-las controversas, e podemos analisar mulheres desinteressantes de um ponto de vista feminista e considerá-las igualmente controversas. Estamos em uma situação em que as mulheres rejeitam a feminilidade convencional na busca por libertação, e então se veem alternadamente desprezando e desejando esse tipo de feminilidade — o padrão em ação na jornada espiritual de Massey, que se afastou de Gwyneth para depois voltar a ela, assim como nas comunidades de fóruns online, em que blogueiras aleatórias de estilo de vida são criticadas. As feministas se esforçaram tanto, e com tão boas intenções, para justificar as mulheres difíceis, que o conceito acabou se tornando algo bastante abrangente: uma defesa total, uma celebração automática, uma lona de autoilusão que pode cobrir qualquer pecado.

Em 2018, à medida que a fronteira entre as celebridades e a política se dissolvia completamente, o discurso da mulher difícil, aperfeiçoado através das celebridades, tornara-se poderoso o suficiente para então entrar no reino da política convencional. As mulheres do governo Trump manifestam muitas das qualidades que são celebradas em ícones feministas: são egoístas, orgulhosas, sem arrependimentos, ambiciosas, artificiais etc. O fato de serem tratadas como celebridades revela algo estranho do momento atual, algo que é exacerbado pela dinâmica da internet. Por um lado, o sexismo é tão onipresente que atinge todos os cantos da vida de uma mulher; por outro, parece incorreto criticar uma mulher por qualquer coisa — sua conduta, até mesmo seu comportamento — que possa eventualmente se interseccionar com o sexismo. Para as mulheres do governo Trump, isso significa que elas dificilmente podem ser criticadas sem que o sexismo vire a questão principal. Para a sorte delas, o discurso sobre a mulher difícil sempre intercepta as discussões.

Todas as figuras femininas na órbita de Trump são tão difíceis que poderiam servir de base para uma bobajada biográfica celebratória. Temos Kellyanne Conway, ridicularizada por seu visível envelhecimento e pela maneira de se vestir, considerada uma vadia por se sentar descuidadamente num sofá — uma guerreira durona que emerge triunfante de qualquer perrengue. Temos Melania, desconsiderada porque havia sido uma modelo e porque não estava interessada em fingir ser uma feliz primeira-dama brincando de rolar ovos na Páscoa; Melania, que rejeitou as expectativas convencionais de domesticidade na Casa Branca e redefiniu uma secretaria ultrapassada segundo suas próprias regras. Temos Hope Hicks, também desconsiderada por ser uma ex-modelo, vista como fraca por ser jovem, quieta e leal, e que, no entanto, se tornou uma das poucas pessoas em quem o presidente realmente confiava. Temos Ivanka, *também* desconsiderada por ter sido modelo, criticada por não ser séria o suficiente, pois fazia design de sapatos e usava laçarotes em encontros políticos, e que então transcendeu o ódio do grande público liberal e trabalhou em silêncio nos bastidores. E temos Sarah Huckabee Sanders, ridicularizada por seu jeito irritadiço e seu gosto duvidoso para roupas, que nos lembrava que você não precisava ser magrela ou sorridente para ser uma figura pública feminina no topo de sua carreira. O padrão — mulher é criticada por algo relacionado ao fato de ser mulher; sua existência é interpretada como politicamente significativa — é tão ridiculamente impreciso que qualquer coisa pode caber nele. Lá, observe as mulheres de Trump provando que o poder feminino nem sempre se manifesta do jeito que queremos. Olhe para elas, resistindo diante de tanta desaprovação popular, recusando-se a pedir desculpas por quem são, a pedir perdão pela posição de poder que construíram para si mesmas ou pelas expectativas às quais se recusaram a corresponder.

Até certo ponto, essa narrativa de fato existe. O que acontece é que geralmente ela não é escrita por feministas, embora alguns artigos tenham chegado bem perto. A história de capa da revista *New York* de março de 2017, escrita por Olivia Nuzzi, tinha como título "Kellyanne Conway é uma estrela", e detalhava de que modo Conway se tornara alvo de intermináveis "análises de botequim, indignação e exuberante ridículo. Mas, em vez de ceder, ela absorveu tudo isso, saindo do processo tão consciente em relação a como o mundo a enxergava, que provavelmente ela poderia ter escrito este artigo". Conway projetava uma "autenticidade da classe trabalhadora", tinha um instinto lutador; possuía "um relacionamento promíscuo com a verdade" e "um claro amor pelo jogo". Isso a levou, apesar das críticas frequentes sobre sua aparência e seu comportamento incontroláveis, à posição de "primeira-dama funcional dos Estados Unidos". Nuzzi também escreveu sobre Hope Hicks em duas ocasiões: o primeiro texto foi publicado na *GQ* em 2016 com o título "O misterioso triunfo de Hope Hicks, o braço direito feminino de Trump", e detalhava como "uma pessoa que nunca trabalhou com política havia, no entanto, se tornado o agente mais improvável dessa eleição". O segundo artigo saiu na *New York* em 2018, depois de Hicks ter se demitido. Nuzzi a pintou como uma mulher totalmente no controle de seu próprio destino e, ao mesmo tempo, como uma criada doce, inocente e vulnerável a serviço de uma instituição que estava desmoronando.

A discussão na mídia ao redor das mulheres do governo Trump tem sido tão conflituosa a ponto de perder o sentido. Tais mulheres se beneficiaram do impulso pop feminista de homenagear mulheres que conquistam visibilidade e poder, não importando de que forma o fazem. (A situação foi perfeitamente resumida em um post de 2015 no site Reductress: "Novo filme tem mulheres no elenco".) O que começou como uma tendência liberal agora traz figuras conservadoras para sua órbita. Em 2018, Gina Haspel, a oficial da CIA que supervisionou torturas em uma prisão secreta na Tailândia e depois destruiu as evidências, foi nomeada diretora da agência — a primeira mulher a ocupar esse cargo. Sarah Huckabee Sanders escreveu no Twitter: "Qualquer democrata que alega apoiar o empoderamento das mulheres e nossa segurança nacional, mas se opõe a essa nomeação, é um hipócrita". Muitos outros conservadores ecoaram essa visão, com graus variados de sinceridade. Há uma piada que circulou nos últimos anos: enquanto pessoas de esquerda dizem *fim às prisões*, os liberais dizem *contratem mais guardas mulheres*. Agora, muitos conservadores, tendo percebido que o feminismo é palatável, também dizem *contratem mais guardas mulheres*.

O governo Trump é tão abertamente contrário à mulher que as mulheres que trabalham nele são regularmente avaliadas e criticadas por sua cumplicidade, assim como por sua falta de referências feministas. (É também verdade que podemos enxergar a instituição das celebridades como igualmente suspeita: apesar do liberalismo predominante de Hollywood, os valores ligados às celebridades — visibilidade, performance, ambição, extrema beleza física — encorajam uma versão de feminino que se baseia em excepcionalismo individual de maneira inerentemente conservadora.) Mas as mulheres de Trump também foram defendidas e reescritas como mulheres difíceis. Melania usando um vestido preto e um véu no Vaticano, com certo ar de viúva, foi o suficiente para provocar uma enxurrada de piadas sobre se vestir para o trabalho que você deseja. O *New York Times* publicou uma coluna sobre o "radicalismo silencioso" de Melania, na qual a autora a considerava "desafiadora em seu silêncio". Quando Melania embarcou em um avião para Houston usando salto agulha no meio do furacão Harvey, ela foi prontamente criticada por sua escolha infeliz, e depois defendida pela lógica do feminismo: era superficial e antimulher comentar sua escolha de calçado — ela tinha o direito de usar qualquer sapato que quisesse.

Em 2018, o governo Trump estava usando a seu favor esse ciclo previsível da imprensa. No meio da indignação gerada pela separação de famílias na fronteira com o México, Melania viajou para visitar as crianças engaioladas no Texas vestindo uma jaqueta da Zara que estampava a frase que ficou instantaneamente famosa: "Realmente não me importo, e você?". Era um óbvio ato de trollagem: uma mensagem sociopata que pretendia atrair críticas a Melania, que então poderiam ser consideradas críticas *sexistas*, e assim a discussão sobre sexismo desviaria o público dos assuntos que realmente importavam.

E em razão do impulso cultural feminista de proteger as mulheres de críticas que envolvam seu corpo, suas escolhas ou sua representação pessoal em qualquer sentido, o governo Trump pôde também contar com as mulheres liberais para defendê-lo. Em 2017, uma imagem perturbadora e explosiva de Kellyanne Conway começou a circular pela internet: com as pernas afastadas e provavelmente de pés descalços, Conway estava de joelhos em um sofá no Salão Oval. A sala estava cheia de homens. Tratava-se de um encontro de administradores de universidades tradicionalmente negras — homens negros de terno, comportando-se com respeito, enquanto Conway agia como se o Salão Oval fosse sua sala de TV. A conduta inapropriada gerou um alvoroço, que foi imediatamente seguido por manifestações a favor de Conway, incluindo um tuíte de Chelsea Clinton. A *Vogue* então escreveu que o gesto de apoio de Chelsea era "um modelo de como as feministas deveriam reagir quando mulheres poderosas são humilhadas e diminuídas por causa de seu gênero", e que isso era uma "ótima maneira de derrotar Conway e outras agentes políticas 'pós-feministas' em seu próprio jogo". Conway "vence", escreveu a *Vogue*, quando as pessoas lhe apontam o dedo e dizem que ela parece cansada, ou abatida, ou "quando ela é menosprezada por supostamente usar sua feminilidade como ferramenta". Então a autora dá um giro de 180 graus e vai direto ao ponto. Conway "está usando sua feminilidade contra nós. Não está fora do reino das possibilidades — e é de fato bastante provável — que Conway tenha considerado que, independentemente do que diga ou faça [...] ela sempre será criticada em termos abertamente sexistas porque é uma mulher". Eu acrescentaria que é muito provável que ela saiba que, de acordo com a lógica do feminismo contemporâneo, ela também será abertamente *defendida*.

Mais tarde, Jennifer Palmieri, diretora de comunicação da campanha presidencial de Hillary Clinton, lamentou no *Times* que Steve Bannon fosse visto como um gênio do mal, enquanto Conway, igualmente manipuladora, fosse considerada louca. Quando o *Saturday Night Live* retratou Conway como Glenn Close em *Atração fatal* em um quadro do programa, isso também foi sexista, assim como os memes que comparavam Conway ao Gollum ou ao Esqueleto. Mas, se você deixar de fora o sexismo, você ainda ficará com Kellyanne Conway. Além disso, se, devido a princípios morais, você achar que não pode criticar a forma como a porta-voz da Casa Branca se apresenta, então você perde a capacidade de se expressar sobre a maneira como ela executa seu trabalho. A misoginia insiste que a aparência de uma mulher é um valor primordial; as críticas obstinadas e hiperfocadas em relação à misoginia podem ter um efeito idêntico. O sexismo genérico não é significativamente desempoderador para Kellyanne Conway em sua atual posição de porta-voz indestrutível do presidente mais claramente destrutível da história americana. Na verdade, através do discurso estabelecido pelo feminismo, Conway pode extrair desse sexismo certa dose de poder cultural. O *Saturday Night Life* a chamou de psicopata carente? No entanto, Kellyanne persiste.

De todas as mulheres do governo Trump, nenhuma foi defendida de maneira mais firme e imediata do que Hope Hicks e Sarah Huckabee Sanders. Depois que Hicks se demitiu no início de 2018, Laura McGann escreveu um artigo no site Vox argumentando que "a mídia, com sua linguagem sexista, sabotou Hicks até seu último dia no cargo". Os veículos de notícia sempre citavam o fato de que ela era uma modelo, observou McGann, e a chamavam de neófita — enquanto, se Hicks fosse um homem, ela seria um prodígio, e a mídia não se debruçaria tanto sobre seu trabalho de meio período na adolescência. Os jornalistas escreveram demais sobre sua personalidade "feminina". Os veículos "questionaram sua experiência, duvidaram de [suas] contribuições para a campanha e dentro da Casa Branca, e sugeriram que sua aparência era relevante [...] para nada. É mais uma narrativa insidiosa sobre uma mulher no poder que soa familiar às mulheres de sucesso em todos os lugares". Para analisar Hicks da maneira que ela merecia ser analisada, escreveu McGann, precisaríamos esquecer "sua carreira de modelo pré-adolescente".

A ideia — impecável no abstrato — era que poderíamos, e deveríamos, criticar Hicks sem invocar o patriarcado. Mas as mulheres são moldadas pelo patriarcado: meus instintos profissionais são diferentes porque cresci no Texas, frequentei a Igreja evangélica, participei de um grupo de líderes de torcida, aderi a uma irmandade. Minha visão de poder foi alterada pelas primeiras estruturas de poder que conheci. Hicks trabalhou como modelo em uma cidade-dormitório em Connecticut; ela estudou na Universidade Metodista do Sul, uma instituição privada nos arredores de Dallas frequentada por pessoas incrivelmente ricas e conservadoras; Hicks se tornou uma espécie de filha leal de um homem abertamente misógino. Ela parece ter sido moldada — em um nível profundo, verdadeiro e essencial — pela política conservadora de gênero, e age constantemente de acordo com isso, como é de seu direito. Falar sobre Hicks sem reconhecer o papel do patriarcado em sua biografia pode ser *possível*, mas dizer que isso é politicamente necessário parece fora de questão. No Vox, McGann considerou a cobertura do *Times* sobre Hicks como implicitamente sexista; depois de sua demissão, um artigo do *Times* me citou, por sua vez, como alguém implicitamente sexista. Eu fui uma das pessoas da mídia que rejeitou Hicks, segundo o *Times*, considerando-a "uma mera faz-tudo". O artigo reproduzia um tuíte que escrevi: "Adeus a Hope Hicks, uma lição viva sobre a maneira mais rápida de uma mulher avançar no reino da misoginia: silêncio, beleza e deferência incondicional aos homens".

É perfeitamente possível que eu esteja equivocada ao supor que esses atributos fizeram Hicks ser valiosa na Casa Branca de Trump. Talvez ela não fosse tão atenciosa quanto os repórteres diziam. (Ela era, com certeza, bastante calada, e nunca dava declarações para a mídia; ela é, com certeza, muito bonita.) Mas não parecia uma coincidência que um presidente que já se casara com três modelos, que era avesso às ambições profissionais de sua primeira esposa e que é perturbadoramente orgulhoso da aparência de sua filha tenha escolhido uma jovem bonita e convencionalmente sociável como sua assistente preferida. É claro que Hicks era trabalhadora e tinha instintos e habilidades políticas legítimas. Mas, quando se trata de Trump, a aparência e o comportamento de uma mulher são inseparáveis de suas habilidades. Do ponto de vista dele, a beleza e o silêncio de Hicks eram interpretados como habilidades raras. Acredito que sua experiência como modelo é *incrivelmente* relevante: a carreira de modelo é uma das poucas na qual as mulheres podem se apropriar da misoginia a fim de progredirem e ultrapassarem os homens. Uma modelo precisa achar uma maneira de atrair um público invisível em constante mudança; ela precisa entender como, silenciosamente, convidar as pessoas a projetarem nela seus desejos e necessidades; sob pressão, ela precisa irradiar perfeito controle e compostura.

As habilidades exigidas pela profissão de modelo são distintas e particulares, e preparariam bem uma pessoa para trabalhar para Trump. No entanto, talvez essa seja outra daquelas situações em que identificar a misoginia significa reproduzi-la; talvez eu também esteja estendendo a meia-vida do sexismo.

Esse tipo de ouroboros discursivo talvez tenha se tornado mais óbvio depois do Jantar de Correspondentes da Casa Branca em 2018, quando a comediante Michelle Wolf zombou — aquela era, afinal, sua tarefa para a noite — de Sarah Huckabee Sanders. "Eu amo você interpretando a tia Lydia na série *The Handmaid's Tale*", disse Wolf. Ela brincou que, quando Sanders caminhava até o púlpito, você nunca sabia o que iria ver — "uma coletiva de imprensa, um monte de mentiras ou um sorteio de equipes de softbol". Finalmente, ela elogiou Sanders por sua inventividade. "Tipo, ela queima fatos e usa as cinzas para fazer um olho esfumado perfeito. Talvez ela tenha nascido com isso, talvez seja tudo mentira. Provavelmente é mentira." A reação a essas piadas dominou o noticiário. Mika Brzezinski, da MSNBC, tuitou: "É deplorável ver uma esposa e mãe ser humilhada em cadeia nacional por causa da sua aparência. Eu já fui insultada pelo presidente também pela minha aparência. Todas as mulheres têm o dever de se unir quando esses ataques acontecem, e a WHCA [Associação de Correspondentes da Casa Branca] deve a Sarah um pedido de desculpas". Maggie Haberman, a estrela do *Times* que cobre Trump, tuitou: "Que a @PressSec tenha ficado sentada ouvindo as críticas intensas sobre sua aparência, seu desempenho no cargo etc., em cadeia nacional, em vez de deixar o recinto, foi algo impressionante". Em resposta a Haberman, Wolf escreveu: "Todas as piadas eram sobre seu comportamento desprezível. Mas parece que você tem alguns pensamentos sobre a aparência dela?". As feministas, e as pessoas ansiosas para provarem seu autêntico feminismo, ecoaram em massa o argumento de Wolf: as piadas *não eram* sobre a aparência de Sanders!

Mas elas eram. Wolf não insultou Sanders diretamente por causa de sua aparência, mas as piadas foram construídas de maneira que a primeira coisa que você acabava pensando era na estranheza física de Sanders. Ela de fato evoca o estereótipo da treinadora de softbol, deselegante e de ombros largos, o tipo de pessoa que não parece à vontade usando vestidos e pérolas. Ela parece *mesmo* mais velha do que é, o que explica em parte o sucesso da referência à tia Lydia. E a piada dentro da piada do olho esfumado é que a maquiagem de Sanders de fato parece bagunçada, assimétrica e, em geral, muito ruim. No entanto, nada disso poderia ser abordado, devido à inquestionável suposição de que a aparência de uma mulher é tão preciosa — por causa do sexismo — que zombar dessa aparência tornaria o esquete de Wolf inadmissível.

Um mês depois, outra polêmica invadiu a mídia depois que Samantha Bee chamou Ivanka de arrombada. Isso aconteceu em seu programa, num quadro sobre separação de famílias na fronteira, observando que, enquanto os veículos de comunicação noticiavam histórias sobre crianças imigrantes sendo presas e abusadas em centros de detenção que pareciam prisões, Ivanka havia postado uma foto dela na companhia do filho mais novo, Teddy. "Sabe, Ivanka", disse Bee, "é uma foto bonita de você e do seu filho, mas deixe-me dizer uma coisa, de mãe para mãe: faça algo a respeito das práticas de imigração do seu pai, sua arrombada inútil! Ele ouve você!" Uma onda de indignação surgiu na direita e no centro — não sobre a família de imigrantes, mas sobre o uso da palavra "arrombada". Os conservadores, mais uma vez, estavam se aproveitando de uma discussão emprestada. A Casa Branca ligou para a TBS pedindo que a emissora cancelasse o programa de Bee, e então ela pediu desculpas, e eu senti como se uma práxis feminista estivesse se transformando em ácido e corroendo o chão. É como se o significado — o próprio sexismo — tenha permanecido tão irrefreável que nós desistimos de erradicar o modo como ele funciona. Em vez disso, para o grande benefício de pessoas como Ivanka, estamos fazendo deliberações sobre igualdade por meio de críticas culturais. Ensinamos como fazer isso às pessoas que nem se importam com o feminismo — como analisar as mulheres e avaliar como as pessoas reagem às mulheres, como ler e interpretar os sinais ininterruptamente.

Pairando sobre tudo isso está a derrota de Hillary Clinton para Trump nas eleições de 2016. Ao longo da campanha, Clinton fora escalada — e tentou escalar a si mesma — para o papel de mulher difícil, uma figura amada do Zeitgeist feminista convencional. Ela se encaixava no modelo. Durante décadas, sua narrativa pública fora determinada por críticas sexistas: ela era vista como ambiciosa demais, pouco afeita às atividades domésticas, feia demais, calculista demais, fria demais. Ela havia atraído um ódio irracional porque perseguiu suas ambições, e enfrentou esse ódio para então se tornar a primeira mulher na história americana a ser indicada por um grande partido para a disputa presidencial. À medida que a eleição se aproximava, ela ficou refém de um terrível padrão duplo: era a candidata séria enfrentando um vendedor abertamente corrupto, e também a mulher que confrontava um homem. Clinton tentou tirar o melhor dessa situação. Ela transformou insultos misóginos em táticas de marketing, vendendo produtos "Nasty Woman" depois de Trump ter usado esse termo para depreciá-la durante um debate. Os produtos se tornaram populares, assim como o referido insulto: no Twitter, de maneira embaraçosa, as feministas começaram a se chamar de *nasty women* [mulheres desagradáveis] o tempo inteiro. Mas, se a gente amasse tanto assim as mulheres desagradáveis, Hillary Clinton não teria vencido a eleição? Ou, ao menos, se esse tipo de feminismo pop fosse assim tão ascendente, as 53% das mulheres brancas que votaram em Trump não teriam votado *nela*?

Clinton foi de fato aplaudida por ter sobrevivido — até novembro, pelo menos — a seus críticos sexistas. Sua força e persistência diante da misoginia eram certamente as coisas de que eu mais gostava nela. Eu sentia uma grande admiração por Clinton, que certa vez se recusara a mudar seu nome, que não suportava a ideia de ficar em casa assando biscoitos. Acredito na política que ficou pacientemente sentada durante onze horas de interrogatório em Bengasi, e ainda assim foi chamada de "emotiva" na CNN porque se engasgou ao falar sobre os americanos que haviam morrido. Fiquei comovida ao ver Clinton transformar medo em estoicismo durante um debate de 2016 em que Trump a perseguiu no palco. Nenhuma mulher na história recente foi tão maltratada e desrespeitada como Clinton. Anos depois da eleição, nos comícios de Trump em todo o país, multidões raivosas de homens e mulheres ainda gritavam: "Prendam Hillary!".

Mas a manopla de sexismo com a qual Clinton foi forçada a lutar, no fim das contas, disse muito pouca coisa sobre ela, exceto o fato de que ela era uma mulher. Tal coisa fez com Clinton — e, no fim, conosco — o incapacitante desserviço de torná-la genérica. A misoginia forneceu uma terrível estrutura externa por meio da qual Clinton pôde demonstrar comprometimento, tenacidade e uma graça ocasional; a misoginia também exigiu que, por uma questão de sobrevivência, ela agradasse e se comprometesse, e que polisse sua personalidade até que essa personalidade mal pudesse ser mostrada em público. A real natureza da campanha e da candidatura de Clinton foi obscurecida primeiro e finalmente pelo sexismo, mas também pela defesa impulsiva contra esse mesmo sexismo. Ela foi atacada de forma tão aberta e tão injusta e, por outro lado, era muitas vezes sustentada e protegida por argumentos igualmente fracos — defesas que falavam sobre mulheres desagradáveis, mas nunca realmente sobre *ela*.

A derrota de Clinton, que vou lamentar para sempre, pode reiterar a importância de abrirmos espaço para uma mulher difícil. Talvez a derrota também aponte para o fato de que valorizar uma mulher por ela ser difícil pode, de maneiras inesperadamente destrutivas, acabar por obscurecer o eu verdadeiro e particular dessas mulheres. O discurso feminista ainda precisa admitir que o sexismo é muito mais mundano do que os exemplos notórios do sexismo que envolve as celebridades. O sexismo mostra suas garras, e não importa de que mulher se trate, tampouco quais são seus desejos e sua ética. Uma mulher não precisa ser um ícone feminista para resistir a isso — ela pode ser apenas alguém interessada em cuidar de si mesma, o que nem sempre é a mesma coisa.

9.
Com temor, eu te desposo

Meu namorado mantém uma planilha do Google para não perder a conta dos casamentos para os quais fomos convidados. Há colunas com a data do evento, o lugar, nossa relação com o casal e — a razão mais importante para esse registro contínuo — se já enviamos um presente ou não, e qual de nós o fez. A planilha foi, em primeiro lugar, um reflexo de sua personalidade: enquanto eu sou descuidada a respeito de quase tudo, exceto minha escrita, Andrew, um arquiteto, é meticuloso até com os detalhes irrelevantes, um monstro da aptidão que acomoda as louças na máquina de lavar com um fervor que se aproxima ao dos grupos de bondage e sadomasoquismo. Mas, em algum momento, a planilha do Google se tornou uma necessidade. Nos últimos nove anos, fomos convidados para 46 casamentos. Eu, pessoalmente, não quero me casar, e é possível que todos esses casamentos sejam o motivo disso.

Andrew tem 33 anos, eu tenho trinta e, em certo sentido, estamos vivendo uma experiência demograficamente específica. Quase todos os nossos amigos do ensino médio são conservadores de classe média alta, o tipo que se casa de acordo com o relógio, em grandes e tradicionais cerimônias, e nós dois fomos para a Universidade da Virgínia, onde as pessoas também tendem a ser simpáticas às convenções. Na verdade, não fomos a todos esses casamentos. Costumávamos nos dividir em alguns finais de semana para conseguirmos cobrir dois ao mesmo tempo — enfiando nossas roupas formais na mala, dirigindo para o aeroporto, dando adeus no terminal antes de embarcarmos em voos separados. Talvez tenhamos deixado de ir a uma dúzia de casamentos, às vezes para economizar um dinheiro que gastaríamos indo a outros casamentos, já que, por cerca de cinco anos, um de nós ou ambos vivia uma vida apertada de estudante, e sempre parecíamos estar a uma viagem de avião do evento.

Mas nós amamos nossos amigos, e quase sempre amamos as pessoas com quem eles se casam e, como a maioria dos cínicos de casamento — uma extensa população que inclui a maioria das pessoas casadas, que alegremente irá criticar os excessos nupciais em casamentos que não são o seu próprio —, Andrew e eu amamos todas as festas de casamento, sempre que estamos fisicamente presentes: bêbados e chorando e encharcados de felicidade de segunda mão, dançando ao som de Montell Jordan ao lado da mãe e do pai do noivo. Então fizemos isso várias e várias vezes, reservando quartos de hotéis e carros alugados, preenchendo cheques e vasculhando listas de presente na Williams-Sonoma, buscando camisas brancas na lavanderia, acordando ao nascer do sol para chamar um táxi com destino ao aeroporto. Nesse ponto, todos os casamentos se misturam, mas a planilha evoca uma série de flashes. Em Charleston, um pavão passeando por um jardim exuberante ao crepúsculo, a umidade pingando da bainha de meu vestido de brechó. Em Houston, um salão de baile inteiro se levantando de repente à primeira batida de Big Tymers. Em Manhattan, saindo para uma ampla varanda à noite com vista para o Central Park, todo mundo em um fresco preto e branco, a cidade cintilando ao fundo. Na zona rural da Virgínia, a noiva andando pelo corredor cerimonial usando botas para chuva enquanto o céu cinzento e carregado nos fazia prender a respiração. Na zona rural de Maryland, o noivo chegando na cerimônia em um cavalo branco enquanto música indígena flutuava sobre os campos dourados. Em Austin, o casal se curvando para receber coroas armênias sob uma moldura de rosas. Em New Orleans, as luzes do carro da polícia liberando as ruas para os guarda-sóis e os trompetes da segunda linha do desfile.

É fácil para mim entender por que uma pessoa gostaria de se casar. Mas, como esses casamentos me lembram de forma consistente, o entendimento nem sempre é mútuo. Sempre que alguém perguntava quando Andrew e eu nos casaríamos, eu hesitava, respondendo que não sabia, talvez nunca, que eu era preguiçosa, que não usava joias, que adorava casamentos mas que não queria fazer o meu próprio. Geralmente, tentava mudar de assunto, mas nunca funcionava. As pessoas começavam a me investigar de pronto, falando comigo como se eu estivesse escondendo alguma coisa, subitamente certas de que eu era uma daquelas garotas que passava anos proclamando ser muito pé no chão para qualquer coisa, exceto para casar em segredo, até o segundo em que pensa que pode arrumar alguém que peça sua mão. Com frequência, as pessoas se lançavam em uma série de argumentos inflamados, como se eu tivesse lhes apresentado um problema que precisava de solução, como se eu fosse uma mulher placa carregando a frase "Mude minha opinião" — como se fosse dever de um cidadão incentivar o noivado da maneira como incentivamos as pessoas a votar.

"Nunca?", eles diziam, céticos.

Há algo realmente incrível em um ritual, sabe, ainda mais em um momento em que sobraram tão poucos rituais na sociedade. Não existe nenhuma outra ocasião em que você pode reunir todo mundo que ama em um mesmo lugar. *Meu casamento foi superdiscreto — eu só queria que todo mundo se divertisse, sabe? Só queria dar uma festa incrível.* Você realmente se casa por causa das outras pessoas. Mas também, lá no fundo, você faz isso por você.

No casamento seguinte, a discussão continuava. "Você ainda não quer se casar?", as pessoas perguntavam, apenas conferindo. "Você sabe que pode se casar sem fazer uma festa de casamento, né?" Durante uma cerimônia, um homem me disse, seis anos depois de eu ir à sua própria festa de casamento, que eu estava perdendo algo incrível. "Há algo mais profundo no nosso relacionamento agora", disse. "Acredite em mim: quando você se casa, algo *muda*."

Andrew é questionado sobre isso com menos frequência do que eu, pois se supõe que o casamento seja mais emocionante para as mulheres: no universo dos casais heterossexuais, as cerimônias de casamento são muitas vezes descritas como o dia mais especial da vida das *mulheres*, mas não necessariamente o dos homens. (E, claro, o questionamento também é orientado pelo gênero, e muito mais invasivo, no caso das pessoas que não querem ter filhos.) Mas, ainda assim, Andrew ouve essa pergunta com bastante frequência. "Isso não te incomoda?", perguntei a ele recentemente, depois de ele me contar sobre uns telefonemas com velhos amigos, um homem e uma mulher, ambos parecendo um pouco preocupados com nossa falta de compromisso legal. "Não", ele respondeu, trocando de pista na Taconic Parkway.

"Por que não?", perguntei.

"Eu… não me importo mesmo com o que as pessoas pensam", ele disse.

"É!", eu disse. "Normalmente eu também não me importo!"

"Claro", ele disse, já claramente entediado com o assunto.

"Em geral não me importo *mesmo* com o que as pessoas pensam", eu disse, ficando mordida.

Andrew, olhando para a estrada, assentiu.

"É que tem essa *única coisa*", eu disse. "A *única coisa* que as pessoas dizem e que eu levo pro lado pessoal. E acho que é uma situação circular. Tipo, as pessoas não deveriam levar pro lado pessoal o fato de *a gente* não querer se casar, mas elas *levam*;

do contrário a gente não teria que *falar* sobre essa merda o tempo todo. E quanto mais eu tenho que falar sobre o assunto, mais isso cria um problema que eu *nem mesmo* tinha, como se eu tivesse construído essa *teia de respostas* sobre o porquê de eu não querer me casar, que está provavelmente escondendo o que eu penso *de verdade* sobre coisas tipo amor e estrutura familiar. E então eu me ressinto ainda *mais* com a pergunta, porque *é* estúpida e previsível, e aí isso *me* torna estúpida e previsível, e eu tenho todas essas, tipo, *metanarrativas* na minha cabeça, quando a verdade é que toda essa coisa é *claramente* ridícula, começando com a ideia de que um homem só *pede* uma mulher em casamento e ela deveria ficar *parada esperando* pelo momento em que ele vai estar pronto pra se *comprometer* com uma situação da qual *ele*, estatisticamente, se beneficia e ela, estatisticamente, se torna *mais infeliz* do que seria se fosse *solteira*, e então é *ela* quem deve usar aquele *anel* cafona que significa '*propriedade masculina*', e é ela que tem que se sentir *empolgada* com isso, essa nova *vida* em que a *dúvida* passa a ser algo que você deve experimentar de forma *privada* e a *certeza* se torna a *emoção-padrão* de *todo o resto da sua vida...*"

Fui ficando quieta porque sabia que Andrew tinha parado de me ouvir havia muito tempo, e começara a pensar a qual luta dos anos 1990 ele assistiria naquela noite, e que, diferente de mim, Andrew estava havia muito tempo em paz com os desejos e as decisões que eu, por outro lado, não conseguia parar de explicar, porque, quando se tratava do assunto casamento, eu, assim como muitas outras mulheres antes de mim, tinha ficado um pouquinho maluca.

De acordo com as recomendações da indústria do casamento, eis o que se espera que os noivos façam nos preparativos para o evento. (Considerando os casais heterossexuais, é universalmente esperado — se não realmente verdade, como regra geral — que a pessoa que investirá mais energia nesse processo será a noiva.) Considerando um compromisso de doze meses, os noivos devem começar imediatamente a planejar sua festa de noivado, procurar por um organizador de casamentos (custo médio de 3500 dólares), escolher um local (custo médio de 13 mil dólares) e estabelecer uma data. Faltando oito meses para o casamento, espera-se que a noiva tenha criado um site para o evento (cem dólares — uma barganha) e selecionado seus fornecedores (arranjos de flores: 2 mil dólares; comida: 12 mil dólares; música: 2 mil dólares). Ela deve comprar presentes para "pedir a mão" de suas damas de honra (os kits incluem copos térmicos personalizados e blocos de notas que custam até oitenta dólares, mas um cartão com a frase "Você quer fazer parte da tribo da noiva?" custa meros 3,99 dólares), montar uma lista de presentes (aqui, felizmente, ela pode esperar recuperar cerca de 4800 dólares), escolher um fotógrafo (6 mil dólares) e comprar um vestido (em torno de 1600 dólares, embora, na icônica meca nupcial Kleinfeld, a cliente gaste em média 4500 dólares).

Faltando seis meses para o casamento, a noiva deve providenciar o ensaio pré-casamento (quinhentos dólares), fazer convites, programas e *place cards* (750 dólares), e decidir para onde os noivos viajarão na lua de mel (4 mil dólares). Faltando quatro meses para o casamento, ela deve comprar as alianças (2 mil dólares), os presentes das damas de honra (cem dólares por pessoa), os presentes dos padrinhos (cem dólares por pessoa), garantir as lembrancinhas (275 dólares), organizar o chá de panela e encomendar um bolo de casamento (450 dólares). Perto da data da cerimônia, ela precisa solicitar uma licença de casamento (quarenta dólares), fazer as provas finais do vestido, experimentar os sapatos, ir para a festa de despedida de solteira, organizar o mapa de assentos, enviar uma lista de música para a banda ou DJ e fazer uma última reunião com o fotógrafo. A apenas alguns dias do casamento, ela passa pelos desafios finais dos mimos intermináveis. Na noite anterior, há o jantar de ensaio. No dia do casamento, um ano de organização e aproximadamente 30 mil dólares em despesas ganham vazão ao longo de doze horas. Na manhã seguinte, ela acorda para o brunch pós-casamento, depois vai para a lua de mel, envia notas de agradecimento, encomenda o álbum de fotos e, muito provavelmente, começa a organizar a papelada para a mudança de nome.

Tudo isso é conduzido com um espírito descontraído, mas sob o nome da tradição. Há uma ideia vaga de que, quando uma mulher caminha pelo corredor cerimonial vestindo vários milhares de dólares de cetim branco, quando ela promete lealdade e beija seu novo marido na frente de 175 pessoas, quando seus convidados voltam lentamente para a tenda adornada com cordões de luzinhas e encontram seu lugar nas mesas enfeitadas com peônias e então se levantam no meio de sua salada *frisé* para dançar um cover de Bruno Mars —, há uma vaga ideia de que isso situa os noivos em uma linha interminável de pombinhos, uma corrente dourada de casais que se estende por séculos, milhões de sonhadores que esbanjaram em celebrações com bebida liberada e *place cards* com caligrafia para celebrar a união eterna com seu melhor amigo.

Mas, durante séculos, os casamentos foram produções totalmente caseiras, simples e breves cerimônias conduzidas de forma privada. Ao longo da história, a grande maioria das mulheres se casou diante de um punhado de pessoas, sem recepção, em vestidos coloridos que elas já usavam e continuariam a usar. Na Grécia Antiga, as noivas ricas usavam vermelho ou violeta. Na Europa renascentista, os vestidos de noiva eram, com frequência, azuis. Na França e na Inglaterra do século XIX, as mulheres de classe baixa e de classe média se casavam com vestidos de seda preta. O vestido de noiva branco só se tornou popular a partir de 1840, quando a rainha Vitória se casou com o príncipe Albert, seu primo, usando um vestido branco formal decorado com flores de laranjeira. O evento não foi fotografado — catorze anos mais tarde, depois do desenvolvimento da tecnologia apropriada, Vitória e Albert posariam para um retrato encenado do casamento —, mas os jornais britânicos ofereceram longas descrições das crinolinas de Vitória, de seus chinelos de cetim, o broche de safira, a carruagem de ouro e o bolo de casamento de 130 quilos. O elo simbólico entre "noiva" e "realeza" foi forjado com a rainha Vitória, e acabaria se intensificando com a ideia do casamento como "uma espécie de coroação de todas as mulheres", escreveu Holly Brubach em 1989 na *New Yorker*.

Logo depois do casamento da rainha Vitória, suas escolhas matrimoniais foram consagradas como uma duradoura tradição. Em 1849, a revista *Godey's Lady's Book* escreveu: "A tradição decidiu, desde os primórdios, que o branco é o tom mais adequado [para noivas], qualquer que seja o material". A elite vitoriana, copiando sua rainha, solidificou um modelo de casamento — convites formais, uma entrada processional, flores e música — com a ajuda dos novos negócios dedicados exclusivamente a comercializar acessórios e decoração para casamentos. No final do século XIX, um mercado consumidor que se desenvolvia rapidamente transformou os casamentos em uma área de ensaio para o estilo de vida da classe alta: por um dia, você poderia comprar esse estilo de vida, mesmo se não pertencesse àquela classe. À medida que, em seu casamento, as mulheres de classe média tentavam criar uma aura de posição social de elite, os vestidos brancos foram se tornando mais importantes. No livro *All Dressed in White: The Irresistible Rise of the American Wedding*, Carol Wallace diz que "um vestido branco em perfeito estado implicava que quem o trajava havia utilizado os serviços de uma lavadeira profissional, uma costureira e uma empregada doméstica".

Na virada do século XX, as famílias de classe média estavam gastando tanto em casamentos que a percepção cultural começou a mudar. Críticos alertavam sobre a comercialização do amor, e cronistas sugeriam que as famílias não pusessem suas finanças em risco por causa de uma festa. As mulheres da elite, por sua vez, aumentaram o padrão em resposta às performances sociais da classe média. Em *Brides, Inc: American Weddings and the Business of Tradition*, Vicki Howard descreve um costume entre as famílias ricas que consiste em exibir presentes, permitindo que os visitantes "examinem [...] longas mesas cobertas com toalhas, carregadas de prata, porcelana, joias e até mesmo móveis. [...] Anúncios de jornais relatavam a observação dos presentes pela sociedade, destacando suas marcas e seu design". Em 1908, uma noiva do Tennessee convidou mais de quinhentas pessoas para seu casamento, e recebeu "setenta presentes de prata, 57 itens de vidro e cristal, 31 peças de porcelana, nove conjuntos de roupa de cama e sessenta itens diversos".

A crescente indústria do casamento descobriu que a melhor maneira de levar as pessoas a aceitar as novas normas performáticas do excesso matrimonial era dizer às mulheres — como a *Godey's Lady's Book* fizera em 1849 com o vestido de noiva branco — que todo esse excesso era extremamente tradicional. "Lojas de departamento, joalheiros, estilistas, consultores de noivas e muitos outros se tornaram especialistas em inventar a tradição", escreve Howard, "criando suas próprias versões do passado para legitimar novos rituais e ajudar a superar a resistência cultural diante do esbanjamento excessivo." Em 1924, a loja de departamento Marshall Field's inventou a lista de casamento. Os varejistas começaram a fornecer instruções de etiqueta, insistindo que a compra de porcelana fina e os convites gravados eram simplesmente o jeito como as coisas sempre tinham sido feitas.

Em 1929, a crise financeira freou os gastos com casamentos. Mas então os varejistas usaram o argumento de que "o amor não conhece a depressão". Ao longo dos anos 1930, os jornais aumentaram sua cobertura de casamento, descrevendo vestidos e cardápios, oferecendo aos leitores emoções de segunda mão. Wallace escreve que, nos anos 1930, as noivas se tornaram "celebridades momentâneas". Quando, em 1939, a socialite Nancy Beaton se casou com Sir Hugh Smiley em Westminster, as fotografias dos sonhos tiradas por seu irmão Cecil saíram em todos os jornais — fotos de Nancy parecendo desleixada e encantadora, suas oito damas de honra unidas por uma longa guirlanda floral, dois meninos vestidos com cetim branco segurando seu véu. "Havia tanta pobreza que todos nós precisávamos do glamour", disse ao *Daily Mirror*, em 2017, uma ex-costureira de 87 anos, que produziu seu próprio retrato de casamento inspirado em Beaton. "Era a chance que tínhamos de nos sentirmos estrelas por um dia." Em 1938, um representante da De Beers escreveu à agência de publicidade N. W. Ayer & Son perguntando se "o uso da propaganda em várias formas" poderia aquecer o mercado de anéis de noivado. Em 1947, Frances Gerety, redator da N. W. Ayer, criou o slogan "Um diamante é para sempre" e, desde então, os anéis de noivado de diamante são praticamente obrigatórios — uma indústria de 11 bilhões de dólares nos Estados Unidos, de acordo com dados de 2012.

Nos anos 1940, casar-se, "antes uma transição, passou a ser uma espécie de apoteose", escreve Wallace. Para uma mulher, o casamento não mais marcava a mudança da condição de solteira para a de casada, mas indicava a ascensão da mulher comum a noiva e esposa. Uma vez que essa glorificação era demarcada sobretudo pelo consumo, um mercado editorial surgiu para dizer às mulheres o que elas deveriam comprar. Em 1934, foi fundada a primeira revista americana especializada em casamentos, cujo nome era *So You're Going to Be Married*.

(Mais tarde, ela foi rebatizada *Brides* e comprada pela Condé Nast.) Em 1948, o primeiro livro exclusivo de conselhos para casamentos, *The Bride's Book of Etiquette*, ofereceu às mulheres orientações que persistiriam por décadas: "É seu privilégio parecer tão adorável quanto você sabe ser", "Você tem o privilégio de fazer do seu casamento o que você quer que ele seja" e "Você tem o privilégio de ter todos os olhos voltados para você".

No contexto da Segunda Guerra, os casamentos ganharam uma nova e feroz importância. Em 1942, quase 2 milhões de americanos se casaram — um aumento de 83% em relação à década anterior, com dois terços dessas noivas se casando com homens recentemente alistados nas Forças Armadas. Durante a guerra, a indústria do casamento capitalizou as cerimônias como um símbolo de tudo o que era precioso no país. "Uma noiva poderia ser perdoada por acreditar que era um dever patriótico insistir em um casamento formal, com cetim branco e tudo", escreve Wallace. A guerra também concedeu às empresas de joias um benefício duradouro. Tentativas de vender anéis de noivado para homens haviam anteriormente fracassado, uma vez que esses anéis eram incompatíveis com a ideia ainda predominante de que o compromisso era algo que um homem propunha à mulher. Mas, em um contexto de guerra, a aliança de casamento masculina começou a fazer sentido: com um anel, os homens podiam atravessar o oceano levando uma lembrança de sua esposa, seu país, seu lar. Uma tradição de noivos trocando alianças na cerimônia foi rapidamente inventada. Nos anos 1950, era como se a cerimônia dos dois anéis existisse desde o início dos tempos.

Depois que a guerra terminou — e, junto com ela, o racionamento de tecidos —, os vestidos de noiva americanos ficaram mais elaborados. Os tecidos sintéticos tornaram-se amplamente disponíveis, e as saias de tule e organza prosperaram. As noivas, já jovens, ficaram ainda mais jovens. (No início do século XX, a média de idade das mulheres no primeiro casamento era de 22 anos, mas, nos anos 1950, essa média caiu para 20,3.) No final da década, três quartos das mulheres entre vinte e 24 anos eram casadas. À medida que as duas décadas de crise e guerra deram lugar à paz, à prosperidade e a uma novíssima economia de consumo de massa, os casamentos passaram a simbolizar o início do futuro-perfeito-de-catálogo de um casal — a casa nos subúrbios, a nova máquina de lavar roupa, a sala de TV.

Nos anos 1960, com a convulsão social no horizonte, os casamentos continuaram a oferecer uma ideia de tradição e estabilidade doméstica. As noivas adotaram o visual de Jackie Kennedy, usando chapéus *pillbox*, vestidos de cintura império e mangas três quartos. Nos anos 1970, a indústria do casamento se adaptou para acomodar a contracultura, atendendo a uma nova onda de jovens casais que queriam evitar a estética da geração anterior. Foi nessa década — com a chamada epidemia de narcisismo e a ascensão do que Tom Wolfe chamou de "Geração Eu" — que se estabeleceu a ideia do casamento como uma forma de expressão profundamente individual. Os homens usavam smokings coloridos. Bianca Jagger se casou usando um Le Smoking feito por Yves Saint Laurent. "Casamentos extremamente peculiares ganharam espaço na mídia", escreve Wallace, "como os casais que se casaram usando esquis, ou embaixo d'água, ou completamente nus na Times Square."

Então, nos anos 1980, o pêndulo voltou. "Para muitos de nós que, nos anos 1970, contemplaram a dama de honra cantar 'Both Sides Now' na praia, e os noivos de pés descalços declararem seus votos com trechos de *O profeta* de Khalil Gibran", escreveu Holly Brubach na *New Yorker*, "foi um alívio perceber que, durante os anos 1980, os casamentos pareciam estar dando uma guinada de volta à tradição. Quem poderia ter previsto que os resultados seriam, à sua maneira, não menos absurdos?" Ela destacou o estranho "pastiche de elementos do New Look da Dior e da moda vitoriana" que dominaram os trajes das noivas depois do extravagante casamento real televisionado de Diana Spencer. Como o vestido de Diana, o visual do casamento nos anos 1980 ia em direção contrária à moda, com saias longas, mangas bufantes, laçarotes e armações *bustle*.

Nos anos 1990, com a ascensão de Vera Wang e do minimalismo de Calvin Klein, os vestidos de noiva se realinharam com as tendências. As noivas usavam vestidos *slip* brancos de alcinha, no estilo Carolyn Bessette-Kennedy — que foi relações-públicas da Calvin Klein antes de seu casamento, uma loira sedosa considerada exemplo do bom gosto da costa leste. Enquanto isso, na costa oeste, uma libertina da Mansão da Playboy ingressou na estética matrimonial. Cindy Crawford se casou na praia com um minivestido que parecia uma lingerie. A vulgaridade consumista — *Girls Gone Wild, MTV Spring Break* — tomou a indústria de assalto. Futuras noivas insistiam em festas de despedida de solteira que envolviam strippers vestidos de policiais e canudos em formato de pênis.

No início dos anos 2000, os casamentos ganharam o exagero em alta resolução dos reality shows. *Who Wants to Marry a Multi-Millionaire?* foi exibido, desastrosamente, em fevereiro de 2000. O noivado era o objetivo final da franquia *Bachelor* e a matéria-prima da linha de montagem de *O vestido ideal*. A festa de casamento em escala aérea — um tipo tão absurdo que precisava de subsídios da emissora de TV que iria transmiti-lo — entrou em cena com o casamento, em 2003, dos participantes do *Bachelorette* Trista Rehn e Ryan Sutter. O evento custou 3,77 milhões de dólares e atraiu 17 milhões de espectadores na ABC. (Rehn e Sutter receberam 1 milhão de dólares pelos direitos de transmissão.) E então, nos anos 2010, surgiu a elaborada monocultura do Pinterest, a rede social de compartilhamento de imagens que produziu uma estética de casamento nova, onipresente e "tradicional", que ensinava os casais a manufaturarem um senso de autenticidade por meio de celeiros alugados, flores silvestres em potes de conserva, velhos conversíveis e picapes enferrujadas.

Hoje, a indústria está agitada, surfando maniacamente na crista da onda depois de duas recentes coroações de noivas: Kate Middleton, rigorosamente magra em seu vestido de princesa Alexander McQueen (434 mil dólares) e Meghan Markle, com olhinhos inocentes em um Givenchy de gola canoa (265 mil dólares). Apesar da precariedade econômica que ameaça a população americana desde a recessão de 2008, os casamentos ficam cada vez mais caros. Eles continuam sendo um "parque temático de mobilidade social ascendente" ditado pela indústria, como aponta Naomi Wolf: um mundo que se define pela ilusão de que todos dentro dele pertencem à classe média alta.

Essa ilusão é ainda mais formalizada pelas redes sociais, nas quais roupas e cenários são muitas vezes procurados e pagos para transmitir uma impressão de prestígio. Há muito tempo os casamentos existem nesse tipo de ecossistema performativo: "Uma grande coleção de fotografias de casamento pode entrar em cena para justificar todas as despesas que a precederam, e a expectativa de obter a coleção de fotografias, antes de tudo, pode incentivar essas despesas", escreve Rebecca Mead em *One Perfect Day: The Selling of the American Wedding.* Hoje, o Instagram incentiva as pessoas a tratarem a própria vida como um casamento — como uma produção feita para ser testemunhada e admirada pelo público. Tornou-se comum para as pessoas, em especial para as mulheres, interagir como se fossem famosas o tempo todo. Nesse contexto, ver a noiva como uma princesa se transformou num tipo de regra. As expectativas em relação à beleza da noiva colidiram com a indústria do bem-estar, produzindo uma estrela escura da obrigação. A *Brides* recomenda que suas leitoras que vão se casar tirem cochilos restauradores em câmaras de sal e façam uma limpeza com cristais. A *Martha Stewart Weddings* divulga o preço de um show de fogos de artifício para uma recepção (5 mil dólares por três a sete minutos). O site The Knot recomenda a aplicação de botox nas axilas (1500 dólares por sessão). Uma amiga minha recebeu um orçamento de 27 mil dólares por um único dia de fotografias de casamento. Há consultores de mídia social para casamentos; há programas de "ginástica funcional para noivas" pelo país inteiro; há um mercado em ascensão para votos de compromisso altamente encenados e profissionalmente fotografados. Um dia, é muito provável que isso tudo também pareça parte de uma tradição.

Apesar de minha personalidade, e do que você pode supor caso tenha conversado comigo depois de eu ter tomado uma única dose de bebida, passei doze dos últimos treze anos de minha vida em relacionamentos monogâmicos heterossexuais. Mas minha falta de interesse em casamentos — o aparente ponto alto de tais relações — é vitalícia. As meninas são treinadas na infância para se interessarem por coisas envolvendo o matrimônio através das Barbies (para as quais eu não dava a mínima), do faz de conta (eu fantasiava sobretudo através da leitura) e dos musicais da Disney, nos quais uma série de lindas princesas encanta uma série de homens intercambiáveis. Eu adorava esses filmes, *exceto* pelo romance. Eu imaginava ser Bela, rodopiando ao redor das escadas da biblioteca; Ariel, nadando pelo oceano profundo com um garfo; Jasmim, sozinha sob a luz das estrelas com seu tigre fenomenal; Cinderela, maquiada e vestida pelos pássaros e camundongos. Perto do final desses filmes, quando os romances com os príncipes se tornavam realidade, eu ficava entediada e ejetava minhas fitas VHS. Enquanto escrevia este texto, procurei os casamentos da *Cinderela* e *A pequena sereia* no YouTube, e senti como se estivesse assistindo a cenas deletadas.

Não é que eu fosse avessa aos blocos de construção matrimoniais. Quando criança, eu era bem menininha e adorava atenção. Eu tinha lençóis cor-de-rosa, cortinas cor-de-rosa, paredes cor-de-rosa no quarto. Nos livros, eu examinava com atenção as descrições de vestidos extravagantes, e me sentia profundamente triste em *E o vento levou* quando Scarlett não podia usar o seu favorito, "o tafetá xadrez verde, ondulando em babados, e cada babado terminando em uma fita de veludo verde", porque "havia um mancha de gordura indisfarçável no corpete", algo com que eu podia me identificar. Às vezes, em reuniões de família, eu exigia um público e cantava "Cores do vento", em homenagem à princesa da Disney com a qual eu me sentia mais conectada: Pocahontas, com seu nascer do sol neon, os pés descalços e o amigo guaxinim. Eu tinha apenas quatro anos de idade quando comecei a escrever bilhetes entusiasmados para minha mãe, tentando convencê-la a me levar ao Glamour Shots, um estúdio de fotografia icônico e cafona dentro de um shopping onde você poderia obter um retrato de si mesma cheia de lantejoulas. Quando ela concordou, escrevi uma nota de agradecimento a *Deus*. ("Obrigada pela chance de ir ao Glammer Shots", eu rabisquei, "e por me fazer ser espertinha.") No retrato, usei com orgulho um vestido branco de mangas bufantes e flores no cabelo.

No ensino fundamental, fui ao meu primeiro "encontro", ganhando uma carona até o shopping para uma matinê romântica da exibição dos talentos de Adam Sandler em *O paizão*. Mais ou menos nessa época, comecei a desejar desesperadamente que os garotos gostassem de mim; ao mesmo tempo, sentia repulsa pela previsibilidade desse desejo. No ensino médio, desenvolvi uma série de amizades intensas com garotos e flertes secretos e estranhos. Na maior parte do tempo, em uma turma de noventa pessoas que eram colegas havia uma década, eu não saía com ninguém. Na faculdade, rapidamente me apaixonei por um cara que quase se mudou para meu apartamento no outono de meu segundo ano de curso, quando eu tinha dezessete anos. Nessa época, contei sobre uma de nossas conversas em meu LiveJournal:

Ele estava me contando o que o assusta — que ele está apenas fazendo o papel, você sabe, do namorado de faculdade existencialista e de esquerda, e que, depois, vou me acertar com alguém do Tipo Para Casar. [...]

O que eu disse a ele, e o que eu realmente penso, é que, afinal de contas, isso não é o que todos nós estamos fazendo, nos encaixando a um papel quando é o momento oportuno pra isso?

É a única vez que a palavra "casamento" aparece no histórico de meu LiveJournal, que cobre toda a minha adolescência. Observando-me transformar, de maneira óbvia, um conflito pessoal em uma investigação abstrata, posso vislumbrar por um segundo a sombra de todas as coisas que deixei de admitir a mim mesma no elaborado projeto de justificar o que eu quero.

De qualquer maneira, terminei com esse namorado em meu quarto ano de faculdade, confusa de repente sobre o motivo de eu ter aceitado lavar a roupa de outra pessoa. Quando voltei para casa depois da formatura, fiquei entediada e mandei mensagens para Andrew, que eu havia conhecido no ano anterior durante uma festa de Halloween. Ele estava vestido de Rowdy Roddy Piper, o lutador. (Eu estava vestida, de forma politicamente incorreta, de Pocahontas, e meu par estava envolto em um cachecol de plumas — as Cores do Vento.) Naquela época, Andrew estava saindo com uma garota mignon de cabelo castanho de minha irmandade, que depois terminou com ele antes de ele se mudar para Houston para a pós-graduação.

Andrew era um recém-chegado no Texas, e eu achava que ia partir para o Corpo da Paz a qualquer minuto. Livres por conta do conhecimento mútuo de que aquela era uma situação temporária, nos colamos um ao outro, e então seis meses se passaram dessa maneira. Certa manhã, acordamos em um colchão de ar murcho no apartamento de meu amigo Walt, sentindo a ressaca, a luz filtrando a poeira como se fosse mágica. Quando olhei para Andrew, tive a sensação de que, se não pudesse fazer isso para sempre, eu morreria. Alguns dias depois, fomos a Washington, surpreendentemente, para um encontro black-tie de uma fraternidade. Fiquei bêbada e fui lá fora saborear alguns deliciosos cigarros mentolados, depois voltei para dentro cheirando a fumaça, o que Andrew detestava. "Eu desistiria por você", eu disse a ele, "mas..." Minha partida para a Ásia Central aconteceria em duas semanas. Andrew, que é um garoto sensível, começou a chorar. Voltamos ao nosso quarto de hotel e admitimos que nos amávamos. Acordei cercada de latas de Budweiser, que eu, bêbada, tinha usado como compressas de gelo para meu rosto inchado de lágrimas.

Decidimos tentar ficar juntos, mesmo que eu estivesse indo embora. Embarquei em um avião para o Quirguistão, onde, depois de vários meses de trabalho voluntário, atingi meu ponto máximo no quesito idealização de casamento. Minha amiga Elizabeth me enviou uma cesta de presentes cheia de coisas maravilhosas e frívolas — entre elas, uma edição da *Martha Stewart Weddings*. Tudo naquela revista era imaculado, inútil, bonito e previsível. Eu adorei, e relia a revista o tempo todo. Uma noite, depois de subir a metade de uma montanha para tentar conseguir sinal em meu minúsculo Nokia, depois de não conseguir falar com Andrew e afundar em puro pânico ao pensar que eu estava arruinando algo insubstituível, adormeci lendo minha revista de casamento e me casei com Andrew num sonho. Foi uma visão intensa, vívida e realista, com a trilha sonora de 2011. Havia uma vasta planície verdejante, com flores flutuando no ar, o violão em looping de José González tocando sua versão de "Heartbeats", uma sensação de liberdade e segurança em pedaços, como uma ascensão ou, possivelmente, como a morte; e então um quarto escuro que brilhava como uma discoteca, e as batidas de "Hang with Me", da Robyn, espalhando-se pelo ar. Acordei em choque, depois me enrolei como uma bola. Meus olhos ardiam. Durante semanas, agarrei-me àquela fantasia, embora nunca conseguisse imaginar nada além da luz, da música e do clima. Nunca conseguia me enxergar, nunca conseguia imaginar damas de honra, um vestido, um bolo.

Deixei mais cedo o Corpo da Paz. No voo de volta, estava à flor da pele, frágil de uma maneira que nunca tinha me sentido antes — esmagada pela terrível justaposição entre meu poder obsceno como americana e minha obscena falta de poder como mulher, e por um quadro de tuberculose não diagnosticado, e por minha própria incapacidade humilhante de viver confortavelmente numa situação em que eu não era capaz de vencer ou explicar cada obstáculo. Do aeroporto, fui direto para o apartamento de Andrew em Houston, e nunca mais saí de lá. Ele vivia, naquela época, extremamente sobrecarregado. Chegava da pós-graduação e dormia cinco horas por noite. Eu me mantinha ocupada com meus dois hobbies do Corpo da Paz: fazer ioga e preparar refeições elaboradas. Sozinha, desenrolando massas de torta na cozinha e verificando os horários do método Vinyasa, comecei a ter flashbacks incômodos do tempo da faculdade, como se mais uma vez, e tão assustadoramente jovem, eu estivesse desempenhando o papel de esposa.

Na época, em teoria, eu não precisava encontrar um emprego de imediato. Andrew conseguira uma bolsa integral na Universidade Rice, e seus pais pagavam os quinhentos dólares do aluguel dele — agora nosso —, com o dinheiro que eles haviam poupado para pagar os custos de Andrew na universidade. Esse ano de aluguel gratuito foi transformador, como costuma ser o aluguel gratuito. Mas eu tinha pavor do que significava ser dependente do dinheiro de outra pessoa. Eu tinha medo de me tornar útil apenas através do sexo e da comida. Todos os dias, passava horas no Craigslist procurando algum trabalho e, nesse processo, descobri blogs de estilo de vida e blogs de casamentos — sites que me encheram de desespero. Parei de pegar freelas em que remendava textos de projetos e comecei a "ajudar" crianças ricas com os ensaios para as inscrições nas universidades, o que efetivamente significava escrevê-los. Sustentar o sistema de classes paga terrivelmente bem e, com esse dinheiro ilícito, comprei uma ideia de liberdade. Escrevi alguns contos e fui aceita na pós-graduação em escrita criativa da Universidade de Michigan. Em 2012, nos mudamos para Ann Arbor. Ao longo do ano seguinte, fomos convidados para dezoito casamentos.

Nesse ponto, Andrew e eu já éramos uma bela dupla. Tínhamos um cachorro, dividíamos as tarefas domésticas e a conta do cartão de crédito, e nunca passávamos um feriado separados. Quando me abraçava nele de manhã, sentia-me como um bebê leão-marinho subindo em uma pedra iluminada pelo sol. Em um fim de semana de 2013, voltamos ao Texas para um casamento em Marfa, onde tudo parecia uma visão do paraíso: um triste riff do Led Zeppelin ecoando na igreja, o calor do deserto, a sobrenatural felicidade do jovem casal, o gradiente do pôr do sol desaparecendo enquanto eles dançavam. Naquela noite, sentei-me sob as estrelas com um vestido preto, bebendo tequila e imaginando se meu coração estava tão incorreto quanto parecia naquele momento — batendo com a certeza de que eu não queria nada daquilo.

A pressão desse pensamento se intensificou tanto que meus ouvidos começaram a zumbir. Disse a Andrew o que eu estava pensando, e seu rosto se enrugou. Ele me disse que estava pensando exatamente o oposto. Aquele era o primeiro casamento em que ele captava de verdade o sentido de tudo aquilo.

Desde então, meia década se passou. Há muito tempo Andrew me perdoou por tê-lo feito chorar em Marfa; ele também, provavelmente devido à falta de alternativas desejáveis, perdeu o interesse em oficializar qualquer coisa. Nossa vida é cheia de prazer, mas quase completamente despojada dos rituais de massa: não fazemos nada no Dia dos Namorados, não comemoramos um "aniversário de namoro", não trocamos presentes de Natal ou montamos uma árvore. Quanto a mim, eu parei de me sentir culpada por não querer me casar com uma pessoa tão feita para casar. Agora entendo que é extremamente comum se sentir oprimido por casamentos, ou até ter aversão a eles. Como sociedade, não nos faltam evidências de que os casamentos são muitas vezes superficiais, performativos, excessivos e irritantes. Sob todo o fanatismo, há em nossa cultura um forte traço de ódio ao casamento. O ódio e o fanatismo estão, é claro, entrelaçados.

Essa tensão emerge em muitos filmes de festas de casamento, que tendem a representá-las como, simultaneamente, um local de ressentimento e amor. (Ou, no caso do reconfortante e verossímil *Melancolia*, um local de um iminente apocalipse causado por um cometa.) Nos filmes de casamento, é com frequência o parceiro romântico que é amado, e a família quem gera o ressentimento, como em *O pai da noiva* e *Casamento grego*. Porém, mais recentemente, esses filmes passaram a ser sobre como as mulheres amam e se ressentem do próprio casamento. O grande sucesso *Missão madrinha de casamento*, de Paul Feig, usou essa tensão em benefício da doçura e da comédia pastelão. O filme de 2012 de Leslye Headland, *Quatro amigas e um casamento*, fez algo semelhante, em uma paleta sombria e ácida.

Antes disso, houve *Vestida para casar*, lançado em 2008, com Katherine Heigl no papel principal, e *Noivas em guerra*, com Kate Hudson e Anne Hathaway. Essas comédias românticas profundamente perturbadoras deveriam ser *sobre* mulheres que amam casamentos e *para* mulheres que amam casamentos. Mas ambos os filmes parecem, na verdade, odiar casamentos, e odiar também essas mulheres. *Vestida para casar* nos apresenta Jane, uma dama de honra e acompanhante enérgica, sentimental e constantemente exausta que se tornou obcecada por casamentos depois de consertar um rasgo em um vestido de noiva quando era criança. "Sei que ajudei alguém no dia mais importante da sua vida", diz Jane, ofegante, na sequência de abertura, "e mal podia esperar pelo meu próprio dia especial." Ao longo do filme, ela nega compulsivamente a si mesma qualquer tipo de valor e felicidade, guardando ambas as coisas para seu imaginado futuro casamento, planejando os jantares de ensaio de outras pessoas e acumulando em sua alma grandes pilhas de ressentimento.

Noivas em guerra é pior. Emma e Liv são melhores amigas, obcecadas por casamentos desde a infância. Elas ficam noivas na mesma época e, de forma acidental, planejam suas festas no Plaza para o mesmo dia. Em consequência dessa situação absurdamente corrigível, uma enorme batalha irrompe. Emma, uma professora da rede pública que usa 25 mil dólares do dinheiro que está guardando para o casamento desde a adolescência para pagar o aluguel do Plaza, manda chocolates para Liv todos os dias para que assim ela engorde. Liv, uma advogada com uma esteira no escritório, entra escondida em um salão de bronzeamento para deixar Emma laranja. As duas não têm praticamente nenhum amigo, e ambas tratam seus futuros maridos como sacos de pancada. Um pouco antes de entrar no corredor cerimonial, Emma passa uma descompostura na colega de trabalho que ela forçou a ser dama de honra:

Deb, eu tenho lidado com versões suas a minha vida inteira, e eu vou dizer pra você o que eu deveria ter dito pra mim mesma há muito tempo. Às vezes, a atenção é toda pra mim, o.k.? Nem sempre, mas, de vez em quando, chega a minha vez. Como hoje. Se você não tá o.k. com isso, fica à vontade pra ir embora. Mas, se ficar, você tem que fazer o seu trabalho, o que significa sorrir e falar sobre como eu tô linda de noiva e, mais importante, não falar sobre você... O.k.? Consegue fazer isso?

Como Jane, Emma foi massacrada pela psicose cultural que diz às mulheres que elas devem dedicar todo o estoque de uma vida inteira de atenção em si mesmas a um único dia incrivelmente caro.

Em 2018, Michelle Markowitz e Caroline Moss publicaram o livro de humor *Hey Ladies!*, uma série de diabólicos e-mails ficcionais trocados entre um grupo de amigas de Nova York, as quais constantemente designam umas às outras elaboradas obrigações sociais — um problema que vai piorando quando as integrantes do grupo se envolvem em relacionamentos sérios. Um exemplo de e-mail, de quando a mãe da futura noiva intervém no chá de panela:

Como todas nós sabemos, Jen adora flores, então eu estava pensando em fazer um chá de panela no jardim do nosso country club na Virgínia no início da primavera. Sei que a Virgínia não fica exatamente perto de Nova York e do Brooklyn, mas já dei uma olhada nas passagens de trem da Amtrak para o último fim de semana de abril, e parece que vão custar apenas 450 dólares por pessoa, ida e volta (um bom preço!).

Ali, já que você é a dama de honra, vou deixar que lide com o código de vestimenta, mas por favor, meninas, preparem-se para usar um tom pastel ou uma cor suave que combine com seu tom de pele. Se estiverem em dúvida, procurem no Google! Ou vão a uma loja de roupas de luxo e marquem um horário com uma consultora de estilo. Quanto ao sapato, só porque o evento será no jardim isso não significa que vocês devem sacrificar a boa aparência em nome do conforto. Eu vou ter um fotógrafo no local, portanto tenham isso em mente! Quanto ao cabelo e à maquiagem, por favor, liguem pra Meegan do Hair Today na Virgínia e marquem horários consecutivos pra que nós possamos ter uma consistência visual.

É uma sátira, é claro, perfeitamente exagerada. Mas e-mails reais parecidos com esse viralizam no Twitter com frequência. E embora, até 2014, eu nunca tenha ganhado mais de 35 mil dólares por ano, eu gastei até hoje, por baixo, ao menos 35 mil dólares em casamentos.

Então: a despesa, o trabalho, a intensidade. E há também as previsíveis coisas feministas. Historicamente, o casamento em geral foi péssimo para as mulheres e fantástico para os homens. Confúcio definiu uma esposa como "alguém que se submete ao outro". A lei assíria estabelecia que "um homem pode açoitar a esposa, arrancar seus cabelos, golpeá-la e mutilar suas orelhas. Não há culpa nesses atos". Nos primórdios da Europa moderna, escreve Stephanie Coontz em *Marriage, a History*, um marido

poderia forçar o sexo [com a esposa], espancá-la e aprisioná-la na casa da família, enquanto era ela quem o provia com todos os seus bens mundanos. No minuto em que ele enfiava o anel no dedo da noiva, passava a controlar qualquer terra que ela trouxera ao casamento, e era o dono de todas as suas propriedades móveis, assim como de qualquer renda que, posteriormente, ela viesse a receber.

A doutrina jurídica da cobertura, a qual determinava que, como apontou Sir William Blackstone em 1753, "a própria existência ou capacidade jurídica da mulher é anulada pelo casamento, ou ao menos é incorporada ou consolidada à existência do marido", foi implementada na Idade Média, e não totalmente abolida nos Estados Unidos até o final do século XX. Até 1974, as mulheres frequentemente precisavam ir ao banco acompanhadas dos maridos se quisessem solicitar um cartão de crédito. Até os anos 1980, os códigos jurídicos de muitos estados especificavam que os maridos não poderiam ser criminalmente responsabilizados por estuprarem suas esposas.

Parte de minha aversão ao casamento vem de minha incompatibilidade com a palavra "esposa", que — fora do contexto de *Borat*, que é perfeito e será perfeito para sempre — me parece inseparável dessa história sombria. Ao mesmo tempo, entendo que as pessoas se opõem há séculos à desigualdade no casamento, tanto de dentro como de fora da instituição, e que o significado de esposa, de cônjuge, mudou significativamente nos últimos anos. No verão de 2015, no caso *Obergefell vs. Hodges*, a Suprema Corte garantiu aos casais homossexuais o direito de se casarem — uma decisão que validava a recente concepção de casamento como uma afirmação mútua de amor e compromisso, e que também o reconfigurava como uma instituição na qual se poderia entrar em igualdade de gênero. "Nenhuma outra união é mais profunda do que o casamento, pois ele incorpora os mais altos ideais de amor, fidelidade, devoção, sacrifício e família", diz o parágrafo final da decisão.

Ao formar uma união conjugal, duas pessoas se tornam algo mais do que eram previamente. [...] Dizer que esses homens e mulheres não respeitam a ideia do casamento seria não compreendê-los. Eles estão justamente alegando que o respeitam, respeitam tanto o casamento que desejam encontrar nele também sua satisfação. Sua esperança é que não sejam condenados a viver na solidão, excluídos de uma das instituições mais antigas da civilização. Eles estão pedindo uma igual dignidade aos olhos da lei.

Na sexta-feira em que a decisão foi proferida, eu tinha planejado ficar em casa, mas então as notícias me eletrizaram com tanta felicidade que acabei indo dançar depois de ter tomado cogumelos. Eu lembro de estar parada — as pessoas dançando ao meu redor, meu coração como bolo confete — lendo repetidamente o parágrafo final da decisão na tela de meu celular enquanto chorava.

O direito constitucional ao casamento gay leva a instituição a um futuro viável. Para as pessoas mais novas de minha geração, e para grande parte da geração seguinte, já pode parecer incompreensível que casais gays um dia não tiveram o direito de se casar — tão incompreensível quanto parece para mim quando imagino não poder solicitar um cartão de crédito por conta própria. Esta é uma era em que o casamento, de forma geral, não é entendido como o início de uma parceria, mas como o reconhecimento dessa parceria. Esta é uma era em que as mulheres cursam o ensino superior em maior número do que os homens, e frequentemente ganham mais do que os homens de vinte e poucos anos; uma era em que não se espera que as mulheres se casem para fazer sexo ou construam uma vida adulta estável, uma era em que as mulheres estão constantemente deixando o casamento para mais tarde, ou às vezes o deixando completamente de lado. Hoje, apenas cerca de 20% dos americanos se casam até os 29 anos, comparado aos quase 60% em 1960. O casamento está se tornando mais igualitário em todos os sentidos. "Em parte, isso ocorre porque, quando nos casamos mais tarde, não são apenas as mulheres que se tornam independentes", escreve Rebecca Traister em

All the Single Ladies. "São também os homens, que, como as mulheres, aprendem a se vestir e a se alimentar, a limpar sua casa, passar suas camisas e fazer as próprias malas."

Muitos dos casamentos em que estive refletiram essa mudança. A fetichização da pureza virginal foi removida da cena: mesmo no Texas, entre os conservadores religiosos, com frequência se reconhece implicitamente que o casal de noivos se preparou para uma vida juntos, o que inclui fazer sexo. Felizmente, não me lembro da última vez que vi uma noiva jogar o buquê. Muitas vezes, vejo o pai e a mãe entrando com a noiva. Em uma cerimônia, as filhas dos noivos eram as daminhas de honra. Uma de minhas amigas do Corpo da Paz pediu seu namorado em casamento em um banco no Senegal. Enquanto eu estava escrevendo este texto, fui a um casamento em Cincinnati no qual, depois do beijo, o juiz de paz orgulhosamente anunciou o casal como "dra. Katherine Lennard e sr. Jonathon Jones". Algumas semanas depois, fui a outro casamento, no Brooklyn. O casal entrou junto na cerimônia, e a noiva, a escritora Joanna Rothkopf, disse seus votos em duas frases, uma das quais era uma piada do *Sopranos*. ("Eu te amo mais do que o Bobby Bacala ama a Karen e, felizmente, não sei cozinhar, então você nunca vai ter que comer o meu último *ziti*.") Algumas semanas depois *disso*, eu dirigi para o norte do estado para outro casamento, em que meu amigo Bobby foi precedido no corredor cerimonial pelas quatro mulheres de sua festa de casamento, e ele e o marido, Josh, caminharam de mãos dadas até o altar.

No entanto, de maneira geral, o casamento "tradicional" — ou seja, o casamento tradicional hétero — continua sendo uma das mais significativas demonstrações de desigualdade de gênero. Ainda existe uma drástica incompatibilidade entre o roteiro culturalmente imposto do casamento, segundo o qual um homem aceita sem entusiasmo uma mulher que saliva por um diamante, e a realidade do casamento, segundo a qual a vida dos homens geralmente melhora, enquanto a das mulheres geralmente piora. Os homens casados declaram ter uma saúde mental melhor do que os homens solteiros, e vivem mais do que estes; por outro lado, as mulheres casadas declaram ter uma saúde mental *pior* do que as solteiras, e, além disso, morrem mais cedo. (Essas estatísticas não sugerem que o ato de se casar é uma espécie de maldição de gênero: na verdade, elas demonstram o fato de que, quando um homem e uma mulher combinam suas obrigações domésticas não remuneradas, a mulher normalmente acaba fazendo a maior parte do trabalho — uma diferença que se torna ainda mais exacerbada com a chegada das crianças.) Há uma ideia de que as mulheres, depois do divórcio, mergulham em dinheiro como o Tio Patinhas, mas, na verdade, as mulheres que trabalhavam enquanto estavam casadas veem sua renda cair em média 20% depois de se divorciarem, ao passo que a renda dos homens cresce mais do que isso.

A desigualdade de gênero está tão enraizada no casamento heterossexual que persiste mesmo diante das mudanças culturais e das intenções pessoais. Um estudo de 2014 da Harvard Business School realizado com ex-alunos — um grupo de pessoas preparadas para grandes ambições e flexibilidade — mostrou que mais da metade dos homens entre trinta e sessenta anos esperava que sua carreira tivesse prioridade sobre a carreira da esposa: três quartos desses homens tiveram suas expectativas satisfeitas. Em contraste, menos de um quarto das ex-alunas esperava que a carreira de seu cônjuge tivesse prioridade sobre sua própria carreira, mas, ainda assim, isso acontecia em 40% dos casos. Obviamente, a biologia tem uma relação com isso — ainda não resolvemos a questão de que as pessoas cujos corpos são consistentes com a biologia feminina são as que precisam ter os filhos, se a intenção de ter filhos existir —, mas as convenções sociais e as políticas públicas produzem um catatau de problemas esperados. O estudo da

Harvard Business School mostrou que as mulheres mais jovens, entre os vinte e os trinta anos, também estavam no caminho da discrepância entre a expectativa e a realidade.

Há um prenúncio dessa desigualdade no casamento, e um símbolo, no fato de que ainda se espera que a mulher hétero adote formalmente a identidade de seu marido. Em *Jane Eyre*, que Charlotte Brontë publicou em 1847, a narradora se sente perturbada quando, na véspera de seu casamento, ela vê "sra. Rochester" escrito nas etiquetas da bagagem. "Eu não conseguia me convencer a colocá-las, ou pedir que alguém as colocasse. Sra. Rochester! Ela não existe", pensa Jane.

> Já era o suficiente que, no guarda-roupa, do lado oposto à minha penteadeira, as roupas que diziam ser dela já tivessem deslocado meu vestido preto de Lowood e meu chapéu de palha; pois não era para mim aquele traje de casamento. [...] Fechei meu guarda-roupa para esconder as roupas estranhas e fantasmagóricas que ele continha.

Em *Rebecca*, de Daphne du Maurier, publicado em 1938, a protagonista sente o mesmo estranhamento diante da perspectiva de se casar. "Sra. De Winter. Eu passaria a ser a sra. De Winter. Fiquei pensando no meu nome, e na assinatura dos cheques para os comerciantes, e nas cartas convidando as pessoas para jantar." Ela repete seu nome, divagando. "Sra. De Winter. Eu passaria a ser a sra. De Winter." Depois de alguns minutos, ela percebe que está comendo uma tangerina azeda, e que ela tem um "gosto proeminente e amargo na boca, e que apenas agora percebi". A sra. Rochester e a sra. De Winter acabam quase fatalmente envolvidas nos problemas prévios de seus maridos, problemas estes também resultados de casamentos; é digno de nota que Brontë e Du Maurier restaurem uma espécie de equilíbrio nesses romances ao fazerem com que as propriedades dos maridos sejam destruídas pelo fogo.

A primeira mulher nos Estados Unidos a manter seu nome de nascença depois do casamento foi a feminista Lucy Stone, que se casou com Henry Blackwell em 1855. Os dois publicaram seus votos, o que também foi uma maneira de protestar contra as leis do matrimônio que "se recusam a reconhecer a esposa como alguém racional e independente, enquanto conferem ao marido uma superioridade nociva e antinatural, atribuindo-lhe poderes legais que nenhum homem honrado exerceria, e que nenhum homem deveria possuir". (Mais tarde, Stone foi impedida de votar com seu nome de solteira em uma eleição do conselho escolar.) Quase sete décadas depois, um grupo de feministas criou a Lucy Stone League, que defendia o direito de as mulheres abrirem contas no banco, pedir um passaporte ou reservar um hotel sob seu próprio nome. Essa luta por igualdade de nomes se arrastou até muito recentemente: se quisessem votar, as mulheres mais velhas da amostragem do estudo da Harvard Business School precisariam adotar, em alguns estados, o sobrenome do marido. Foi apenas em 1975, no caso *Dunn vs. Palermo*, na Suprema Corte do estado do Tennessee, que a última dessas leis foi derrubada. "As mulheres casadas", escreveu o juiz Joe Henry, "trabalharam sob uma forma de compulsão social e coerção econômica que não conduziu à afirmação de uma série de direitos e privilégios da cidadania." A obrigação de uma mulher adotar o sobrenome do marido "sufocaria e esfriaria praticamente todo o progresso no campo em franca expansão das liberdades humanas. Vivemos em uma nova era. Não podemos criar e manter certas condições, e então defender sua existência pela confiança no costume assim criado".

As mulheres começaram a manter seus próprios nomes nos anos 1970, quando isso se tornou amplamente possível. Em 1986, o *New York Times* começou a usar o pronome de tratamento "Ms." para se referir a mulheres cujo estado civil era desconhecido, bem como no caso das mulheres casadas que desejavam usar seu sobrenome de nascença. A independência em relação aos nomes teve seu auge nos anos 1990, com míseros 23% das mulheres casadas mantendo o nome de solteira (hoje em dia, são menos de 20%). A decisão é "baseada em conveniência", Katie Roiphe escreveu na *Slate* em 2004.

A questão política é praticamente incidental. Nossa independência fundamental não está tão ameaçada a ponto de *precisarmos* manter nossos nomes. [...] Nesse momento — desculpas a Lucy Stone e seu trabalho pioneiro em manter o nome —, nossa atitude é: qualquer coisa que funcione.

O pós-feminismo laissez-faire de Roiphe ainda é comum. As mulheres acreditam que seu nome é algo pessoal, não político — em grande parte porque a tomada de decisão ao redor dele permanece tão culturalmente restrita e reduzida. Uma mulher que mantém seu nome está fazendo uma escolha que parece limitada e fútil. Ela não o passará a seus filhos, tampouco vai transmiti-lo ao marido. Na melhor das hipóteses — ou assim as pessoas tendem a pensar —, seu sobrenome vai ser enfiado no meio do nome dos filhos, ou arranjado antes de um hífen, e então descartado mais tarde por questões de espaço. (E, de fato, uma lei da Louisiana ainda exige que o filho de duas pessoas casadas receba o sobrenome do pai para a obtenção de uma certidão de nascimento.) Achamos inapropriado que as mulheres tratem seu nome da maneira que os homens, por direito, tratam o seu. Nesse contexto, e em muitos outros também, é permitido à mulher afirmar sua independência, desde que isso não afete mais ninguém.

É claro que não há uma maneira clara de lidar com a questão dos sobrenomes, mesmo com o pressuposto da igualdade de gênero: sobrenomes hifenizados se dissolvem depois de uma única geração e, de modo geral, um nome precisa ser abandonado. Mas há uma flexibilidade com a qual os casais homossexuais abordam a questão do nome dos filhos — bem como com as convenções relacionadas a casamentos em geral, sobretudo a pedidos de casamento — que está visivelmente ausente da cena heterossexual. Também no casamento, os casais homossexuais dividem as tarefas mais igualmente do que os casais hétero e, quando adotam papéis "tradicionais" de gênero, eles "tendem a rejeitar a ideia de que seus arranjos de trabalho são imitativos ou derivados dos casais heterossexuais", como escreveu Abbie Goldberg em um estudo de 2013. Em vez disso, "eles veem seu arranjo como algo pragmático e escolhido". Casais gays também costumam achar sua divisão de tarefas mais justa do que casais hétero — uma estatística que se mantém mesmo quando as tarefas não são divididas igualmente. (Em outras palavras, suas expectativas e realidades estão mais alinhadas.) A instituição trabalha de maneira distinta quando está longe do desequilíbrio de poder que historicamente a definiu. Assim como qualquer construto social, o casamento é mais flexível quando é novo.

Como é possível que grande parte da vida contemporânea pareça tão arbitrária e tão inescapável? Pensar em casamentos não tem sido muito útil para mim; compreender as circunstâncias concretas que produziram o ritual do casamento, sua base de desigualdade e seu papel em perpetuar essa desigualdade, realmente não significa nada. Não me afasta de uma cultura organizada em torno de casamentos e festas de casamento; certamente não faz com que pareça menos sensato o que todos os noivos do passado, presente e futuro fizeram e estão fazendo, que é basicamente agarrar, sempre que possível, essas oportunidades de prazer ritual e encanto.

Ainda assim, eu me pergunto o quão mais difícil seria fazer com que as mulheres heterossexuais aceitassem a realidade do casamento caso elas não fossem apresentadas antes à fantasia do casamento. Eu me pergunto se as mulheres de hoje aceitariam tão prontamente a desigual redução de sua independência caso seu senso de autoimportância não fosse exagerado em primeiro lugar. Parece um truque, um truque que funcionou e ainda funciona, o fato de que a noiva continua sendo a mais amplamente celebrada imagem de feminilidade — e que o planejamento de um casamento seja o único período da vida de uma mulher em que ela é incondicionalmente encorajada a conduzir tudo da maneira como ela deseja.

A visão convencional da vida de uma mulher, na qual o casamento desempenha um papel de protagonista, parece estar oferecendo uma troca tácita. Aqui, diz nossa cultura, está um evento que a colocará no centro de tudo — que cristalizará sua imagem no momento que você é jovem e linda, admirada e amada, com o mundo inteiro se desenrolando à sua frente como um prado sem fim, um tapete vermelho felpudo, com estrelinhas iluminando suas íris e pétalas aterrissando em seu cabelo luxuoso e elegante. Em troca, a partir desse ponto, aos olhos do Estado e de todos ao seu redor, suas necessidades vão, lentamente, deixar de existir. É claro que isso não acontece com todo mundo, mas, para muitas mulheres, tornar-se uma noiva ainda significa sentir-se lisonjeada com a submissão; significa ser preparada, através de uma enxurrada de atenção e de uma série de segregados rituais de gênero — o chá de panela, a despedida de solteira e, mais tarde, o chá de bebê —, para um futuro em que sua identidade será sistematicamente considerada secundária em relação à identidade de seu marido e de seus filhos.

O paradoxo central do casamento vem das duas versões de mulher que ele evoca. Há a noiva glorificada, imponente, resplandecente e quase monstruosamente poderosa, e sua gêmea oposta silenciada, a mulher que desaparece sob o véu e a mudança de nome. Esses dois eus são opostos, unidos pelo poder masculino. O livro de conselhos apregoando "Você tem o privilégio de ter todos os olhos em você" e Anne Hathaway falando para sua dama de honra "Às vezes a atenção é toda pra mim, o.k.?" são coisas indissociáveis das leis que obrigavam as mulheres a usarem o sobrenome do marido caso elas quisessem votar nas eleições, e também do fato de que os benefícios pós-casamento relativos à saúde, riqueza e felicidade ainda são, sobretudo, distribuídos aos homens. Por baixo de todos os penduricalhos e de todo o espetáculo do casamento, há um perfeito estudo de caso sobre a maneira como a desigualdade confere às mulheres uma enorme autoafirmação como compensação por nos fazer desaparecer.

É fácil, muito fácil, achar tudo isso lindo. Recentemente, olhei uma coleção de revistas *Martha Stewart Weddings* em busca da edição que examinei de cabo a rabo no Quirguistão há quase uma década. Reconheci a capa imediatamente: o fundo cor de pêssego, a ruiva com um sorriso enorme e um batom brilhante — como uma princesa da Disney, com borboletas pousando na saia de tule de seu vestido branco sem alças. "Faça como quiser", ordena a capa da revista. Comprei e a li mais uma vez, relembrando as saias abaixo do joelho, os buquês de anêmonas e ranúnculos, os drinques de champanhe e damasco, todas essas coisas com as quais me envolvi mentalmente quando tudo que eu queria era que algo bom durasse.

A mulher da capa me lembrou Anne dos Cabelos Ruivos, a heroína pensativa e conversadora de L. M. Montgomery. Eu não conseguia recordar em que momento da série Anne se casou, ou de que maneira, ou como fora a festa — embora, é claro, eu tivesse nutrido uma quedinha por seu namorado e vizinho Gilbert Blythe. Procurei o quinto livro da série, *Anne e a casa dos sonhos*, e encontrei a cena do casamento. É um dia ensolarado de setembro, e o capítulo começa com Anne em seu velho quarto em Green Gables, pensando sobre cerejeiras e a vida de esposa. Então ela desce as escadas em seu vestido de noiva, "esbelta e de olhos brilhantes", os braços carregados de rosas. Nesse momento de extrema importância, ela não pensa nem fala. A narração passa para Gilbert. "Finalmente, ela era dele", Gilbert pensa, "Anne, evasiva e tão desejada, conquistada depois de anos de uma paciente espera. Era para ele que ela vinha, na doce rendição da noiva."

É uma cena tão natural. É linda. É tão perversamente familiar. Ocorre-me que eu desejo a independência, que faço demandas e espero por ela, mas nunca o suficiente, desde a adolescência, para realmente ficar sozinha. É possível que, da mesma maneira que o casamento mascara sua verdadeira natureza por meio de um ritual elaborado, eu possa ter elaborado toda essa orquestração para esconder de mim mesma alguma verdade sobre minha vida. Se eu me oponho à diminuição da esposa pela mesma razão que me oponho à glorificação da noiva, talvez a razão disso seja muito mais simples e mais óbvia do que eu imaginava: eu não quero ser diminuída, e eu quero *sim* ser glorificada — não em um único momento brilhante, mas sempre que eu quiser.

Parece fazer sentido, mas ainda sinto que não posso acreditar nisso. Aqui, quanto mais tento descobrir o que estou procurando, mais sinto que estou longe da resposta. Sempre que penso em tudo isso, posso sentir o zumbido grave e desconfortável da autoilusão — um tom que fica mais alto a cada vez que tento escrever e interrompê-lo. Posso sentir o puxão de minha suspeita profunda e recorrente de que qualquer coisa que eu pense sobre mim deve estar, de alguma forma, necessariamente errada.

No fim, as conclusões mais seguras podem não ser realmente conclusões. Espera-se que entendamos nossa vida sob circunstâncias impossivelmente complicadas. Sempre acabei acomodando todas as coisas às quais gostaria de me opor. Nesse caso, como em tantos outros, o "te" que eu temia pode ter sido o "eu" o tempo todo.

Agradecimentos

Embora todos os ensaios tenham sido escritos para este livro, vários deles influenciaram meu trabalho na *New Yorker*, e vice-versa. Alguns dos textos se basearam em coisas que escrevi para os sites Jezebel e Hairpin. Sou muito grata por ter começado a escrever dentro da família de blogs Awl; agradeço a Logan Sachon e Mike Dang, os primeiros editores que me publicaram; a Jane Marie, minha primeira editora dos sonhos no Hairpin; a Choire Sicha e Alex Balk, que costumavam me deixar confusa quando eu reclamava da internet — eu era um bebê, e agora entendo.

Sou grata ao Repentágono, também conhecido como Batisdomo, pela duradoura educação que encontrei lá, e pelos amigos, também — especificamente, às mulheres da Comunidade Sênior Lauren Allen Somente para Convidadas. Rachel, Annabel, Lara, obrigada por verem tudo. Robert Doty, estou tão feliz por você agora como quando vimos os anjos da construção.

Em minha querida Universidade da Virgínia: agradeço à Jefferson Scholars Foundation por uma vida livre de dívida estudantil, a Michael Joseph Smith por administrar o lendário campo de treinamento que é o PST, a Caroline Rody, a Walt Hunter, a Rachel Gendreau. Kevin, Jamie, Ryan, Tory, Baxa, Juli e Buster Baxter: obrigada pelo lar espiritual permanente.

Foi durante meu curto período no Corpo da Paz que comecei a considerar a improvável possibilidade de escrever como modo de vida. Lola, Yan, Kyle, obrigada por me deixarem chorar quando meu notebook foi roubado, e Akash, obrigada para sempre por me emprestar o seu para que eu pudesse começar a escrever de novo. David, você é o melhor *kuya*. Dinara Sultanova, você é a mulher mais maravilhosa que eu já conheci.

Devo muito ao financiamento e espaço fornecidos pelo Programa Helen Zell de Escritores da Universidade de Michigan. Agradeço a Nicholas Delbanco por me encorajar desde o início, e a Brit Bennett, Maya West, Chris McCormick e Mairead Small Staid por seu brilho descontraído. Rebecca Scherm, Barbara Linhardt, Katie Lennard: vejo vocês no *barre* etc.

Minhas amizades em Nova York mantiveram uma pequena parte do mundo acolhedora e estável: agradeço ao Help Group, à 2018 e às vadias da ópera. Amy Rose Spiegel, você me pareceu um anjo da guarda desde o início. Derek Davies, muito de meu relacionamento com a música foi cimentado ao seu lado. Frannie Stabile, você é a santa padroeira da otimização de minha bunda. Puja Patel, desculpe-me por nunca ter feito aquele arquivamento no SXSW. Luce de Palchi, nunca vou me esquecer de que, na noite depois das eleições, me faltavam palavras e eu tinha um prazo, e você me disse que eu não precisava fazer nada, além de ser sincera — que o que eu pensava seria o suficiente.

Da Gawker Media, o melhor lugar para aparecer: Tom Scocca, obrigada por suas edições excruciantes — acho que você me apresentou o título deste livro quando me deu o conselho (péssimo) de deixar o final de uma seção "reluzente". Minhas colegas no Jezebel — Kate, Julianne, Clover, Kara, Anna, Ellie, Joanna, Stassa, Kelly, Maddie, Bobby —, por favor, venham cada uma para uma garrafa de rosé.

A Rebecca Mead, Rebecca Solnit e Rebecca Traister — Andrew sempre me perguntava de qual Rebecca eu estava falando naquele momento —: admiro muito todas vocês e seu trabalho, e me senti esmagada de felicidade quando vocês olharam para mim. Agradeço a Jeff Bennett, que fez comentários inestimáveis sobre o manuscrito deste livro, e ao gênio Marlon James por nos apresentar. A Gideon Lewis-Kraus, obrigada pela radiografia da primeira versão deste livro e de minha personalidade. Agradeço à notável Mackenzie Williams, que prestou assistência à pesquisa em vários destes ensaios, sobretudo "Viemos da velha Virgínia" e "Com temor, eu te desposo". Minha querida parceira Haley Mlotek, obrigada por me dar o subtítulo deste livro no último dia do prazo. E para Emma Carmichael: obrigada por me dar uma carreira na mídia, e um olhar constante e atento sobre como tirar o melhor das pessoas e, acima de tudo, uma amizade sem a qual realmente não consigo imaginar minha vida.

Sou muito grata à MacDowell Colony por me oferecer um mês no paraíso para terminar este livro. À minha incrível agente Amy Williams, obrigada por me escolher quando eu ainda era embrionária, e por todas as coisas que você faz. Agradeço a Jenny Meyer e a Anna Kelly, da Fourth Estate. Ainda acho engraçado que eu trabalhe na *The New Yorker* — meus colegas brilhantes, vocês me enchem de admiração. Emily Greenhouse, obrigada por me adotar em Londres. Jeanie Riess, obrigada por verificar os fatos deste livro. Bruce Diones, obrigada por manter tudo funcionando. Nick Thompson, obrigada por me contratar. Agradeço a Dorothy Wickenden e Pam McCarthy. A David Haglund, meu editor, você é o melhor — obrigada por me fazer melhorar. Agradeço a David Remnick por não ter me demitido (ainda) quando eu tuitei sobre meu bong.

Carrie Frye, você é a leitora mais generosa, a editora mais sobrenatural, a pessoa mais adorável — obrigada por me guiar com graça e discernimento tão meticulosos durante todo o processo de transformar esta proposta em um manuscrito. Não sei como você faz, mas sei que não poderia ter escrito este livro sem você. Sou grata a todos da Random House por cuidarem tão bem de mim — especialmente a Andy Ward, Susan Kamil, Molly Turpin e Dhara Parikh. Ao meu editor Ben Greenberg, agradeço por tornar este livro uma realidade — por defendê-lo, aprimorá-lo e sempre me fazer sentir que ele estava em ótimas mãos.

Finalmente: para Lynn Stekas e John Daley, obrigada por serem minha família desde 2010, pelos valores que vocês transmitiram aos seus filhos, e por seu exemplo de amor e respeito mútuos. Clare, Matt, CJ e Quinn, sou tão feliz por ter vocês em minha vida. Para meu irmão Martin, me desculpe por ter feito você fingir ser meu cachorro uma vez. (Ainda bem que a lenda Gretzky Tolentino apareceu!) Para minha cadela Luna, obrigada por ser a melhor amiga fofa — com você, eu nunca poderia me sentir sozinha. Para Aida Adia, minha avó linda, sei que sou uma leitora por sua causa. Para minha mãe e meu pai, estou em dívida para sempre: seus sacrifícios me fizeram uma pessoa valente, capaz e atenta à estranheza do mundo, e vocês me ensinaram a amar incondicionalmente. E a Andrew Daley, meu parceiro para tudo: obrigada por crescer comigo, por construir para mim um recanto para eu escrever e por ser tão atraente. Na verdade, me sinto casada com você há muito tempo.

Leituras de apoio

1. O eu na internet [pp. 13-49]

CARR, Nicholas. *The Shallows: What the Internet Is Doing to Our Brains*. Nova York: W. W. Norton, 2010.

FORSTER, E. M. "The Machine Stop". *Oxford and Cambridge Review*, nov. 1909.

GILROY-WARE, Marcus. *Filling the Void: Emotion, Capitalism, and Social Media*. Londres: Repeater, 2017.

GOFFMAN, Erving. *The Presentation of Self in Everyday Life*. Nova York: Anchor, 1959. [Ed. bras.: *A representação do eu na vida cotidiana*. Petrópolis: Vozes, 2009.]

HERMANN, John. "The Content Wars". Awl, 2015.

LANIER, Jaron. *You Are Not a Gadget: A Manifesto*. Nova York: Penguin, 2011.

MILNER, Ryan; PHILLIPS, Whitney. *The Ambivalent Internet: Mischief, Oddity, and Antagonism Online*. Cambridge: Polity, 2017.

NAGLE, Angela. *Kill All Normies: Online Culture Wars from Tumblr and 4chan to the Alt-Right and Trump*. Londres: Zero Books, 2017.

ODELL, Jenny. *How to Do Nothing*. Nova York: Melville House, 2019.

PHILLIPS, Whitney. *This Is Why We Can't Have Nice Things: Mapping the Relationship Between Online Trolling and Mainstream Culture*. Cambridge: MIT Press, 2016.

READ, Max. "Does Even Mark Zuckerberg Know What Facebook Is?". *New York*, 2 out. 2017.

RONSON, Jon. *So You've Been Publicly Shamed*. Londres: Picador, 2016.

SCHULMAN, Sarah. *Conflict Is Not Abuse: Overstating Harm, Community Responsibility, and the Duty of Repair*. Vancouver: Arsenal Pulp Press, 2017.

SILVERMAN, Jacob. *Terms of Service: Social Media and the Price of Constant Connection*. Nova York: Harper Perennial, 2016.

WU, Tim. *The Attention Merchants*. Londres: Atlantic, 2017.

3. A otimização constante [pp. 84-120]

BRODESSER-AKNER, Taffy. "Losing It in the Anti-Dieting Age". *New York Times Magazine*, 2 ago. 2017.

BUCHANAN, Matt. "How to Power Lunch When You Have No Power". Awl, 22 jan. 2015.

FOUCAULT, Michel. *Discipline and Punish*. Nova York: Pantheon, 1977. [Ed. bras.: *Vigiar e punir*. Petrópolis: Vozes, 1984.]

HARAWAY, Donna. "A Cyborg Manifesto: Science, Technology, and Socialist-
-Feminism in the Late Twentieth Century". In: ____. *Simians, Cyborgs and
Women: The Reinvention of Nature*. Nova York: Routledge, 1991.

KINSELLA, Sophie. *My Not So Perfect Life*. Nova York: Dial Press, 2017.

LACEY, Catherine. *The Answers*. Nova York: Farrar, Straus & Giroux, 2017.

SHELLEY, Mary. *Frankenstein* (1818). Nova York: Dover, 1994. [Ed. bras.: *Frankenstein*. São Paulo: DarkSide Books, 2019.]

SUDJIC, Olivia. *Sympathy*. Boston: Houghton Mifflin Harcourt, 2017.

WEIGEL, Moira. "Pajama Rich". *Real Life*, 22 ago. 2016.

WEISS, Emily. "The Little Wedding Black Book". Into the Gloss, 2016.

WIDDOWS, Heather. *Perfect Me*. Princeton: Princeton University Press, 2018.

WOLF, Naomi. *The Beauty Myth*. Londres: Chatto & Windus, 1990.

4. Heroínas puras [pp. 121-60]

ALCOTT, Louisa May. *Little Men*. Alabama: Roberts Brothers, 1871.

_____. *Little Women*. Alabama: Roberts Brothers, 1869. [Ed. bras.: *Mulherzinhas*.
São Paulo: Companhia das Letras, 2018.]

AUSTEN, Jane. *Pride and Prejudice*. Londres: T. Egerton, 1813. [Ed. bras.: *Orgulho
e preconceito*. São Paulo: Companhia das Letras, 2011.]

BEAUVOIR, Simone de. *The Second Sex*. Nova York: Penguin, 1949. [Ed. bras.:
O segundo sexo. Rio de Janeiro: Nova Fronteira, 2016.]

BLUME, Judy. *Starring Sally J. Freedman as Herself*. Nova York: Bradbury, 1978.

_____. *Tiger Eyes*. Nova York: Bradbury, 1981.

CHOPIN, Kate. *The Awakening*. Chicago; Nova York: Herbert S. Stone & Co., 1899.

COLLINS, Suzanne. *The Hunger Games*. Nova York: Scholastic, 2008. [Ed. bras.:
Jogos vorazes. Rio de Janeiro: Rocco, 2010.]

DIDION, Joan. *Play It as It Lays*. Nova York: Farrar, Straus & Giroux, 1970.

EDWARDS, Julie Andrews. *Mandy*. Nova York: HarperCollins, 1971.

ELIOT, George. *Middlemarch*. Edimburgh: William Blackwood and Sons, 1871.

EUGENIDES, Jeffrey. *The Marriage Plot*. Londres: Picador, 2011. [Ed. bras.:
A trama do casamento. São Paulo: Companhia das Letras, 2012.]

_____. *The Virgin Suicides*. Nova York: Farrar, Straus & Giroux, 1993. [Ed. bras.:
As virgens suicidas. São Paulo: Companhia das Letras, 2013.]

FERRANTE, Elena. *My Brilliant Friend*. Nova York: Europa, 2012. [Ed. bras.:
A amiga genial. São Paulo: Biblioteca Azul, 2015.]

_____. *The Days of Abandonment*. Nova York: Europa, 2005. [Ed. bras.: *Dias de
abandono*. São Paulo: Biblioteca Azul, 2015.]

FITZHUGH, Louise. *Harriet the Spy*. Nova York: Harper & Row, 1964.

FLAUBERT, Gustave. *Madame Bovary*. Paris: Michel Lévy Frères, 1856. [Ed.
bras.: *Madame Boavary*. Porto Alegre: L&PM, 2003.]

FLYNN, Gillian. *Gone Girl*. Nova York: Crown, 2012. [Ed. bras.: *Garota exemplar*.
Rio de Janeiro: Intrínseca, 2012.]

GERGEN, Mary. "Life Stories: Pieces of a Dream". In: _____. *Toward a New Psychology of Gender*. Londres: Routledge, 1997.

GROSSMAN, Lev. *The Magicians*. Nova York: Viking, 2009.

HARDY, Thomas. *Tess of the D'Urbervilles*. Londres: James R. Osgood, 1891. [Ed. bras.: *Tess dos D'Urbervilles*. Vitória: Pedrazul, 2012.]

JAMES, E. L. *Fifty Shades of Grey*. Nova York: Vintage, 2011. [Ed. bras.: *Cinquenta tons de cinza*. Rio de Janeiro: Intrínseca, 2012.]

JAMES, Henry. *Portrait of a Lady*. Boston: Houghton, Mifflin and Company, 1881. [Ed. bras.: *Retrato de uma senhora*. São Paulo: Companhia das Letras, 2017.]

KONIGSBURG, E. L. *From the Mixed-Up Files of Ms. Basil E. Frankweiler*. Nova York: Atheneum, 1967.

KRAUS, Chris. *I love Dick*. Los Angeles: Semiotext(e), 1997. [Ed. bras.: *Eu amo Dick*. São Paulo: Todavia, 2019.]

LARSSON, Stieg. *The Girl with the Dragon Tattoo*. Estocolmo: Norstedts Förlag, 2005. [Ed. bras.: *Os homens que não amavam as mulheres*. São Paulo: Companhia das Letras, 2015.]

LOVELACE, Maud Hart. *Betsy-Tacy and Tib*. Nova York: Thomas Y. Crowell, 1941.

LOWRY, Lois. *Anastasia Krupnik*. Boston: Houghton Mifflin, 1979.

MEYER, Stephenie. *Twilight*. Boston; Nova York: Little, Brown and Company, 2005. [Ed. bras.: *Crepúsculo*. Rio de Janeiro: Intrínseca, 2005.]

MILAN WOMEN'S BOOKSTORE COLLECTIVE. *Sexual Difference: A Theory of Social--Symbolic Practice*. Indiana: Indiana University Press, 1990.

MILLER, Nancy. *The Heroine's Text: Readings in the French and English Novel*. Nova York: Columbia University Press, 1980.

MITCHELL, Margaret. *Gone with the Wind*. Nova York: Macmillan, 1936. [Ed. bras.: *E o vento levou*. Rio de Janeiro: Record, 2015.]

MONTGOMERY, L. M. *Emily of New Moon*. Nova York: Frederick A. Stokes, 1923. _____. *Anne of Green Gables*. Boston: L. C. Page & Co., 1908. [Ed. bras.: *Anne de Green Gables*. São Paulo: Martins Fontes, 2009.]

NAYLOR, Phyllis Reynolds. *The Agony of Alice*. Nova York: Atheneum, 1985.

OFFILL, Jenny. *Dept. of Speculation*. Nova York: Vintage Contemporaries, 2014.

PASCAL, Francine. *Double Love*. Nova York: Macmillan, 1983.

PLATH, Sylvia. *The Bell Jar*. Londres: Heinemann, 1963. [Ed. bras.: *A redoma de vidro*. São Paulo: Biblioteca Azul, 2019.]

ROTH, Veronica. *Divergent*. Nova York: HarperCollins, 2011. [Ed. bras.: *Divergente*. Rio de Janeiro: Rocco, 2012.]

ROWLING, J. K. *Harry Potter and the Prisoner of Azkaban*. Londres: Scholastic, 2001. [Ed. bras.: *Harry Potter e o prisioneiro de Azkaban*. Rio de Janeiro: Rocco, 2001.]

SMITH, Betty. *A Tree Grows in Brooklyn*. Nova York: Harper & Bros., 1943.

SOLNIT, Rebecca. *The Mother of All Questions*. Chicago: Haymarket, 2017. [Ed. bras.: *A mãe de todas as perguntas*. São Paulo: Companhia das Letras, 2017.]

TAYLOR, Sydney. *All of a Kind Family*. Illinois: Follett, 1951.

THACKERAY, William. *Vanity Fair*. Londres: Bradbury & Evans, 1848.

TOLSTÓI, Liev. *Anna Karenina*. The Russian Herald, 1878. [Ed. bras.: *Anna Kariênina*. São Paulo: Companhia das Letras, 2018.]

WARNER, Gertrude Chandler. *The Boxcar Children*. Illinois: Albert Whitman & Co., 1942.

5. Êxtase [pp. 161-92]

BEVERLY, Julia. *Sweet Jones: Pimp C's Trill Life Story*. Los Angeles: Shreveport Ave, 2015.

CARSON, Anne. *Decreation: Poetry, Essays, Opera*. Nova York: Vintage, 2006.

FANIEL, Maco L. *Hip Hop in Houston: The Origin and the Legacy*. Cheltenham: History Press, 2016.

HALL, Michael. "The Slow Life and Fast Death of DJ Screw". *Texas Monthly*, abr. 2001.

HITT, Jack. "This Is Your Brain on God". *Wired*, 1 nov. 1999.

HOLLAND, Julie. *Ecstasy: The Complete Guide: A Comprehensive Look at the Risks and Benefits of MDMA*. Maine: Park Street Press, 2001.

HUXLEY, Aldous. *The Perennial Philosophy*. Nova York: Harper & Bros., 1945. [Ed. bras.: *A filosofia perene*. São Paulo: Cultrix, 1998.]

JAMES, William. *The Varieties of Religious Experience*. Londres: Longmans, Green & Co., 1902. [Ed. bras.: *As variedades da experiência religiosa*. São Paulo: Cultrix, 2017.]

JULIANA DE NORWICH. *Revelations of Divine Love* (1670). Nova York: Dover, 2006. [Ed. bras.: *Revelações de amor divino*. Petrópolis: Vozes, 2019.]

KIERKEGAARD, Søren. *Fear and Trembling*. Copenhague: C. A. Reitzel, 1843. [Ed. bras.: *Terror e tremor*. São Paulo: Hemus, 2001.]

LEWIS, C. S. *Perelandra*. Londres: The Bodley Head, 1943. [Ed. bras.: *Perelandra*. Rio de Janeiro: Thomas Nelson, 2019.]

_____. *The Screwtape Letters*. Londres: Geoffrey Bles, 1942.

MALINAR, Angelika; BASU, Helene. *The Oxford Handbook of Religion and Emotion*. Oxford: Oxford University Press, 2007.

PORETE, Marguerite. *The Mirror of Simple Souls* (*c.* 1300). New Jersey: Paulist Press, 1993.

WEIL, Simone. *Gravity and Grace*. Paris: Plon, 1947. [Ed. bras.: *A gravidade e a graça*. São Paulo: Martins Fontes, 1993.]

WRIGHT, Laurence. *God Save Texas*. Nova York: Knopf, 2018.

6. A história de uma geração em sete golpes [pp. 193-239]

AMORUSO, Sophia. *#GIRLBOSS*. Nova York: Portfolio, 2015. [Ed. bras.: *Girl boss*. São Paulo: Grupo Pensamento, 2015.]

BOWLES, Nellie. "Unfiltered Fervor: The Rush to Get Off the Water Grid". *New York Times*, 2017.

BRAUCHER, Jean; ORBACH, Barak. "Scamming: The Misunderstood Confidence Man". *Yale Journal of Law and Humanities* 27, n. 2, 2015.

BRUDER, Jessica. "Driven to Despair". *New York*, 21 maio 2018.

CAIRNS, James Irvine. *The Myth of the Age of Entitlement: Millennials, Austerity, and Hope.* Toronto: University of Toronto Press, 2017.

CARREYROU, John. *Bad Blood.* Nova York: Knopf, 2018. [Ed. bras.: *Bad blood: Fraude milionária no Vale do Silício.* Rio de Janeiro: Alta Books, 2019.]

CHOCANO, Carina. "From Wells Fargo to Fyre Festival, the Scam Economy Is Entering Its Baroque Phase". *New York Times Magazine*, 16 maio 2017.

CRAIG, Scott. "Mast Brothers: What Lies Beneath the Beards". Dallas Food, 2015.

HARRIS, Malcolm. *Kids These Days: Human Capital and the Making of Millennials.* Chicago; Nova York: Little, Brown and Company, 2017.

KONNIKOVA, Maria. *The Confidence Game.* Nova York: Penguin, 2017.

LEWIS, Michael. *Liar's Poker.* Nova York: W. W. Norton, 1989.

_____. *The Big Short.* Nova York: W. W. Norton, 2010.

MCCLELLAND, Mac. "I Was a Warehouse Wage Slave". *Mother Jones*, mar.--abr. 2012.

PRESSLER, Jessica. "Maybe She Had So Much Money She Just Lost Track of It". *New York*, 28 maio 2018.

STONE, Brad. *The Upstarts: How Uber, Airbnb, and the Killer Companies of the New Silicon Valley Are Changing the World.* Chicago; Nova York: Little, Brown and Company, 2017.

7. Viemos da velha Virgínia [pp. 240-86]

CORONEL, Sheila; COLL, Steve; KRAVITZ, Derek. "*Rolling Stone*'s Investigation: 'A Failure That Was Avoidable'". *Columbia Journalism Review*, 5 abr. 2015.

DORR, Lisa Lindquist. *White Women, Rape, and the Power of Race in Virginia, 1900- 1960.* Chapel Hill: University of North Carolina Press, 2004.

DOYLE, Jennifer. *Campus Sex, Campus Security.* Los Angeles: Semiotext(e), 2015.

EISENBERG, Emma. "'I Am a Girl Now,' Sage Smith Wrote. Then She Went Missing." Splinter, 24 jul. 2017.

REED, Annette Gordon. *Thomas Jefferson and Sally Hemings: An American Controversy.* Charlottesville: University of Virginia Press, 1997.

SANTOS, Carlos; BOWMAN, Rex. *Rot, Riot, and Rebellion: Mr. Jefferson's Struggle to Save the University That Changed America.* Charlottesville: University of Virginia Press, 2013.

SCHAMBELAN, Elizabeth. "League of Men". *n+1*, primavera 2017.

SECCURO, Liz. *Crash Into Me: A Survivor's Search for Justice.* Londres: Bloomsbury, 2011.

SHANE, Charlotte. "Obstruction of Justice". *Harper's*, ago. 2018.

SYRETT, Nicholas L. *The Company He Keeps: A History of White College Fraternities.* Chapel Hill: University of North Carolina Press, 2009.

"Take Back the Archive". Charlottesville: University of Virginia Library's Scholars' Lab.

8. O culto da mulher difícil [pp. 287-320]

DOYLE, Sady. *Trainwreck: The Women We Love to Hate, Mock, and Fear... and Why*. Nova York: Melville House, 2016.

GAY, Roxane. *Bad Feminist*. Nova York: Harper Perennial, 2014. [Ed. bras.: *Má feminista*. Barueri: Novo Século, 2016.]

MASSEY, Alana. *All the Lives I Want: Essays About My Best Friends Who Happen to Be Famous Strangers*. Nova York: Grand Central, 2017.

PETERSEN, Anne Helen. *Too Fat, Too Slutty, Too Loud: The Rise and Reign of the Unruly Woman*. Nova York: Plume, 2017.

WURTZEL, Elizabeth. *Bitch: In Praise of Difficult Women*. Nova York: Doubleday, 1998.

9. Com temor, eu te desposo [pp. 321-55]

BRONTË, Charlotte. *Jane Eyre*. Londres: Smith, Elder & Co., 1847. [Ed. bras.: *Jane Eyre*. Porto Alegre: L&PM, 2016.]

BRUBACH, Holly. "In Fashion for Better or Worse". *New Yorker*, 10 jul. 1989.

COONTZ, Stephanie. *Marriage, a History: How Love Conquered Marriage*. Nova York: Penguin, 2006.

DU MAURIER, Daphne. *Rebecca* (1938). Nova York: William Morrow, 2006. [Ed. bras.: *Rebecca, a mulher inesquecível*. São Paulo: Amarylis, 2012.]

Dunn v. Palermo. Tennessee State Supreme Court, 1976.

HOWARD, Vicki. *Brides, Inc.: American Weddings and the Business of Tradition*. Filadélfia: University of Pennsylvania Press, 2008.

MEAD, Rebecca. *One Perfect Day: The Selling of the American Wedding*. Nova York: Penguin, 2008.

MONTGOMERY, L. M. *Anne's House of Dreams*. Toronto: McClelland, Goodchild and Stewart, 1917.

MOSS, Caroline; MARKOWITZ, Michelle. *Hey Ladies!: The Story of 8 Best Friends, 1 Year, and Way, Way Too Many Emails*. Nova York: Harry N. Abrams, 2018.

Obergefell v. Hodges. U.S. Supreme Court, 2015.

WALLACE, Carol. *All Dressed in White: The Irresistible Rise of the American Wedding*. Nova York: Penguin, 2004.

WOLF, Naomi. "Brideland". In: WALKER, Rebecca (Org.), *To Be Real: Telling the Truth and Changing the Face of Feminism*. Nova York: Anchor, 1995.

YALOM, Marilyn. *A History of the Wife*. Nova York: Harper Perennial, 2002.

Trick Mirror: Reflections on Self-Delusion © Jia Tolentino, 2019.
Todos os direitos reservados. Publicado originalmente nos
Estados Unidos por Random House, uma marca e divisão
da Penguin Random House LLC, Nova York.

Todos os direitos desta edição reservados à Todavia.

Grafia atualizada segundo o Acordo Ortográfico da Língua
Portuguesa de 1990, que entrou em vigor no Brasil em 2009.

capa
adaptação da capa original de
Sharanya Durvasula para Random House
composição
Manu Vasconcelos
preparação
Silvia Massimini Felix
revisão
Fernanda Belo
Huendel Viana

3ª reimpressão, 2025

Dados Internacionais de Catalogação na Publicação (CIP)

Tolentino, Jia (1988-)
   Falso espelho : reflexões sobre a autoilusão / Jia
Tolentino ; tradução Carol Bensimon. — 1. ed. — São
Paulo: Todavia, 2020.

   Título original: Trick Mirror: Reflections on
Self-Delusion
   ISBN 978-65-5114-013-6

   1. Literatura americana. 2. Ensaio. 3. Sociedade —
Estados Unidos – Século XXI. 4. Feminismo.
I. Bensimon, Carol. II. Título.

CDD B869.93

Índice para catálogo sistemático:
1. Literatura brasileira: romance B869.93

Bruna Heller — Bibliotecária — CRB 10/2348

todavia
Rua Luís Anhaia, 44
05433.020 São Paulo SP
T. 55 11. 3094 0500
www.todavialivros.com.br

fonte
Register*
papel
Pólen natural 80 g/m²
impressão
Geográfica